CW00683604

LUMIÈRE DU MOYEN AGE

RÉGINE PERNOUD

LUMIÈRE DU MOYEN AGE

FRANCE LOISIRS
123, boulevard de Grenelle, Paris

Édition du Club France Loisirs, Paris
avec l'autorisation des Éditions Grasset et Fasquelle.

« Faire des livres est un travail sans fin », disait l'Ecclésiaste, — au temps où la Bible s'appelait la Vulgate. C'est un peu le sentiment de l'auteur en considérant le présent ouvrage à quarante ans ou presque de distance... Travail sans fin.

Celui-ci avait été entrepris quelques années après ma sortie de l'École des Chartes, dans l'éblouissement d'une découverte encore toute neuve. Pour moi, en effet, comme pour tout le monde, à la fin des études secondaires et d'une licence classique, le « Moyen Age » était une époque de « ténèbres ». On nous munissait, tant en littérature qu'en histoire, d'un solide arsenal de jugements préfabriqués qui nous amenaient sans plus à déclarer naïfs les auditeurs de Thomas d'Aquin et barbares les bâtisseurs du Thoronet. Rien dans ces siècles obscurs qui valût la peine de s'y attarder. Aussi n'est-ce qu'avec un sentiment de résignation que j'avais abordé une école destinée dans mes intentions à m'ouvrir une carrière de bibliothécaire.

Et voilà qu'elle m'avait ouvert une fenêtre sur un autre monde. Et qu'après un peu plus de trois ans de cours — ponctués souvent, il faut bien le dire, de crises de sommeil irrépressible, quand il s'agissait par exemple de bibliothéconomie ou d'archivistique — « ces temps qu'on appelle obscurs » m'apparaissaient dans une lumière insoupçonnée. Le mérite de l'école était de vous mettre d'emblée face aux matériaux mêmes de l'Histoire. Aucune « littérature », très peu d'importance accordée aux opinions professées par des professeurs, mais une exigence rigoureuse vis-à-vis des textes anciens ou des monuments d'époque pris dans le sens le plus large. On vous amenait en somme à être des techniciens de l'Histoire, et c'était plus nourrissant que les diverses philosophies de la même Histoire qu'on avait eu l'occasion d'aborder auparavant. En troisième année surtout, l'archéologie, et plus encore l'histoire du droit, enseignée par ce maître que fut Roger Grand, vous faisait pénétrer une société dans ses structures profondes comme dans son expression artistique ; on nous révélait un passé affleurant encore au présent, un monde qui avait vu s'épanouir le lyrisme, éclore la littérature romanesque et s'élever Chartres et Reims ; à identifier une statue après l'autre, on découvrait des personnages d'une haute humanité ; à feuilleter des chartes ou des manuscrits, on prenait conscience d'une harmonie dont chaque sceau, chaque ligne tracée, chaque mise en page semblaient détenir le secret.

Si bien que peu à peu une question naissait, qu'en des temps trop difficiles pour laisser place à la contestation on osait à peine formuler : pourquoi ne nous avoir jamais rien laissé soupçonner de tout cela ? pourquoi ces programmes qui ne nous faisaient entrevoir qu'un grand vide entre le siècle d'Auguste et la Renaissance ? Pourquoi fallait-il adopter sans discussion l'opinion d'un Boileau sur les « siècles grossiers » et n'accueillir qu'avec un sourire indulgent celle des romantiques sur la forêt gothique ?

Le présent ouvrage est né de ces interrogations et d'une foule d'autres semblables. Et il semble bien qu'aujourd'hui tout le monde les poserait. Mais il n'en est même plus question. Du fait qu'ils ont entre-temps appris à voyager, les Français ont comme tout le monde appris à voir. Une culture latente qui faisait complètement défaut dans ma jeunesse, où « la Culture » était encore l'apanage d'une société fort restreinte, s'est répandue. Et si nous n'en sommes pas encore à voyager autant que les Anglo-Saxons, ou à lire autant que les Irlandais, le niveau général, contrairement à tant de clameurs pessimistes, nous paraît, à nous, s'être considérablement élevé depuis vingt à vingt-cinq ans surtout. Si bien qu'un peu partout on commence à savoir discerner dans notre environnement ce qui mérite d'être admiré.

« Cet ouvrage, vous allez passer votre vie à le réécrire », m'avait dit, à sa parution, Léon Gischia ; et cette assurance, venant d'un peintre que j'admirais profondément, lui-même très averti des diverses formes d'art de notre Moyen Age, m'avait frappée. En fait, il avait raison. Tous mes travaux allaient être consacrés à étudier, approfondir, éclaircir les sentiers ici ouverts ou entrevus, à tenter une exploration plus complète, à vouloir aussi la faire partager par un public tout prêt à manifester sa curiosité d'esprit ; cela surtout, remarquons-le, en dehors des milieux traditionnellement voués à la culture classique et à elle seule.

A propos de cette réédition, trente-cinq ans exactement après sa parution, la question se posait de rajeunir ou non l'ouvrage. Réflexion faite, nous le livrons tel qu'il fut écrit. Les lecteurs sont aujourd'hui à même de combler ses éventuelles lacunes grâce à des collections comme celle de Zodiaque sur l'art roman ou comme les Cahiers de civilisation médiévale; *ou encore grâce à ces études si probes, si fouillées, celles de Reto Bezzola, de Pierre Riché, de Paul Zumthor, de Léopold Génicot et de très nombreux érudits américains, Lynn White et combien d'autres.*

On ne manquera pas de relever ici et là quelques approximations. Ainsi ai-je reproduit assez naïvement ce qu'on m'avait enseigné touchant « l'oubli de la sculpture » jusqu'à l'époque romane et gothique ; les peintres de notre temps ont corrigé en quelque sorte notre vision et nous ont fait comprendre que les fresquistes romans ne cherchaient pas plus qu'un Matisse à obéir aux « lois de la perspective ». Ou encore ce sont des erreurs de détail : Abélard n'a jamais enseigné à Argenteuil ; mais il est aujourd'hui mieux connu.

On voudra bien rectifier de même, ici et là, des maladresses, des détails qui « datent », des épithètes intempestives, des jugements quelque peu péremptoires : le tout dû à la jeunesse; mais les supprimer risquait de supprimer aussi un certain bouillonnement d'enthousiasme dû à la même jeunesse. On peut invoquer pour elle l'indulgence du lecteur. Cette même indulgence que me manifesta, la première fois où je franchis, très intimidée, la porte des éditions Grasset, le cher Henry Poulaille alors directeur du service littéraire. En dépit de ses imperfections, cet ouvrage peut représenter pour d'autres une initiation un peu comparable à celle que j'avais reçue dans la vieille maison du 19 rue de la Sorbonne.

*

Ce serait entamer un autre chapitre — le plus important sans doute — que de dire toute la reconnaissance que j'éprouve envers tous ceux qui ont inspiré, accueilli, encouragé cet ouvrage et m'en ont fourni la matière ou la forme. En remontant le temps il y aurait d'abord ceux qui ont conseillé ou voulu cette réédition, Christian de Bartillat des éditions Stock ou Françoise Verny des éditions Grasset. Puis, au-delà, tant d'érudits, maîtres ou confrères; on apprécie mieux, « quand le jour baisse aux fenêtres et que se taisent les chansons », la portée du : « qu'as-tu que tu ne l'aies reçu? »

Mais d'abord et plus que tout, ce fut, au point de départ de cet ouvrage, le conseil et l'avis de Georges, mon frère (« Si tout ce que tu nous racontes du Moyen Age est exact, écris-le; personne ne le sait ») et par la suite encore tous mes autres ouvrages auront été inspirés, guidés, revus, mis au point par celui qui, attentif à l'œuvre des autres au point d'en négliger la sienne propre, connaît aujourd'hui la Lumière au-delà de toute lumière.

2 février 1981.

...ces temps qu'on appelle obscurs.
(MIGUEL DE UNAMUNO.)

L'ORGANISATION SOCIALE

On a cru pendant longtemps qu'il suffisait, pour expliquer la société médiévale, de recourir à la classique division en trois ordres : clergé, noblesse et tiers état. C'est la notion qu'en donnent encore les manuels d'histoire : trois catégories d'individus, bien définies, ayant chacune leurs attributions propres et nettement séparées les unes des autres. Rien n'est plus éloigné de la réalité historique. La division en trois classes peut s'appliquer à l'Ancien Régime, aux XVIIe et XVIIIe siècles, où, effectivement, les différentes couches de la société formèrent des ordres distincts, dont les prérogatives et les rapports rendent compte du mécanisme de la vie. En ce qui concerne le Moyen Age, pareille division est superficielle : elle explique le groupement, la répartition, la distribution des forces, mais ne révèle rien sur leur origine, sur leur ressort, sur la structure en profondeur de la société. Telle qu'elle apparaît dans les textes juridiques, littéraires et autres, celle-ci est bien une hiérarchie, comportant un ordre déterminé, mais cet ordre est autre qu'on ne l'a cru, et d'abord beaucoup plus divers. Dans les actes notariés, on voit couramment le seigneur d'un comté, le curé d'une paroisse paraître comme témoins dans des transactions entre vilains, et la *mesnie* d'un baron — c'est-à-dire son entourage, ses familiers, — comporte aussi bien des serfs et des moines que de hauts personnages. Les attributions de ces classes sont aussi étroitement mêlées : la plupart des évêques sont également seigneurs ; or beaucoup d'entre eux sortent du petit peuple ; un bourgeois qui achète une terre noble devient, en certaines régions, noble lui-même. Dès l'instant où l'on abandonne les manuels pour se plonger dans les textes, cette notion des « trois classes de la société » vous apparaît comme factice et sommaire.

Plus proche de la vérité, la division en privilégiés et non-privilégiés reste, elle aussi, incomplète, car il y eut, au Moyen Age, des privilèges du haut en bas de l'échelle sociale. Le moindre apprenti est, sous certains rapports, un privilégié, puisqu'il participe aux privilèges du corps de métier ; ceux de l'Université profitent aussi bien aux étudiants et même à leurs valets, qu'aux maîtres et aux docteurs. Certains groupes de serfs ruraux jouissent de privilèges précis que leur seigneur est tenu de respecter. Ne considérer, en fait de privilèges, que ceux de la noblesse et du clergé, c'est acquérir une notion tout à fait erronée de l'ordre social.

Pour bien comprendre la société médiévale, il faut étudier son organisation familiale. Là se trouve la « clef » du Moyen Age, et aussi son originalité. Tous les rapports, à cette époque, s'établissent sur le mode familial : ceux de seigneur à vassal aussi bien que ceux de maître à apprenti. La vie rurale, l'histoire de notre sol, ne s'expliquent que par le régime des familles qui y vécurent. Voulait-on évaluer l'importance d'un village ? On comptait le nombre de « feux », et non pas le nombre d'individus qui le composaient. Dans la législation, dans les coutumes, toutes les dispositions prises se rapportent au bien de famille, à l'intérêt de la lignée, — ou, étendant cette notion familiale à un cercle plus important, à l'intérêt du groupe, du corps de métier qui n'est qu'une vaste famille, fondée sur le même modèle que la cellule familiale proprement dite. Les hauts barons sont avant tout des pères de famille, groupant autour d'eux tous les êtres qui, par leur naissance, font partie du domaine patrimonial ; leurs luttes sont des querelles de famille, auxquelles prend part toute cette *mesnie* qu'ils ont charge de défendre et d'administrer. L'histoire de la féodalité n'est autre que celle des principales lignées. Et qu'est-ce, somme toute, que l'histoire du pouvoir royal, du Xe siècle au XIVe ? Celle d'un lignage, qui s'établit grâce à sa renommée de courage, à la valeur dont ses ancêtres avaient fait preuve : beaucoup plus qu'un homme, c'est une famille que les barons placèrent à leur tête ; en la personne d'Hugues Capet, ils voyaient le descendant de Robert le Fort qui avait défendu la contrée contre les envahisseurs normands, d'Hugues le Grand qui déjà avait porté la couronne ; cela perce dans le fameux discours d'Adalbéron de Reims : « Donnez-vous pour chef le duc des Francs, glorieux par ses actions, *par sa famille et par ses hommes,* — le duc en qui vous trouverez un tuteur, non seulement des affaires publiques, mais de vos affaires *privées.* » Ce lignage s'est maintenu sur le trône par l'hérédité, de père en fils, et a vu ses domaines s'accroître par héritages et par mariages, beaucoup plus que par conquêtes : histoire qui se répète des milliers de fois sur notre sol, à divers degrés, et qui a décidé une fois pour toutes des destinées de la France, en fixant à leur terre des lignées de paysans et d'artisans dont la persistance à travers les heurs et malheurs des temps a réellement créé notre nation. A la base de l'« énergie française », il y a la famille, telle que le Moyen Age l'a comprise et connue.

On ne saurait mieux saisir l'importance de cette base familiale qu'en opposant, par exemple, la société médiévale, composée de familles, à la société antique, composée d'individus. Dans celle-ci, l'homme, *vir*, prime tout ; dans la vie publique il est le *civis*, le citoyen, qui vote, qui fait les lois et prend part aux affaires de l'Etat ; dans la vie privée, c'est le *paterfamilias*, le propriétaire d'un bien qui lui appartient personnellement, dont il est seul répondant, et sur lequel ses attributions sont à peu près illimitées. Nulle part on ne voit que sa famille ou sa lignée participent à son activité. Sa femme et ses enfants lui sont entièrement soumis et restent à son égard en état de perpétuelle minorité ; il a sur eux, comme sur ses esclaves ou sur ses biens fonciers, le *jus utendi et abutendi*, le pouvoir d'user et d'abuser. La famille semble n'exister qu'à l'état latent ; elle ne vit que par la personnalité du père, à la fois chef militaire et grand-prêtre ; cela, avec toutes les conséquences morales qui en découlent, parmi lesquelles il faut ranger l'infanticide légal. L'enfant est d'ailleurs dans l'Antiquité le grand sacrifié : il est un objet dont la vie dépend du jugement ou du caprice paternel ; il est soumis à toutes les éventualités de l'échange ou de l'adoption, et, lorsque le droit de vivre lui est accordé, il reste sous la dépendance et l'autorité du *paterfamilias* jusqu'à la mort de celui-ci ; même alors, il n'acquiert pas de plein droit l'héritage paternel, puisque son père peut disposer à son gré de ses biens par testament ; lorsque l'État s'occupe de cet enfant, ce n'est nullement pour intervenir en faveur d'un être fragile, mais simplement pour faire l'éducation du futur soldat et du futur citoyen.

Rien ne subsiste de cette conception dans notre Moyen Age. Ce qui importe alors, ce n'est plus l'homme, mais la lignée. On pourrait étudier l'antiquité — et on l'étudie en fait — sous forme de biographies individuelles : l'histoire de Rome, c'est celle de Sylla, de Pompée, d'Auguste ; la conquête des Gaules, c'est l'histoire de Jules César. Aborde-t-on le Moyen Age ? Un changement de méthode s'impose : l'histoire de l'unité française, c'est celle de la lignée capétienne ; la conquête de la Sicile, c'est l'histoire des rejetons d'une famille normande, trop nombreuse pour son patrimoine. Pour bien saisir le Moyen Age, il faut le voir dans sa continuité, dans son ensemble. C'est peut-être pourquoi il est beaucoup plus mal connu et beaucoup plus difficile à étudier que la période antique, parce qu'il faut en démêler la complexité, le suivre dans la continuité du temps, à travers ces *mesnies* qui en sont la trame ; — et non pas seulement celles qui ont laissé un nom par l'éclat de leurs exploits ou l'importance de leur domaine, mais aussi les très humbles maisonnées, celles du peuple des villes et des campagnes, qu'il faut connaître dans leur vie familière, si l'on veut se rendre compte de ce que fut la société médiévale.

Cela s'explique d'ailleurs : pendant cette période de troubles et de décomposition totale que fut le Haut Moyen Age, la seule source d'unité, la seule force demeurée vive, a été précisément le noyau familial, à partir duquel s'est peu à peu constituée l'unité française. La famille, et sa base domaniale, ont été ainsi, en raison des circonstances, le point de départ de notre nation.

Cette importance donnée à la famille se traduit par une prépondérance, très marquée au Moyen Age, de la vie privée sur la vie publique. A Rome, un homme ne vaut qu'autant qu'il exerce ses droits de citoyen : qu'il vote, délibère et participe aux affaires de l'État ; les luttes de la plèbe pour obtenir d'être représentée par un tribun sont à cet égard bien significatives. Au Moyen Age, il est rarement question d'affaires publiques : ou plutôt, celles-ci prennent tout de suite l'allure d'une administration familiale ; ce sont des comptes de domaine, des règlements de tenanciers et de propriétaires ; même lorsque les bourgeois, au moment de la formation des communes, réclament des droits politiques, c'est pour pouvoir exercer librement leur métier, n'être plus gênés par les péages et les droits de douane ; l'activité politique, en soi, ne présente pas d'intérêt pour eux. D'ailleurs, la vie rurale est alors infiniment plus active que la vie urbaine, et, dans l'une comme dans l'autre, c'est la famille, non l'individu, qui prévaut comme unité sociale.

Telle qu'elle nous apparaît dès le xe siècle, la société ainsi comprise présente pour trait essentiel la notion de solidarité familiale, issue des coutumes barbares, germaniques ou nordiques. La famille est considérée comme un corps dans tous les membres duquel circule un même sang, — ou comme un monde en réduction, chaque être jouant son rôle avec la conscience de faire partie d'un tout. L'union ne repose donc plus, comme dans l'antiquité romaine, sur la conception étatiste de l'autorité de son chef, mais sur ce fait d'ordre biologique et moral à la fois, que tous les individus qui composent une même famille sont unis par la chair et par le sang, que leurs intérêts sont solidaires, et que rien n'est plus respectable que l'affection qui naturellement les anime les uns envers les autres. On a très vif le sens de ce caractère commun des êtres d'une même famille :

> Les gentils fils des gentils pères
> Des gentils et des bonnes mères
> Ils ne font pas de pesants heires (*hoirs, héritiers*).

dit un auteur du temps. Ceux qui vivent sous un même toit, cultivent le même champ et se chauffent au même foyer, — ou, pour employer le langage du temps, ceux qui ont part au même « pain et pot », qui « taillent au même chanteau », savent qu'ils peuvent compter les uns sur les autres, et que, le cas échéant, l'appui de leur mesnie ne leur fera pas défaut. L'esprit de corps est, en effet, plus puissant ici qu'il ne pourrait l'être dans n'importe quel autre groupement, puisqu'il est fondé sur les liens indéniables de la parenté par le sang, et qu'il s'appuie sur une communauté d'intérêts non moins visible et évidente. L'auteur dont a été cité l'extrait précédent, Étienne de Fougères, proteste dans son *Livre des Manières* contre le népotisme chez les évêques ; néanmoins, il reconnaît que ceux-ci feront bien de s'entourer de leurs parents « s'ils sont de bonne affaire », car, dit-il, on n'est jamais sûr de la fidélité des étrangers, tandis que les siens, du moins, ne vous failliront pas.

On partage donc les joies et les souffrances ; on recueille au foyer les enfants de ceux qui sont morts ou dans le besoin, et toute une maisonnée se met en branle pour venger l'injure faite à l'un de ses membres. Le droit de guerre privée, reconnu pendant une bonne partie du Moyen Age, n'est que l'expression de la solidarité familiale. Il répondait, dans les débuts, à une nécessité : lors de la faiblesse du pouvoir central, l'individu ne pouvait compter sur une autre aide que sur celle de la mesnie pour le défendre, et durant toute l'époque des invasions, il aurait été livré, étant seul, à toutes sortes de dangers et de misères. Pour vivre il fallait faire front, se grouper — et quel groupe vaudra jamais celui d'une famille résolument unie ?

La solidarité familiale, s'exprimant au besoin par le secours des armes, résolvait alors le difficile problème de la sécurité personnelle et de celle du domaine. Dans certaines provinces, particulièrement dans le Nord de la France, l'habitat traduit ce sens de la solidarité : la principale pièce de la maison, c'est la *salle*, la salle qui préside, avec sa vaste cheminée, aux réunions de famille, la salle où l'on se rassemble pour manger, pour festoyer aux mariages et aux anniversaires, et pour veiller les morts ; c'est le *hall* des coutumes anglo-saxonnes, — car l'Angleterre eut au Moyen Age des coutumes semblables aux nôtres, auxquelles elle est restée fidèle en bien des points.

A cette communauté de biens et d'affection, il faut un administrateur. C'est naturellement le père de famille qui joue ce rôle. Mais au lieu d'être celle d'un chef, absolue et personnelle, comme dans le droit romain, l'autorité dont il jouit est plutôt celle d'un gérant : gérant responsable, directement intéressé à la prospérité de la maison, mais qui s'acquitte d'un devoir plutôt qu'il n'exerce un droit. Protéger les êtres faibles, femmes, enfants, serviteurs, qui vivent sous son toit, assurer la gestion du patrimoine, telle est sa charge ; mais on ne le considère pas comme le maître à toujours de la maisonnée, ni comme le propriétaire du domaine. S'il jouit des biens patrimoniaux, il n'en a que l'usufruit ; tels il les a reçus de ses ancêtres, tels il doit les transmettre à ceux que leur naissance désignera pour lui succéder. Le véritable propriétaire, c'est la famille, non l'individu.

De même, s'il possède toute l'autorité nécessaire à ses fonctions, il est loin d'avoir, sur sa femme et ses enfants, ce pouvoir sans limites que lui concédait le droit romain. Sa femme collabore à la *mainbournie,* c'est-à-dire à l'administration de la communauté et à l'éducation des enfants ; il gère les biens qu'elle possède en propre, parce qu'on le considère comme plus capable qu'elle de les faire prospérer, chose qui ne va pas sans peine et sans travail ; mais lorsque, pour une raison ou une autre, il doit s'absenter, sa femme reprend en mains cette gestion sans le moindre obstacle, et sans autorisation préalable. On garde si vif le souvenir de l'origine de sa fortune qu'au cas où une femme meurt sans enfants, ses biens propres reviennent intégralement à sa famille ; aucun contrat ne peut s'y opposer, les choses se passent naturellement ainsi.

Par rapport aux enfants, le père est le gardien, le protecteur et le maître. Son autorité paternelle s'arrête à leur majorité, qu'ils acquièrent très jeunes : presque toujours à quatorze ans chez les roturiers ; chez les nobles, l'âge évolue de quatorze à vingt ans, parce qu'ils ont à fournir pour la défense du fief un service plus actif, exigeant des forces et de l'expérience. Les rois de France étaient considérés comme majeurs dès leur quatorzième ou leur quinzième année, et c'est à cet âge, on le sait, que Philippe-Auguste fonçait en tête de ses troupes. Une fois majeur, le jeune homme continue à jouir de la protection des siens et de la solidarité familiale, mais, à la différence de ce qui se passait à Rome, et par la suite dans les pays de droit écrit, il acquiert pleine liberté d'initiative et peut s'éloigner, fonder une famille, administrer ses propres biens, comme il l'entend. Dès qu'il est capable d'agir par lui-même, rien ne vient entraver son activité ; il devient son maître, tout en gardant l'appui de la famille dont il est issu. C'est une scène classique des romans de chevalerie que de voir ainsi les fils de la maison, aussitôt qu'ils sont en âge de porter les armes et de recevoir l'adoubement, quitter la demeure paternelle pour courir le monde ou aller servir leur suzerain.

La notion familiale ainsi comprise repose sur une base matérielle : c'est le bien de famille, — bien foncier en général, car la terre constitue, dans les débuts du Moyen Age, l'unique source de richesse, et demeure par la suite le bien stable par excellence.

> Héritage ne peut mouvoir
> Mais meubles est chose volage

disait-on alors. Ce bien familial, qu'il s'agisse d'une tenure servile ou d'un domaine seigneurial, reste toujours la propriété de la lignée. Il est insaisissable et inaliénable ; les revers accidentels de la famille ne peuvent l'atteindre. On ne peut pas le lui arracher, et elle n'a pas non plus le droit de le vendre ou d'en trafiquer.

Lorsque le père meurt, ce bien de famille passe aux héritiers directs. S'il s'agit d'un fief noble, l'aîné des fils en recueille la presque totalité, car il faut un homme, et un homme mûri par l'expérience, pour maintenir et défendre un domaine ; telle est la raison du droit d'aînesse, que consacrent la plupart des coutumes. Pour les tenures roturières, l'usage varie avec les provinces : parfois l'héritage est partagé, mais en général c'est le fils aîné qui succède. Notons qu'il n'est question que de l'héritage principal, du bien de famille ; les autres sont, le cas échéant, partagés entre les cadets ; mais c'est à l'aîné que revient le « chef manoir », avec une étendue de terres suffisante pour le faire vivre, ainsi que sa famille. C'est justice d'ailleurs, parce que presque toujours le fils aîné a secondé son père et se trouve être, après lui, celui qui a le plus coopéré à l'entretien et à la défense du patrimoine. Dans quelques provinces, telles que le Hainaut, l'Artois, la Picardie et certaines parties de la Bretagne, c'est, non plus l'aîné, mais le plus jeune qui succède à l'héritage principal, et encore pour une raison de droit naturel : parce que, dans une famille, les aînés se marient les premiers et vont alors s'établir à leur compte, tandis que le dernier-né demeure plus longtemps avec ses parents, et les soigne dans leur vieillesse. Ce *droit de juvégnerie* témoigne de la souplesse et de la diversité des coutumes, qui s'adaptent aux habitudes familiales, suivant les conditions d'existence.

De toutes façons, ce qui est remarquable dans le système de dévolution des biens, c'est qu'ils passent à un seul héritier, et que cet héritier est désigné par le sang. « Pas d'héritier par testament », dit-on en droit coutumier. Dans la transmission du bien familial, la volonté du testateur n'intervient pas. A la mort d'un père de famille, son successeur naturel entre de plein droit en possession du patrimoine. « Le mort saisit le vif », disait-on encore, en ce langage médiéval qui avait le secret des expressions frappantes. C'est la mort de l'ascendant qui confère au successeur son titre de propriété, qui le met *en saisine,* en jouissance de sa terre ; l'homme de loi n'a pas, comme de nos jours, à passer par là. Si les coutumes varient suivant le lieu, faisant ici du fils aîné, là du plus jeune l'héritier naturel, — si la manière dont neveux et nièces peuvent prétendre à la succession, faute d'héritiers directs, varie suivant les provinces, du moins une règle est-elle constante : on ne recueille un héritage qu'en vertu des liens naturels qui vous unissent au défunt. Cela, lorsqu'il s'agit de biens immeubles ; les testaments ne portent jamais que sur les meubles, ou sur des terres acquises pendant la vie, et ne faisant pas partie du bien de famille. Lorsque l'héritier naturel se trouve être indigne de sa charge, notoirement, ou s'il est, par exemple, simple d'esprit, des tempéraments sont admis ; mais en général la volonté humaine n'intervient pas contre l'ordre naturel des choses. « Institution d'héritier n'a point lieu », tel est l'adage des juristes de droit coutumier. C'est dans ce sens que l'on dit encore, en parlant des successions royales : Le roi est mort, vive le roi. Il n'y a ni interruption ni vacance possible, lorsque l'hérédité seule désigne le successeur.

Ainsi la gestion du bien de famille se trouve-t-elle assurée en tout temps. Ne pas laisser le patrimoine s'affaiblir, tel est en effet le but auquel visent toutes les coutumes. C'est pourquoi il n'y avait jamais qu'un seul héritier, tout au moins pour les fiefs nobles. On craignait le morcellement, qui appauvrit la terre en la divisant à l'infini : le morcellement a toujours été source de discussions et de procès ; il gêne le cultivateur et fait obstacle au progrès matériel — car pour pouvoir profiter des améliorations que la science ou le travail mettent à la portée du paysan, il faut une entreprise d'une certaine importance, pouvant au besoin supporter des échecs partiels, et en tous cas fournir des ressources variées. Le grand domaine, tel qu'il existe sous la féodalité, permet une sage exploitation de la terre : on peut périodiquement en laisser une partie en jachères, ce qui lui donne le temps de se renouveler, et varier les cultures, tout en gardant, de chacune d'elles, une harmonieuse proportion. Aussi bien la vie rurale a-t-elle été extraordinairement active durant le cours du Moyen Age, et quantités de cultures ont été introduites en France à cette époque.

Cela, il l'a dû, pour une bonne part, aux facilités que le système rural de l'époque offrait à l'esprit d'initiative de notre race. Le paysan d'alors n'est ni un retardataire ni un routinier. L'unité, la stabilité du domaine étaient une garantie pour l'avenir comme pour le présent, en favorisant la continuité de l'effort familial. De nos jours, lorsque plusieurs héritiers se trouvent en présence, il faut démembrer le fonds, et passer par toutes sortes de négociations et de rachats pour que l'un d'eux puisse reprendre l'entreprise paternelle[1]. L'exploitation cesse avec l'individu. Or l'individu passe, tandis que le foyer demeure, et, au Moyen Age, on tendait à *demeurer*. S'il est un mot significatif dans la terminologie médiévale, c'est celui de : manoir, l'endroit où l'on reste, *manere*, — le point d'attache de la lignée, le toit qui abrite ses membres, passés et présents, et qui permet aux générations paisiblement de se survivre.

Bien caractéristique aussi, l'emploi de cette unité agraire que l'on nomme le *manse* : l'étendue de terres

1. On sait que des dispositions récentes sont venues heureusement modifier le régime des successions.

suffisante pour qu'une famille puisse s'y fixer et y vivre. Elle variait naturellement avec les régions : un petit coin de terre dans la grasse Normandie ou la riche Gascogne rapporte plus au cultivateur que de vastes étendues en Bretagne ou dans le Forez ; le manse a donc une étendue très variable suivant le climat, les qualités du sol et les conditions d'existence. C'est une mesure empirique, et, caractère essentiel, à base familiale, non individuelle. Elle résume à elle seule le trait le plus saillant de la société médiévale.

Assurer à la famille une base fixe, la river au sol en quelque sorte, pour qu'elle y prenne racine, puisse porter son fruit et se perpétuer, tel est le but de nos ancêtres. Si l'on peut trafiquer avec les richesses mobilières et en disposer par testament, c'est que par essence, elles sont changeantes et peu stables ; pour les raisons inverses le bien foncier, propriété familiale, est inaliénable et insaisissable. L'homme n'en est que le gardien temporaire, l'usufruitier ; le véritable propriétaire, c'est la lignée.

Une foule de coutumes médiévales découlent de ce souci de sauvegarder le bien de famille. Ainsi, en cas de manque d'héritier direct, les biens d'origine paternelle reviennent à la famille du père, et ceux d'origine maternelle, à la mère — alors qu'en droit romain on ne reconnaissait que la parenté par les mâles. C'est ce qu'on appelle la *fente*, qui départage d'après leur source les biens d'une famille éteinte. De même, le *retrait lignager* donne aux parents même éloignés droit de préemption lorsque pour une raison ou pour une autre un domaine est vendu. La façon dont est réglée aussi la garde d'un enfant devenu orphelin présente un type de législation familiale. La tutelle est exercée par l'ensemble de la famille, et celui que son degré de parenté désigne pour administrer les biens devient naturellement le tuteur. Notre conseil de famille n'est qu'un reste de la coutume médiévale réglant le bail des fiefs et la garde des enfants.

Le Moyen Age a d'ailleurs si vif le souci de respecter le cours naturel des choses, de ne pas créer de heurt dans le décours du bien familial, que, au cas où les tenants d'un bien meurent sans héritier, leur domaine ne peut faire retour à leurs ascendants ; on recherche les descendants même éloignés, cousins ou arrière petits-cousins, plutôt que de faire revenir ces biens à leurs précédents possesseurs : « Biens propres ne remontent ». Cela, par désir de suivre l'ordre normal de la vie, qui se transmet du plus âgé au plus jeune, et ne revient pas en arrière : les fleuves ne remontent pas vers leur source, de même, les éléments de la vie doivent alimenter ce qui représente la jeunesse, l'avenir. C'est d'ailleurs une garantie de plus pour le bien de la lignée que d'aller nécessairement vers des êtres jeunes, donc plus actifs, et capables de le faire valoir plus longtemps.

Parfois, la dévolution des biens se fait sous une forme très révélatrice du sentiment familial qui est la grande force du Moyen Age. La famille (ceux qui vivent à un même « pain et pot ») constitue une véritable personnalité morale et juridique, possédant en commun les biens dont le père est l'administrateur ; à sa mort la communauté se reforme sous la conduite de l'un des *parsonniers*, désigné par le sang, sans qu'il y ait eu interruption de la jouissance des biens ni transmission d'aucune sorte. C'est ce qu'on appelle la *communauté taisible*, dont fait partie tout membre de la maisonnée qui n'a pas été expressément mis « hors de pain et pot ». La coutume en subsista jusqu'à la fin de l'ancien régime et l'on a pu citer des familles françaises qui pendant des siècles n'avaient jamais payé le moindre droit de succession. Le juriste Dupin signalait ainsi, en 1840, la famille Jault qui n'en avait pas payé depuis le XIVe siècle.

Dans tous les cas, même en dehors de la communauté

taisible, la famille, considérée dans son prolongement à travers les générations, reste le véritable propriétaire du bien patrimonial. Le père de famille qui a reçu ce bien de ses ancêtres en doit compte à ses descendants ; qu'il soit serf ou seigneur il n'est jamais le maître absolu. On lui reconnaît le droit d'user, non celui d'abuser, et il a de plus le devoir de défendre, de protéger et d'améliorer le sort de tous ceux, êtres et choses, dont il a été constitué le gardien naturel.

Et c'est ainsi que s'est formée la France, œuvre de ces milliers de familles, obstinément fixées au sol, dans le temps et dans l'espace. Francs, Burgondes, Normands, Wisigoths, tous ces peuples mouvants dont la masse instable fait du Haut Moyen Age un si déconcertant chaos, formaient, dès le xe siècle, une nation, solidement attachée à sa terre, unie par des liens plus sûrs que toutes les fédérations dont on a pu proclamer l'existence. L'effort renouvelé de ces familles microscopiques avait donné naissance à une vaste famille, un macrocosme, dont la lignée capétienne, qui glorieusement conduisit, de père en fils, trois siècles durant, les destinées de la France, symbolise à merveille la haute tenue. C'est certainement l'un des plus beaux spectacles que puisse offrir l'Histoire, cette famille se succédant à notre tête en ligne directe, sans interruption, sans défaillance, pendant plus de trois cents ans — un temps égal à celui qui s'est écoulé de l'avènement du roi Henri IV à la guerre de 1940...

Mais ce qu'il importe de comprendre, c'est que l'histoire des Capétiens directs n'est que l'histoire d'une famille française, parmi des millions d'autres. Cette vitalité, cette persistance sur notre sol, tous les foyers de France l'ont possédée, à un degré à peu près égal —

sauf accidents ou hasards, inévitables dans l'existence. Le Moyen Age, issu de l'incertitude et du désarroi, de la guerre et de l'invasion, a été une époque de stabilité, de permanence, au sens étymologique du mot.

Cela, il l'a dû à ses institutions familiales, telles que les expose notre droit coutumier. En elles se concilient en effet le maximum d'indépendance individuelle et le maximum de sécurité. Chaque individu trouve au foyer l'aide matérielle, et dans la solidarité familiale la protection morale, dont il peut avoir besoin ; en même temps, dès qu'il se suffit à lui-même, il est libre, libre de déployer son initiative, de « faire sa vie » ; rien n'arrête l'expansion de sa personnalité. Les liens mêmes qui le rattachent au foyer paternel, à son passé, à ses traditions, n'ont rien d'une entrave ; la vie recommence pour lui tout entière, tout comme, biologiquement parlant, elle recommence entière et neuve pour chaque être qui vient au monde — ou comme l'expérience personnelle, trésor incommunicable que chacun doit se forger pour soi-même, et qui n'est valable qu'autant qu'elle vous est propre.

Il est évident qu'une telle conception de la famille suffit à faire tout le dynamisme, et aussi toute la solidité d'une nation. L'aventure de Robert Guiscard et de ses frères, cadets d'une famille normande, trop pauvre et trop nombreuse, qui émigre, devient roi de Sicile, et y fonde une dynastie puissante, voilà le type même de l'histoire médiévale, toute de hardiesse, de sens familial et de fécondité. Le droit coutumier, qui a fait la force de notre pays, s'opposait directement en cela au droit romain, dans lequel la cohésion de la famille ne tient qu'à l'autorité du chef, tous les membres étant soumis envers lui à une rigoureuse discipline, leur vie durant : conception militaire, étatiste, reposant sur une idéologie de légistes et de fonctionnaires, non sur le droit naturel. On a comparé la famille nordique à une ruche qui essaime périodiquement, et se multiplie renouvelant ses terrains de butinage, et la famille romaine à une ruche qui n'essaimerait jamais. On a dit encore de la famille « coutumière » qu'elle formait des pionniers et des hommes d'affaires, tandis que la famille romaine donne naissance à des militaires, des administrateurs, des fonctionnaires[1].

Il est curieux de suivre, au cours des siècles, l'histoire des peuples formés à ces différentes disciplines, et de constater les résultats auxquels ils ont abouti. L'expansion romaine avait été politique, militaire, et non ethnique ; les Romains ont conquis un empire par les armes, et l'ont gardé par leurs bureaucrates ; cet empire n'a été solide qu'autant que soldats et fonctionnaires ont pu le surveiller facilement ; la disproportion n'a cessé de croître entre l'extension des frontières et la centralisation qui est le but idéal et la conséquence inévitable du droit romain ; il s'effondrait de lui-même, par ses propres institutions, lorsque la poussée des invasions est venue lui donner le coup de grâce.

On peut, à cet exemple, opposer celui des races anglo-saxonnes ; leurs coutumes familiales ont été identiques aux nôtres pendant tout le Moyen Age, et, contrairement à ce qui s'est passé chez nous, elles les ont gardées ; c'est sans doute ce qui explique leur prodigieuse expansion à travers le monde. Des vagues d'explorateurs, de pionniers, de marchands, d'aventuriers et de risque-tout, quittant leur foyer afin de tenter fortune, sans oublier pour cela leur terre natale et les traditions de leurs pères, voilà ce qui fonde un empire.

Les pays germaniques, qui nous ont fourni en grande partie les coutumes que notre Moyen Age avait adoptées, se sont vu imposer de bonne heure le droit romain. Leurs

1. Ces formules nous viennent de M. Roger GRAND, professeur à l'École des Chartes.

empereurs se trouvaient en effet reprendre les traditions de l'Empire d'Occident, et jugeaient que pour unifier les vastes contrées qui leur étaient soumises, le droit romain leur fournissait un excellent instrument de centralisation. Il y fut donc très tôt mis en usage, et dès la fin du XIVe siècle constituait définitivement la loi commune du Saint-Empire, alors qu'en France, par exemple, la première chaire de droit romain à l'Université de Paris ne fut instituée qu'en 1679. Aussi bien l'expansion germanique a-t-elle été plutôt militaire qu'ethnique.

La France, elle, a été façonnée surtout par le droit coutumier ; sans doute a-t-on l'habitude de désigner le sud de la Loire et la vallée du Rhône comme « pays de droit écrit », c'est-à-dire de droit romain, mais cela signifie que les coutumes de ces provinces s'inspiraient de la loi romaine, non que le code Justinien y fût en vigueur. Pendant tout le Moyen Age, la France a gardé intactes ses coutumes familiales, ses traditions domestiques. A partir du XVIe siècle seulement, nos institutions, sous l'influence des légistes, évoluent dans un sens de plus en plus « latin ». C'est une transformation qui s'opère lentement, et se remarque d'abord à de petites modifications : on ramène la majorité à l'âge de vingt-cinq ans, comme dans la Rome antique, où, l'enfant se trouvant en perpétuelle minorité par rapport à son père, il n'y avait pas d'inconvénient à ce qu'elle fût proclamée assez tard. Au mariage, considéré jusqu'alors comme un sacrement, comme l'adhésion de deux volontés libres pour la réalisation de leur fin, vient s'ajouter la notion du contrat, de l'accord purement humain, avec stipulations matérielles à la base. La famille française se modèle sur un type étatiste qu'elle n'avait encore jamais connu, et, de même que le père de famille concentre bientôt entre ses mains toute la puissance familiale, de même, l'État s'achemine vers la Monarchie absolue[1]. En dépit des apparences, la Révolution a été non un point de départ, mais un point d'arrivée : le résultat d'une évolution de deux à trois siècles ; elle représente l'épanouissement dans nos mœurs de la loi romaine, aux dépens de la coutume ; Napoléon n'a fait qu'achever son œuvre en instituant le Code civil et en organisant l'armée, l'enseignement, la nation entière, sur l'idéal fonctionnariste de la Rome antique.

On peut d'ailleurs se demander si le droit romain, quels qu'en soient les mérites, convenait au génie de notre race, au caractère de notre sol. Cet ensemble de lois, forgées de toutes pièces par des militaires et des légistes, cette création doctrinale, théorique, rigide, pouvait-on sans inconvénient la substituer à nos coutumes élaborées par l'expérience des générations, lentement moulées à la mesure de nos besoins ? — nos coutumes qui n'étaient jamais que nos propres mœurs constatées et formulées juridiquement, les usages de chaque individu ou mieux encore ceux du groupe dont il faisait partie. Le droit romain avait été conçu pour un Etat urbain, non pour une contrée rurale. Parler de l'Antiquité, c'est évoquer Rome ou Byzance ; pour faire revivre la France médiévale, il faut évoquer non pas Paris, mais l'Ile-de-France, non pas Bordeaux mais la Guyenne, non pas Rouen, mais la Normandie ; on ne peut la concevoir que dans ses provinces au sol fécond en beau froment et en bon vin. C'est un petit fait significatif que de voir sous la Révolution celui que l'on appelait le *manant* (celui qui demeure) devenir le *citoyen* : dans « citoyen » il y a « cité ». Cela se conçoit, car la ville allait détenir la puissance politique, donc la

1. Très caractéristique à cet égard est l'évolution du droit de propriété, devenu de plus en plus absolu et individuel. Les dernières traces de propriété collective ont disparu au XIXe siècle avec l'abolition des droits d'usage et de vaine pâture.

principale puissance, puisque, la coutume n'existant plus, tout devait désormais dépendre de la loi. Les nouvelles divisions administratives de la France, ses départements qui tournent tous autour d'une ville, sans égard pour la qualité du sol dans les campagnes qui s'y rattachent, manifestent bien cette évolution de l'état d'esprit. La vie familiale était dès cette époque suffisamment affaiblie pour que puissent s'établir des institutions telles que le divorce, l'aliénabilité du patrimoine ou les lois modernes sur les successions. Les libertés privées dont on s'était naguère montré si jaloux disparaissaient devant la conception d'un Etat centralisé sur le mode romain. Peut-être faudrait-il chercher là l'origine de problèmes qui se sont posés par la suite avec tant d'acuité : problèmes de l'enfance, de l'éducation, de la famille, de la natalité, — qui n'existaient pas au Moyen Age, parce que la famille était alors une réalité, qu'elle possédait la base matérielle et morale, et les libertés nécessaires à son existence.

LE LIEN FÉODAL

On peut dire de la société actuelle qu'elle est fondée sur le salariat. Sur le plan économique, les rapports d'homme à homme se ramènent aux rapports du capital et du travail : accomplir un travail donné, recevoir en échange une certaine somme, tel est le schéma des rapports sociaux. L'argent en est le nerf essentiel, puisqu'à de rares exceptions près une activité déterminée se transforme d'abord en numéraire avant de se muer de nouveau en l'un ou l'autre des objets nécessaires à la vie.

Pour comprendre le Moyen Age, il faut se représenter une société vivant sur un mode totalement différent, d'où la notion de travail salarié, et même en partie celle d'argent, sont absentes ou très secondaires. Le fondement des rapports d'homme à homme, c'est la double notion de fidélité, d'une part, protection, de l'autre. On assure quelqu'un de son dévouement, et en échange on attend de lui la sécurité. On engage, non son activité en vue d'un travail précis, à rémunération fixe, mais sa personne, ou plutôt sa foi, et en revanche on requiert subsistance et protection, dans tous les sens du mot. Telle est l'essence du lien féodal.

Ce trait de la société médiévale s'explique si l'on

considère les circonstances qui ont présidé à sa formation. L'origine s'en trouve dans cette Europe chaotique du ve au VIIIe siècle. L'Empire romain s'écroulait sous le double effet de la décomposition intérieure et de la poussée des invasions. Tout à Rome dépendait de la force du pouvoir central ; dès l'instant où ce pouvoir fut débordé, la ruine était inévitable ; ni la scission en deux empires, ni les efforts de redressement passager ne pouvaient l'enrayer. Rien de solide ne subsiste, en ce monde où les forces vives ont été à peu près taries par un fonctionnarisme étouffant, où le fisc pressure les petits propriétaires qui n'ont bientôt plus que la ressource de céder leurs terres à l'État pour s'acquitter de leurs impôts, où le peuple délaisse les campagnes et fait volontiers appel, pour le travail des champs, à ces mêmes barbares que l'on contient si difficilement aux frontières ; c'est ainsi que, dans l'Est de la Gaule, les Burgondes s'installent dans la région Savoie-Franche-Comté et deviennent les métayers des propriétaires gallo-romains dont ils partagent le domicile. Tour à tour, pacifiquement ou par l'épée, les peuplades germaniques ou nordiques déferlent sur le monde occidental ; Rome est prise et reprise par les Barbares, les empereurs sont créés et destitués selon le caprice des soldats, l'Europe n'est plus qu'un vaste champ de bataille où s'affrontent les armes, les races et les religions.

Comment se préserver soi-même, en une époque où le trouble et l'insécurité sont l'unique loi ? L'Etat est loin, et impuissant, sinon inexistant ; on se tourne donc tout naturellement vers la seule force demeurée relativement solide, et proche : les grands propriétaires fonciers, ceux qui peuvent assurer la défense de leur domaine, et celle de leurs tenanciers ; faibles et petits ont recours à eux ; ils lui confient leur terre et leur personne, à charge de se voir protégés contre les excès fiscaux et les incursions étrangères. Par un mouvement qui s'était dessiné dès le Bas-Empire et n'a cessé de s'accentuer aux VIIe et VIIIe siècles, la puissance des grands propriétaires s'accroît de la faiblesse du pouvoir central. De plus en plus, on recherche la protection du *senior*, seule active et efficace, qui vous garantira non seulement de la guerre et de la famine, mais aussi de l'ingérence des fonctionnaires royaux. Ainsi se multiplient les chartes d'immunité, par lesquelles les petites gens s'attachent à un *senior* pour assurer leur sécurité personnelle. Les rois mérovingiens avaient d'ailleurs l'habitude de s'entourer d'une escorte de *fideles*, d'hommes dévoués à leur personne, guerriers ou autres, ce qui poussera les puissants de l'époque à grouper autour d'eux, par imitation, les *vassi* qui ont jugé bon de se recommander à eux. Enfin, ces rois eux-mêmes ont souvent aidé à la formation de la puissance domaniale, en distribuant des terres à leurs fonctionnaires — de plus en plus dépourvus d'autorité vis-à-vis des grands propriétaires, — pour rétribuer leurs services.

Lorsque les Carolingiens arrivèrent au pouvoir, l'évolution était à peu près terminée : sur toute l'étendue du territoire, des seigneurs, plus ou moins puissants, groupant autour d'eux leurs hommes, leurs fidèles, administraient leurs fiefs, plus ou moins étendus ; sous la pression des événements, le pouvoir central avait fait place au pouvoir local, qui avait absorbé, pacifiquement, la petite propriété, et demeurait en fin de compte la seule force organisée ; la hiérarchie médiévale, résultat des faits économiques et sociaux, s'était formée d'elle-même, et ses usages, nés sous la poussée des circonstances, devaient se maintenir par la tradition.

Ils ne tentèrent pas de lutter contre l'état de fait : la dynastie de Pépin n'était d'ailleurs arrivée au pouvoir que parce que ses représentants comptaient parmi les plus forts propriétaires de l'époque. Ils se contentèrent de canaliser les forces en présence desquelles ils se trouvaient, et d'accepter la hiérarchie féodale en exploitant le parti qu'on pouvait en tirer. Telle est l'origine de l'état social du Moyen Age, dont le caractère est tout différent de ce qu'on avait connu jusqu'alors : l'autorité, au lieu d'être concentrée en un seul point — individu ou organisme — se trouve répartie sur l'ensemble du territoire. Ce fut la grande sagesse des Carolingiens, de ne pas essayer d'avoir en mains toute la machine administrative, de garder l'organisation empirique qu'ils avaient trouvée. Leur autorité immédiate ne s'étendait qu'à un petit nombre de personnages, qui eux-mêmes possédaient autorité sur d'autres, et ainsi de suite jusqu'aux couches sociales les plus humbles ; mais, par degrés, un ordre du pouvoir central pouvait ainsi se transmettre à l'ensemble du pays ; ce qu'ils ne touchaient pas directement pouvait néanmoins être atteint indirectement. Au lieu de la combattre donc, Charlemagne se contenta de discipliner la hiérarchie qui devait imprégner si fortement les mœurs françaises ; en reconnaissant la légitimité du double serment que tout homme libre devait à lui-même et à son seigneur, il a consacré l'existence du lien féodal. Telle est l'origine de la société médiévale, et aussi, celle de la noblesse, foncière et non militaire, comme on l'a cru trop souvent.

De cette formation empirique, modelée par les faits, par les nécessités sociales et économiques[1] découle une extrême diversité dans la condition des personnes et des biens, car la nature des engagements qui unissaient le propriétaire à son tenancier variait suivant les circonstances, la nature du sol et le mode de vie des habitants ; toutes sortes de facteurs entrent en jeu, qui différencient d'une province à l'autre, ou même d'un domaine à l'autre, les rapports et la hiérarchie ; mais ce

1. Citons l'excellente formule d'Henri Pourrat : « Le système féodal a été la vivante organisation imposée par la terre aux hommes de la terre » (*L'homme à la bêche. Histoire du paysan*, p. 83).

qui demeure stable, c'est l'obligation réciproque : fidélité d'une part, protection de l'autre, — autrement dit : le lien féodal.

Pendant la plus grande partie du Moyen Age, le caractère principal de ce lien est d'être personnel : tel vassal, précis et déterminé, se recommande à tel seigneur, également précis et déterminé ; il décide de s'attacher à lui, il lui jure fidélité et en attend subsistance matérielle et protection morale. Lorsque Roland meurt, c'est en évoquant « Charles, son seigneur qui l'a nourri », et cette simple évocation dit assez la nature du lien qui les unit. A partir du XIVe siècle seulement, le lien deviendra plus réel que personnel ; il sera attaché à la possession d'un bien, et découlera des obligations foncières existant entre le seigneur et ses vassaux, dont les rapports ressembleront dès lors davantage à ceux d'un propriétaire avec ses locataires ; c'est la condition de la terre qui fixe la condition de la personne. Mais pour toute la période médiévale proprement dite, les liens se créent d'individu à individu. *Nichil est preter individuum,* disait-on, « rien n'existe en dehors de l'individu » : le goût de tout ce qui est personnel et précis, l'horreur de l'abstraction et de l'anonymat sont d'ailleurs caractéristiques de l'époque.

Ce lien personnel attachant le vassal à son suzerain est proclamé au cours d'une cérémonie où s'affirme le formalisme cher au Moyen Age : car toute obligation, toute transaction, tout accord doivent alors se traduire par un geste symbolique, forme visible et indispensable de l'acquiescement intérieur. Lorsque, par exemple, on vend un terrain, ce qui constitue l'acte de vente, c'est la remise par le vendeur au nouveau propriétaire d'un fétu de paille ou d'une motte de terre provenant de son champ ; si l'on dresse ensuite un écrit — ce qui n'a pas toujours lieu —, il ne servira que pour mémoire : l'acte essentiel, c'est la *traditio,* comme de nos jours la poignée de main dans certains marchés. « Je lui baillerai, dit le *Ménagier de Paris,* un fétu de paille ou un vieux clou ou un caillou qui m'ont été baillés pour aucune enseigne d'aucun grand cas » (c'est-à-dire comme signe d'une transaction importante). Le Moyen Age est une époque où triomphe le rite, où tout ce qui s'accomplit dans la conscience doit obligatoirement passer en acte ; cela satisfait un besoin profondément humain : celui du signe corporel, à défaut duquel la réalité demeure imparfaite, inachevée, défaillante.

Le vassal prête « foi et hommage » à son seigneur : il se tient devant lui, à genoux, ceinturon défait, et place sa main dans la sienne. Autant de gestes qui signifient l'abandon, la confiance, la fidélité. Il se déclare son homme-lige et lui confirme le dévouement de sa personne. En réponse, et pour sceller le pacte qui les lie désormais, le suzerain baise son vassal sur la bouche.Ce geste implique mieux et plus qu'une protection générale : c'est un lien d'affection personnelle qui doit régir les rapports entre les deux hommes.

Vient ensuite la cérémonie du serment, dont l'importance ne saurait trop être soulignée. Il faut entendre serment dans son sens étymologique : *sacramentum,* chose sacrée. On jure sur les Évangiles, accomplissant ainsi un acte sacré, qui engage non seulement l'honneur, mais la foi, la personne entière. La valeur du serment est alors telle, et le parjure si monstrueux, que l'on n'hésite pas à s'en tenir à la parole donnée dans des cas extrêmement graves, par exemple pour faire la preuve des volontés dernières d'un mourant, sur la foi d'un ou deux témoins. Renier son serment représente dans la mentalité médiévale la pire déchéance. Un passage de Joinville manifeste de façon très significative que c'est une extrémité à laquelle un chevalier ne peut se résoudre, sa vie fût-elle en jeu : lors de sa captivité, les drogmans du sultan d'Egypte viennent lui offrir sa délivrance, à lui et à ses compagnons : « Donneriez-vous, firent-ils, pour votre délivrance, nul des châteaux (appartenant) aux barons d'outre-mer ? Le comte répondit qu'il n'y avait pouvoir, car on les tenait de l'empereur d'Allemagne qui lors vivait. Ils demandèrent si nous rendrions nul des châteaux du Temple ou de l'Hôpital pour notre délivrance. Et le comte répondit que ce ne pouvait être : que quand on y mettait le châtelain, on leur faisait jurer sur les saints que pour délivrance de corps d'homme il ne rendrait nul des châteaux. Et ils nous répondirent qu'il leur semblait que nous n'avions talent d'être délivrés, et qu'ils s'en iraient et nous enverraient ceux qui joueraient à nous des épées, aussi comme ils avaient fait aux autres[1]. »

La cérémonie se complète par l'investiture solennelle du fief, faite par le seigneur au vassal : il lui confirme la possession de ce fief par un geste de *traditio*, généralement en lui remettant une baguette ou un bâtonnet, symboles de la puissance qu'il lui convient d'exercer sur le domaine qu'il tient de ce seigneur : c'est l'investiture *cum baculo vel virga*, pour employer les termes juridiques en usage à l'époque.

De ce cérémonial, des traditions qu'il suppose, se dégage la haute idée que le Moyen Age se faisait de la dignité personnelle. Aucune époque n'a été plus prompte à écarter les abstractions, les principes, pour s'en remettre uniquement aux conventions d'homme à homme ; aucune non plus n'a fait appel à de plus hauts sentiments comme base de ces conventions. C'était rendre un magnifique hommage à la personne humaine. Concevoir une société fondée sur la fidélité réciproque était à coup sûr audacieux ; comme on peut s'y attendre, il y eut des abus, des manquements ; les luttes des rois contre les vassaux récalcitrants sont là pour en faire

1. C'est-à-dire qu'ils les massacreraient, comme les autres.

preuve. Il reste que pendant plus de cinq siècles la foi et l'honneur restèrent la base essentielle, l'armature des rapports sociaux. Lorsque s'y substitua le principe d'autorité, au XVIe et surtout au XVIIe siècle, on ne peut prétendre que la société y ait gagné ; en tout cas la noblesse, déjà amoindrie pour d'autres raisons, y perdit son ressort moral essentiel.[1]

Pendant tout le Moyen Age, sans oublier son origine terrienne, domaniale, cette noblesse eut une allure surtout militaire ; c'est qu'en effet son devoir de protection comportait d'abord une fonction guerrière : défendre son domaine contre les empiètements possibles ; d'ailleurs, bien qu'on s'efforçât de le réduire, le droit de guerre privée subsistait, et la solidarité familiale pouvait impliquer l'obligation de venger par les armes les injures faites à l'un des siens. Une question d'ordre matériel s'y ajoutait : les seigneurs détenant en fait la principale, sinon l'unique source de richesse, la terre, avaient seuls la possibilité d'équiper un cheval de guerre et d'armer des écuyers et des sergents. Le service militaire sera donc inséparable du service d'un fief, et la foi prêtée par le vassal noble suppose le secours de ses armes toutes les fois que « mestier en sera ».

C'est la première charge de la noblesse, et l'une des plus onéreuses, que cette obligation de défendre le domaine et ses habitants.

> L'épée dit : C'est ma justice[1]
> Garder les clercs de Sainte Église
> Et ceux par qui viandes est quise[2]

Les châteaux forts les plus anciens, ceux qui furent élevés aux époques de troubles et d'invasions, portent la marque visible de cette nécessité : le village, les

1. Office.
2. Ceux qui s'occupent de la nourriture, de la vie matérielle (les paysans). Poème de *Carité* du Reclus de Molliens.

demeures des serfs et des paysans, sont accrochés aux pentes de la forteresse où toute la population ira se réfugier lors du danger, où elle trouvera secours et ravitaillement en cas de siège.

De ses obligations militaires découlent la plupart des usages de la noblesse. Le droit d'aînesse vient en partie de la nécessité de confier au plus fort l'héritage qu'il doit garantir, souvent par l'épée. La loi de masculinité s'explique aussi par là : seul un homme peut assurer la défense d'un donjon. Aussi bien, lorsqu'un fief « tombe en quenouille » — qu'une femme en reste seule héritière, le suzerain, sur lequel retombe la responsabilité de ce fief mis ainsi en état d'infériorité, se met-il en devoir de la marier. Voilà pourquoi la femme ne succèdera qu'après ses cadets, et ceux-ci qu'après leur aîné ; ils ne recevront que des apanages ; encore les désastres survenus vers la fin du Moyen Age ont-ils eu pour origine les apanages trop importants laissés par Jean le Bon à ses enfants, dont la puissance fut pour eux une tentation perpétuelle, et pour tous une source de désordres, pendant la minorité de Charles VI.

Les nobles ont également le devoir de rendre la justice à leurs vassaux de toute condition, et d'administrer le fief. Il s'agit bien là de l'exercice d'un devoir, et non d'un droit, impliquant des responsabilités très lourdes, puisque chaque seigneur doit compte de son domaine, non seulement à sa lignée, mais aussi à son suzerain. Etienne de Fougères dépeint la vie du seigneur d'un grand domaine comme pleine de soucis et de fatigues :

Çà et là va, souvent se tourne,
Ne repose ni ne séjourne :
Château abord, château aourne,
Souvent haitié[1], plus souvent mourne.
Çà et là va, pas ne repose
Que sa marche ne soit déclose.

1. Allègre.

Loin d'être illimitée, comme on l'a cru généralement, sa puissance est bien moindre que de nos jours celle d'un chef d'industrie ou de n'importe quel propriétaire, puisqu'il n'a jamais l'absolue propriété de son domaine, qu'il dépend toujours d'un suzerain, et qu'en fin de compte les suzerains les plus puissants dépendent du roi. De nos jours, selon la conception romaine, le paiement d'une terre donne plein droit sur elle. Au Moyen Age il n'en est pas ainsi : en cas de mauvaise administration, le seigneur encourt des peines qui peuvent aller jusqu'à la confiscation de ses biens. Ainsi personne ne gouverne en toute autorité et n'échappe au contrôle direct de celui dont il relève. Cette répartition de la propriété et de l'autorité est l'un des traits les plus caractéristiques de la société médiévale.

Les obligations qui lient le vassal à son seigneur entraînent d'ailleurs la réciprocité : « Le sire doit autant foi et loyauté à son homme comme l'homme à son seigneur », dit Beaumanoir. Cette notion de devoir réciproque, de service mutuel, se rencontre souvent dans les textes aussi bien littéraires que juridiques :

> Graigneur fait a sire à son homme
> Que l'homme à son seigneur et dome[1]

observe Etienne de Fougères, déjà cité, dans son *Livre des Manières* ; et Philippe de Novare de remarquer, à l'appui de cette constatation : « Cil qui reçoivent service et jamais ne le guerredonnent *(récompensent)* boivent la sueur de leurs serveurs, qui leur est venin mortel à corps et à âme. » De là aussi la maxime : « A bien servir convient eür[2] avoir. »

Comme c'est justice, on exige de la noblesse plus de

1. Le seigneur doit plus de reconnaissance à son vassal, que celui-ci n'en doit à son seigneur.

2. Terme qui correspond à : récompense, avec une portée plus étendue : bonheur, aisance.

tenue et de rectitude morale que des autres membres de la société. Pour une même faute, l'amende infligée à un noble sera très supérieure à celle infligée à un roturier. Beaumanoir cite un délit pour lequel « amende de paysan est de soixante sous, et de gentilhomme de soixante livres » — ce qui fait une disproportion très forte : de 1 à 20. D'après les *Etablissements de Saint-Louis*, telle faute pour laquelle un *homme coutumier*, c'est-à-dire un roturier, paiera cinquante sous d'amende, entraînera pour un noble la confiscation de tous ses biens meubles. Cela se retrouve aussi dans les statuts des différentes villes ; ceux de Pamiers fixent ainsi le tarif des amendes en cas de vol : vingt livres pour le baron, dix pour le chevalier, cent sous pour le bourgeois, vingt sous pour le vilain.

La noblesse est héréditaire, mais elle peut aussi s'acquérir, soit pour rétribution de services rendus, soit, tout simplement, par l'acquisition d'un fief noble. C'est ce qui arriva sur une grande échelle vers la fin du XIIIe siècle : nombreux avaient été les nobles tués ou ruinés dans les grandes expéditions d'Orient, et l'on vit des familles de bourgeois enrichis accéder en masse à la noblesse, ce qui provoqua chez celle-ci une réaction. La chevalerie ennoblit aussi celui à qui elle est conférée. Enfin, il y eut, par la suite, les lettres d'anoblissements, distribuées, il est vrai, très parcimonieusement[1].

La noblesse peut s'acquérir, elle peut aussi se perdre, par déchéance, à la suite d'une condamnation infamante.

La honte d'une heure du jour,
Tolt[2] bien de quarante ans l'honnour,

1. L'Ancien Régime a tendu à interdire de plus en plus l'accès à la noblesse, ce qui a contribué à en faire une caste fermée, qui isolait le roi de ses sujets. Les anoblissements nombreux en Angleterre ont donné au contraire d'excellents résultats, en renouvelant l'aristocratie à l'aide d'éléments neufs, en faisant d'elle une classe ouverte et vigoureuse.
2. Efface.

disait-on. Elle se perd encore par dérogeance, lorsqu'un noble est convaincu d'avoir exercé un métier roturier, ou un trafic quelconque : il lui est interdit en effet de sortir du rôle qui lui est dévolu, et il ne doit pas non plus chercher à s'enrichir, en assumant des charges qui pourraient lui faire négliger celles auxquelles sa vie doit être vouée. On excepte d'ailleurs des métiers roturiers ceux qui, nécessitant des ressources importantes, n'auraient guère pu être entrepris que par des nobles : par exemple la verrerie ou la maîtrise de forges ; de même le trafic maritime est permis aux nobles, parce qu'il exige, avec des capitaux, un esprit d'aventure que l'on se serait gardé d'entraver. Au XVIIe siècle, Colbert élargira de même le champ d'activité économique de la noblesse, pour donner plus d'impulsion au commerce et à l'industrie.

La noblesse est une classe privilégiée. Ses privilèges sont d'abord honorifiques : droits de préséance, etc. Quelques-uns découlent des charges qu'elle supporte : ainsi, le noble a seul droit à l'éperon, au ceinturon et à la bannière, ce qui rappelle qu'à l'origine, seuls les nobles avaient la possibilité d'équiper un cheval de guerre. A côté de cela, elle jouit de certaines exemptions, celles dont jouissaient primitivement tous les hommes libres ; telle est l'exemption de la taille et de certains impôts indirects, dont l'importance, nulle au Moyen Age, ne devait cesser de s'accroître au XVIe et surtout au XVIIe siècle.

Enfin, la noblesse possède des droits précis, et, ceux-là, substantiels : ce sont tous ceux qui découlent du droit de propriété : droit de percevoir des redevances, droit de chasse et autres. Les cens et rentes payés par les paysans ne sont pas autre chose que le loyer de la terre sur laquelle ils ont eu la permission de s'installer, ou que leurs ancêtres avaient cru bon d'abandonner à un propriétaire plus puissant qu'eux-mêmes. Les nobles, en percevant leurs redevances, étaient très exactement dans la condition d'un propriétaire d'immeubles percevant ses loyers. La lointaine origine de ce droit de propriété s'effaça peu à peu et, à l'époque de la Révolution, le paysan en est venu à se croire le légitime propriétaire d'une terre dont il était le locataire depuis des siècles. Il en est de même pour ce fameux droit de chasse, que l'on s'est plu à représenter comme l'un des abus les plus criants d'une époque de terreur et de tyrannie : quoi de plus légitime, pour un homme qui loue un terrain à un autre, que de se réserver le droit d'y chasser[1] ? Propriétaire et tenancier savent tous deux à quoi s'en tenir au moment où ils conviennent de leurs obligations réciproques, c'est l'essentiel ; le seigneur ne cesse pas d'être sur ses terres lorsqu'il chasse près de la demeure d'un paysan ; que certains d'entre eux aient abusé de ce droit, et « foulé du sabot de leurs chevaux des moissons dorées du paysan » — pour s'exprimer comme dans les manuels d'enseignement primaire, c'est chose possible encore qu'invérifiable, mais on conçoit mal pourquoi ils l'auraient fait systématiquement, car une bonne partie des redevances consistait en une quote-part de la récolte ; le seigneur était donc directement intéressé à ce que cette récolte fût abondante. La question est la même pour les « banalités » ; le four ou le pressoir seigneurial sont à l'origine des commodités offertes aux paysans, en échange desquelles il est normal de percevoir une rétribution — tout comme actuellement, dans certaines communes, on loue au paysan la batteuse ou d'autres instruments agricoles.

Il est cependant hors de doute que peu à peu, vers la fin du Moyen Age, les charges de la noblesse dimi-

1. Encore faut-il établir une distinction entre les époques : le droit de chasse n'a été réservé, et cela pour le gros gibier seulement, que tardivement, au XIVe siècle environ. Les interdictions formelles n'apparaissent qu'au XVIe siècle. Quant à la pêche, elle est restée libre pour tous.

nuèrent sans que ses privilèges en fussent amoindris, et qu'au XVIIe siècle, par exemple, la disproportion était flagrante entre les droits — même légitimes — dont elle jouissait, et les devoirs insignifiants qui lui incombaient. Le grand mal a été d'arracher les nobles à leurs terres et de n'avoir pas su adapter leurs privilèges à leurs nouvelles conditions d'existence ; dès le moment où le service d'un fief, et notamment sa défense, cessa d'être une charge onéreuse, les privilèges de la noblesse se trouvèrent sans objet. C'est ce qui fit la décadence de notre aristocratie, décadence morale qui devait être suivie d'une décadence matérielle, bien méritée. La noblesse est directement responsable du malentendu, qui ira grandissant, entre le peuple et la royauté ; devenue inutile, et souvent nuisible au trône (c'est parmi la noblesse, et grâce à elle, que se répandirent la doctrine des Encyclopédistes, l'irréligion voltairienne et les divagations d'un Jean-Jacques) elle a grandement contribué à conduire Louis XVI à l'échafaud, et Charles X en exil ; il n'était que juste qu'elle les y suivît l'un et l'autre. Mais on peut penser néanmoins que ce fut une lourde perte pour notre pays ; une contrée sans aristocratie est une contrée sans ossature, comme sans traditions, prête à tous les vacillements et à toutes les erreurs.

LA VIE RURALE

DANS la vision un peu sommaire que l'on s'est fait trop souvent de la société médiévale, il n'y a place que pour les seigneurs et pour les serfs : d'un côté la tyrannie, l'arbitraire et les abus de pouvoir, de l'autre les miséreux, taillables et corvéables à merci ; telle est l'idée qu'évoquent — et pas seulement dans les manuels d'histoire à l'usage des écoles primaires — les mots de Noblesse et de Tiers état. Le simple bon sens suffit cependant à faire difficilement admettre que les descendants des farouches Gaulois, des soldats romains, des guerriers de Germanie et des fougueux Scandinaves en aient pu être réduits à mener durant des siècles une vie de bêtes traquées. Mais il est des légendes tenaces ; le dédain des « siècles grossiers » date d'ailleurs d'avant Boileau.

En réalité, le Tiers état comporte une foule de conditions intermédiaires entre l'absolue liberté et la servitude. Rien de plus divers, et de plus déconcertant, que la société médiévale et les tenures rurales de l'époque : leur origine tout empirique rend compte de cette prodigieuse variété dans la condition des personnes et des biens. Pour en donner un exemple, au Moyen Age, alors que le dédoublement du domaine représente la conception générale du droit de propriété, existe cependant ce que notre temps ne connaît plus du tout : la terre possédée en franche propriété, l'*alleu* ou *franc-alleu*, libre de tous droits et impositions de quelque sorte que ce soit ; cela s'est maintenu jusqu'à la Révolution, où, toute terre étant déclarée libre, les alleus cessèrent en fait d'exister, puisque tout fut soumis au contrôle et aux impositions de l'État. Notons encore qu'au Moyen Age, quand un paysan s'installe sur une terre et y exerce son art pendant la durée de la prescription : an et jour, c'est-à-dire le temps de parcourir le cycle complet des travaux des champs, depuis le labourage jusqu'à la moisson, — sans être dérangé, il est considéré comme seul propriétaire de cette terre.

Cela donne idée du nombre infini de modalités que l'on rencontre. Hôtes, colons, lites, colliberts, autant de termes désignant des conditions personnelles différentes. Et la condition des terres présente une variété plus grande encore : cens, rente, champart, métairie, tenure en bordelage, en marché, en quevaise, à complan, en collonge ; suivant les époques et les régions, on trouve une infinité d'acceptions différentes dans la possession de la terre, avec un seul point commun : c'est que, sauf le cas spécial du franc-alleu, il y a toujours plusieurs propriétaires, ou du moins, plusieurs ayants droit sur un même domaine. Tout dépend de la coutume, et la coutume s'adapte à toutes les variétés de terrains, de climats et de traditions, — ce qui est d'ailleurs logique, car on ne saurait exiger de ceux qui vivent sur un sol pauvre les obligations qu'on peut imposer, par exemple, aux villageois de la Beauce ou de la Touraine. En fait, érudits et historiens en sont encore à essayer de débrouiller l'une des matières les plus complexes qui soient offertes à leur sagacité Il y a l'abondance et la diversité des coutumes ; il y a dans chacune d'elles la multitude des conditions différentes, depuis celle du défricheur qui s'installe sur une terre neuve et auquel on ne demandera qu'une faible part des récoltes, jusqu'au cultivateur établi sur un terroir en plein rapport, et sujet aux cens et rente annuels ; il y a les erreurs toujours possibles provenant des confusions de termes, car ceux-ci recouvrent parfois des réalités toutes différentes suivant les régions et les époques ; il y a enfin ce fait que la société médiévale est en perpétuelle évolution, et que ce qui est vrai au XIIe siècle ne l'est plus au XIVe.

Ce que l'on peut toutefois savoir avec certitude, c'est qu'il y eut au Moyen Age, en dehors de la noblesse, quantité d'hommes libres qui prêtaient à leurs seigneurs un serment à peu près semblable à celui des vassaux nobles, — et une quantité non moins grande d'individus de condition un peu imprécise entre la liberté et la servitude. Le juriste Beaumanoir distingue nettement trois états : « Tous les francs ne sont pas gentilshommes... Car l'on appelle gentilshommes ceux qui sont extraits de franches lignées, si comme de roi, de ducs, de comtes ou de chevaliers ; et cette gentillesse si est toujours rapportée de par les pères... Mais autrement est de la franchise de homme de poosté[1], car ce qu'ils ont de franchise vient de par leurs mères, et quiconque nait de franche mère, il est franc, — et ont franche poosté de faire ce qui leur plait... et le tiers-état est de serf. Et cette manière de gens ne sont pas tous d'une condition, ainçois sont plusieurs conditions de servitude... » On voit qu'il ne manque pas de distinctions à établir.

Les libres sont tous les habitants des villes ; celles-ci, on le sait, se multiplient dès le début du XIIe siècle. Le grand nombre de celles qui aujourd'hui encore portent le nom de Villefranche, Villeneuve, Bastide, etc., nous est un souvenir de ces chartes de peuplement par lesquelles tous ceux qui venaient s'établir dans l'une de

1. *Homme de poosté* désigne le vilain en général.

ces villes nouvellement créées étaient déclarés libres, comme l'étaient bourgeois et artisans dans les communes, et en général dans toutes les cités du royaume. En dehors de cela, un grand nombre de paysans sont libres ; ceux notamment qu'on appelait : roturiers ou vilains, les termes n'ayant pas, bien entendu, le sens péjoratif qu'ils ont pris par la suite ; le roturier, c'est le paysan, le laboureur, car *rutura*, roture, désigne l'action de rompre la terre du soc de la charrue ; le vilain est d'une manière générale celui qui habite un domaine, *villa*.

Puis viennent les serfs. Le mot a été souvent mal compris, parce qu'on a confondu le servage, propre au Moyen Age, avec l'esclavage qui fut la base des sociétés antiques et dont on ne retrouve *aucune trace* dans la société médiévale. Comme le rapporte Loisel : « Toutes personnes sont franches en ce royaume, et sitôt qu'un esclave a atteint les marches d'icelui, se faisant baptiser il est affranchi. » Le Moyen Age ayant emprunté par la force des choses son vocabulaire à la langue latine, il était tentant de conclure de la similitude des termes à la similitude de sens. Or, la condition du serf est totalement différente de celle de l'esclave antique : l'esclave est une chose, non une personne ; il est sous la dépendance absolue de son maître qui possède sur lui droit de vie et de mort ; toute activité personnelle lui est refusée ; il ne connaît ni famille, ni mariage, ni propriété.

Le serf, au contraire, est une personne, non une chose, et on le traite comme tel. Il possède une famille, un foyer, un champ et se trouve quitte avec son seigneur lorsqu'il a payé ses redevances. Il n'est pas soumis à un maître, il est attaché à un domaine : ce n'est pas une servitude personnelle, mais une servitude réelle. La restriction imposée à sa liberté, c'est qu'il ne peut pas quitter la terre qu'il cultive. Mais, remarquons-le, cette restriction n'est pas sans avantage, car, s'il ne peut quitter sa tenure, *on ne peut pas non plus la lui enlever* ;

cette particularité n'était pas loin, au Moyen Age, d'être considérée comme un privilège, et, en fait, le terme se retrouve dans un recueil de coutumes, le *Brakton,* qui dit expressément en parlant des serfs : « *tali gaudent privilegio, quod a gleba amoveri non poterunt*... ils jouissent de ce *privilège* de ne pouvoir être arrachés à leur terre » (à peu près ce que serait de nos jours une garantie contre le chômage). Le tenancier libre est soumis à toutes sortes de responsabilités civiles qui rendent son sort plus ou moins précaire : s'il s'endette, on peut saisir sa terre ; en cas de guerre, il peut être forcé d'y prendre part, ou son domaine peut être ravagé sans compensation possible. Le serf, lui, est à l'abri des vicissitudes du sort ; la terre qu'il travaille ne peut pas lui échapper, pas plus qu'il ne peut s'en éloigner. Cet attachement à la glèbe est tout à fait révélateur de la mentalité médiévale, et, notons-le, sous ce rapport, le noble est soumis aux mêmes obligations que le serf, car lui non plus ne peut en aucun cas aliéner son domaine ou s'en séparer de quelque façon que ce soit : aux deux extrémités de la hiérarchie, on retrouve ce même besoin de stabilité, de fixité, inhérent à l'âme médiévale, qui a fait la France et généralement l'Europe Occidentale. Ce n'est pas un paradoxe de dire que le paysan actuel doit sa prospérité au servage de ses ancêtres ; aucune institution n'a davantage contribué à la fortune de la paysannerie française ; maintenu pendant des siècles sur le même sol, sans responsabilités civiles, *sans obligations militaires,* le paysan est devenu le véritable maître de la terre ; seul le servage pouvait réaliser une attache aussi intime de l'homme à la glèbe, et faire de l'ancien serf le propriétaire du sol. Si la condition du paysan dans l'Est de l'Europe, en Pologne et ailleurs, est demeurée aussi misérable, c'est qu'il n'a pas eu cette attache protectrice du servage ; dans les époques de troubles, le petit propriétaire, livré à lui-même, responsable de sa terre, a connu les détresses les plus effroyables, qui ont facilité la formation d'immenses domaines ; d'où un flagrant déséquilibre social, la richesse exagérée des gros propriétaires contrastant avec la condition lamentable de leurs métayers. Si le paysan français a pu jouir jusqu'à ces derniers temps d'une existence aisée, par rapport au paysan d'Europe Orientale, ce n'est pas seulement à la richesse du sol qu'il le doit, mais aussi et surtout à la sagesse de nos anciennes institutions, qui ont fixé son sort au moment où il avait le plus besoin de sécurité, et l'ont soustrait aux obligations militaires, celles qui, par la suite, ont le plus durement pesé sur les familles paysannes.

Les restrictions apportées à la liberté du serf découlent toutes de cet attachement au sol. Le seigneur a sur lui droit de suite, c'est-à-dire qu'il peut le ramener de force sur son domaine en cas de défection, car, par définition, le serf ne doit pas quitter sa terre ; il n'est fait exception que pour ceux qui s'en vont en pèlerinage. Le droit de formariage entraîne l'interdiction de se marier hors du domaine seigneurial, qui s'en trouverait amoindri, ou, comme l'on disait, « abrégé » ; mais l'Église ne cessa de protester contre ce droit qui portait atteinte aux libertés familiales, et s'atténua en fait dès le xe siècle ; la coutume s'établit alors de réclamer seulement une indemnité pécuniaire au serf qui quittait un fief pour se marier dans un autre ; c'est là l'origine de ce fameux « droit du seigneur », sur lequel on a dit tant de sottises : il ne signifiait pas autre chose que son droit à autoriser le mariage de ses serfs ; mais comme, au Moyen Age, tout se traduit par des symboles, le droit du seigneur donna lieu à des gestes symboliques dont on a exagéré la portée : par exemple, poser la main, ou la jambe, sur le lit conjugal, d'où le terme parfois employé de droit de jambage ou de cuissage, qui a suscité de fâcheuses interprétations, d'ailleurs parfaitement erronées.

L'obligation sans doute la plus pénible pour le serf était la *mainmorte* : tous les biens acquis par lui pendant sa vie devaient après sa mort faire retour au seigneur ; aussi bien cette obligation fut-elle réduite de très bonne heure, et le serf eut le droit de disposer par testament de ses biens meubles (car sa tenure passait de toutes façons à ses enfants). De plus, le système des communautés taisibles leur permit, suivant la coutume du lieu, d'échapper à la mainmorte, car le serf pouvait, comme le roturier, former avec sa famille une sorte de société groupant tous ceux qui étaient à un même « pain et pot », avec un chef temporaire dont la mort n'interrompait pas la vie de la communauté, celle-ci continuant à jouir des biens dont elle disposait.

Enfin, le serf pouvait être affranchi ; les affranchissements se multiplièrent même dès la fin du XIIIe siècle, car le serf devait acheter sa liberté, soit à prix d'argent, soit en s'engageant à payer un cens annuel comme le tenancier libre. On en a un exemple dans l'affranchissement des serfs de Villeneuve-Saint-Georges, dépendant de Saint-Germain-des-Prés, pour une somme globale de 1.400 livres. Cette obligation du rachat explique sans doute pourquoi les affranchissements furent souvent acceptés de très mauvaise grâce par leurs bénéficiaires ; l'ordonnance de Louis X le Hutin, qui en 1315 affranchit tous les serfs du domaine royal, se heurta en maints endroits au mauvais vouloir des « serfs récalcitrants ». Le servage n'est plus mentionné, lors de la rédaction des coutumes au XIVe siècle, que dans celles de Bourgogne, d'Auvergne, de la Marche, du Bourbonnais et du Nivernais, et dans les coutumes locales de Chaumont, Troyes et Vitry ; partout ailleurs il avait disparu. Quelques îlots de servitude très adoucie subsistèrent çà et là, que Louis XVI abolit définitivement en 1779 — dix ans avant le geste théâtral de la trop fameuse nuit du 4 août, — dans le domaine royal, en invitant les seigneurs à l'imiter : car il s'agissait là d'une matière de droit privé sur laquelle le pouvoir central ne se donnait pas le droit de légiférer. Les actes nous montrent d'ailleurs que les serfs n'avaient nullement devant leurs seigneurs cette attitude de chiens battus qu'on leur a supposée trop souvent. On les voit discuter, affirmer leur droit, exiger le respect d'anciennes conventions et réclamer sans ambages ce qui leur est dû.

A-t-on le droit d'accepter sans contrôle la légende du paysan misérable, inculte (ceci est une autre histoire) et méprisé, qu'une tradition bien établie impose encore à un grand nombre de nos manuels d'histoire ? Son régime général de vie et d'alimentation n'offrait rien, nous le verrons, qui doive exciter la pitié. Le paysan n'a pas plus souffert au Moyen Age que n'a souffert l'homme en général, à toutes les époques de l'histoire de l'humanité. Il a subi le contre-coup des guerres : celles-ci ont-elles épargné ses descendants du XIXe et du XXe siècle ? Encore le serf médiéval était-il dégagé de toute obligation militaire, comme la plupart des roturiers ; encore le château seigneurial lui était-il un refuge dans la détresse, et la paix de Dieu, une garantie contre les brutalités des hommes d'armes. Il a souffert de la faim aux époques de mauvaises récoltes, — comme en a souffert le monde entier jusqu'à ce que les facilités de transports eussent permis de porter secours aux régions menacées, et même depuis ce temps... — mais eux avaient la ressource de recourir au grenier de leur seigneur.

Il n'y eut qu'une période réellement dure pour le paysan au Moyen Age, mais elle le fut pour toutes les classes de la société indistinctement : c'est celle des désastres produits par les guerres qui marquèrent le déclin de l'époque, — période lamentable de troubles et de désordres engendrés par une lutte fratricide, pendant laquelle la France connut une détresse qu'on ne peut guère comparer qu'à celle des guerres de Religion, de la Révolution ou de notre temps : bandes de routiers ravageant le pays, famines provoquant des révoltes et des jacqueries, et pour comble cette effrayante épidémie de peste noire qui dépeupla l'Europe. Mais cela fait partie du cycle de misères propres à l'humanité, et dont aucun peuple n'a été exempt ; notre propre expérience suffit largement à nous renseigner là-dessus.

Le paysan a-t-il été davantage méprisé ? Jamais peut-être il ne le fut moins, en fait, qu'au Moyen Age. Certaine littérature où le vilain est souvent joué ne doit pas faire illusion : ce n'est que le témoignage de la rancune, vieille comme le monde, que ressent le jongleur, le vagabond, à l'endroit du paysan, du « manant » dont la demeure est stable, l'esprit parfois lent, et la bourse souvent longue à se délier — jointe à l'aptitude, bien médiévale, de tout railler, y compris ce qui vous paraît le plus respectable. En réalité jamais les contacts ne furent plus étroits entre les classes dites dirigeantes — ici les nobles — et le peuple : contacts que facilite la notion du lien personnel, essentiel à la société médiévale, — que multiplient les cérémonies locales, fêtes religieuses et autres, dans lesquelles le seigneur rencontre son tenancier, apprend à le connaître et partage son existence beaucoup plus étroitement que de nos jours les petits bourgeois celle de leurs domestiques. L'administration du fief l'oblige à tenir compte de tous les détails de sa vie ; naissances, mariages, décès dans les familles de serfs entrent en ligne de compte pour le noble, comme intéressant directement le domaine ; le seigneur a des charges judiciaires, d'où pour lui l'obligation d'assister les paysans, de trancher leurs litiges, d'arbitrer leurs différends ; il a donc par rapport à eux une responsabilité morale, tout comme il porte la responsabilité matérielle de son fief par rapport à son suzerain. De nos jours le patron d'usine se trouve dégagé de toute obligation matérielle et morale envers ses ouvriers lorsque ceux-ci ont « passé à la caisse » pour « toucher leur paye » ; on ne le voit guère ouvrant toute grande sa demeure pour leur offrir un banquet, à l'occasion, par exemple, du mariage d'un de ses fils. Au total, une conception radicalement différente de celle qui prévaut au Moyen Age, pendant lequel, comme l'a dit, à peu près, M. Jean Guiraud, le paysan occupe le bout de la table, mais c'est à la table de son seigneur.

On aurait pu facilement s'en rendre compte en jetant un coup d'œil sur le patrimoine artistique que nous a légué cette époque et en constatant la place qu'y tient le paysan. Au Moyen Age, il est partout : dans les tableaux, dans les tapisseries, dans les sculptures des cathédrales, dans les enluminures des manuscrits ; partout on retrouve les travaux des champs comme le plus courant des thèmes d'inspiration. Quel hymne à la gloire du paysan vaudra jamais les miniatures des *Très riches heures du Duc de Berry*, ou le *Livre des prouffictz champestres*, enluminé pour le bâtard Antoine de Bourgogne, ou encore les petits tableaux des mois au portail de Notre-Dame et de tant d'autres édifices ? Et, remarquons-le, dans toutes ces œuvres d'art, exécutées pour la foule ou pour l'amateur noble, le paysan apparaît dans sa vie authentique : remuant le sol, maniant la houe, taillant la vigne, tuant le porc. Y a-t-il une autre époque, une seule, qui puisse présenter tant de tableaux exacts, vivants, réalistes, de la vie rurale ?

Qu'individuellement, certains nobles ou certains bourgeois aient manifesté du dédain pour les paysans, c'est possible et même certain : cela n'a-t-il pas existé à toutes les époques ? Mais la mentalité générale, compte tenu des habitudes railleuses du temps, a très nettement conscience de l'égalité foncière des hommes à travers les inégalités de condition.

> Fils de vilain preux et courtois
> Vaut quinze mauvais fils de rois

dit Robert de Blois, et le Reclus de Molliens, dans son poème de *Miserere,* proteste vigoureusement contre ceux qui se croient supérieurs aux autres :

> Garde qui tu as en dédain,
> Franc hom, qui m'appelles vilain.
> Jà de ce mot ne me plaindrais
> Si plus franc que moi te savais.
> Qui fut ta mère, et qui la moie ? [*la mienne*]
> Andoi [*toutes deux*] furent filles Evain.
> Or mais ne dis que vilain sois
> Plus que toi, car je te dirois
> Tel mot où a trop de levain.

C'est un juriste, Philippe de Novare, qui distingue trois types d'humanité : les « franches gens », c'est-à-dire « tous ceux qui ont franc cœur... et cil qui a franc cœur, de quelque part il soit venu, il doit être appelé franc et gentil ; car s'il est de mauvais lieu et il est bon, de tant doit-il être plus honoré », — les gens de métier, et les vilains, c'est-à-dire ceux qui ne rendent service que contraints par la force « tous ceux qui le font sont droit vilains, aussi comme s'ils fussent serfs ou gaeigneurs... Gentillesse ni valeur d'ancêtres ne fait que nuire à mauvais hoirs honnis ». On pourrait citer en grand nombre ces proclamations d'égalité, comme dans le Roman de Fauvel :

> Noblesse, si com dit le sage
> Vient tant seulement de courage
> Qui est de bons mœurs aorné :
> Du ventre, sachez, pas ne vient.

Plus généralement, est-il possible qu'un être qui a tenu une place de premier plan dans les manifestations artistiques et littéraires d'une nation, ait pu être par elle méprisé ?

Sur ce point comme sur tant d'autres, on a confondu les époques. Ce qui est vrai pour le Moyen Age ne l'est pas pour tout ce que nous appelons l'Ancien Régime. Dès la fin du XVe siècle, une scission se produit entre les nobles, les lettrés — et le peuple ; désormais les deux classes vivront d'une vie parallèle, mais se pénétreront et se comprendront de moins en moins. Comme il est naturel, la haute société drainera vers elle la vie intellectuelle et artistique, et le paysan sera rayé de la culture comme de l'activité politique du pays. Il disparaît de la peinture, sauf de rares exceptions — en tout cas de la peinture en vogue, — de la littérature, comme des préoccupations des grands. Le XVIIIe siècle ne connaîtra plus qu'une copie tout artificielle de la vie rurale. Que le paysan ait été, sinon méprisé, du moins dédaigné et mal connu, du XVIe siècle[1] à nos jours, cela ne fait aucun doute, mais il est hors de doute aussi qu'au Moyen Age il a tenu une place de premier ordre dans la vie de notre pays.

1. Notons que c'est au XVIe siècle aussi que reparaît le dédain, familier à l'Antiquité, pour les métiers manuels. Le Moyen Age assimilait traditionnellement les « sciences, arts et métiers ».

LA VIE URBAINE

Dès que cessent les invasions, la vie déborde les limites du domaine seigneurial. Le manoir commence à ne plus se suffire à lui-même ; on reprend le chemin de la cité, le trafic s'organise, et bientôt, escaladant les remparts, surgissent des faubourgs. C'est alors, dès le XIe siècle, la période de grande activité urbaine. Deux facteurs de la vie économique, demeurés jusque-là un peu secondaires, vont prendre une importance de premier plan : le métier et le commerce. Avec eux grandira une classe dont l'influence sera capitale sur les destinées de la France — bien que son accession au pouvoir effectif ne date que de la Révolution française, dont elle sera seule à tirer des bénéfices réels : la bourgeoisie.

Du moins sa puissance date-t-elle de beaucoup plus loin, car, dès l'origine, elle a tenu une place prépondérante dans le gouvernement des cités, tandis que les rois, depuis Philippe le Bel notamment, faisaient volontiers appel aux bourgeois comme conseillers, administrateurs et agents du pouvoir central. Elle doit sa grandeur à l'expansion du mouvement communal, dont elle est d'ailleurs le principal moteur. Rien de plus vivant, de plus dynamique que cette impulsion irrésistible qui, du XIe au début du XIIIe siècle, pousse les villes à se libérer de l'autorité des seigneurs, et rien de plus jalousement gardé que les libertés communales, une fois acquises. C'est qu'en effet les droits perçus par les barons devenaient insupportables dès l'instant où l'on n'avait plus besoin de leur protection : dans les temps de troubles, octrois et péages étaient justifiés, car ils représentaient les frais de police de la route : un marchand dévalisé sur les terres d'un seigneur pouvait se faire indemniser par lui ; mais à des temps nouveaux et meilleurs devait correspondre un rajustement qui fut l'œuvre du mouvement communal. Le Moyen Age réussit de la sorte ce nécessaire rejet du passé, si difficile à réaliser dans l'évolution de la société en général ; il est fort probable que si le même rajustement s'était produit en temps opportun pour les droits et privilèges de la noblesse, bien des désordres eussent été évités.

La royauté donne l'exemple du mouvement par l'octroi de libertés aux communes rurales : la « charte Lorris » concédée par Louis VI supprime les corvées et le servage, réduit les contributions, simplifie la procédure en justice et stipule en outre la protection des marchés et des foires :

« Aucun homme de la paroisse de Lorris ne paiera de tonlieu [*douane*] ou de droit quelconque pour ce qui est nécessaire à sa subsistance, ni de droit sur les récoltes faites par son travail ou celui de ses animaux, ni de droit sur le vin qu'il aura eu de ses vignes.

A aucun il ne sera requis chevauchée ou expédition, qu'il ne puisse revenir le jour même en sa demeure, s'il le veut.

Aucun ne paiera de péage jusqu'à Étampes, ni jusqu'à Orléans, ni jusqu'à Milly en Gâtinais, ni jusqu'à Melun.

Et celui qui aura sa propriété en la paroisse de Lorris, on ne pourra pas la lui confisquer s'il a commis quelque forfait, à moins que ce ne soit un forfait contre Nous ou nos gens.

Personne venant aux foires ou au marché de Lorris, ou

en revenant, ne pourra être pris ou troublé, à moins qu'il n'ait commis quelque forfait ce jour-là.

Personne, ni Nous ni d'autres, ne pourra lever de taille sur les hommes de Lorris.

...

Aucun d'entre eux ne fera de corvée pour Nous, si ce n'est une fois l'an, pour apporter notre vin à Orléans, et pas ailleurs.

...

Et quiconque aura demeuré un an et un jour en la paroisse de Lorris, sans que personne ne l'y réclame, et que cela ne le lui ait été défendu ni par Nous ni par notre prévôt, désormais y sera libre et franc. »

La petite ville de Beaumont reçoit peu après les mêmes privilèges, et bientôt le mouvement se dessine dans tout le royaume.

C'est l'un des spectacles les plus captivants de l'histoire que l'évolution d'une cité au Moyen Age : villes méditerranéennes, Marseille, Arles, Avignon ou Montpellier, rivalisant d'audace avec les grandes cités italiennes pour le commerce « deçà mer », — centres de trafic comme Laon, Provins, Troyes ou Le Mans, — foyers d'industrie textile, comme Cambrai, Noyon ou Valenciennes ; toutes font preuve d'une ardeur, d'une vitalité sans égales. Elles eurent d'ailleurs les sympathies de la royauté : ne procuraient-elles pas, dans leur volonté d'émancipation, le double avantage d'affaiblir la puissance des grands féodaux et d'apporter au domaine royal un accroissement inespéré, puisque les villes affranchies entraient de ce fait dans la mouvance de la couronne ? Parfois la violence est nécessaire, et l'on assiste à des mouvements populaires, comme à Laon, ou au Mans ; mais le plus souvent les villes se libèrent par voie d'échanges, par tractations successives, ou tout simplement à prix d'argent. Là encore, comme dans tous les détails de la société médiévale, la diversité triomphe, car l'indépendance peut n'être pas entière : telle partie de la ville, ou tel droit particulier, demeurent sous l'autorité du seigneur féodal, tandis que le reste revient à la commune. Un exemple typique est fourni par Marseille : le port et la ville basse, que les vicomtes se partageaient, furent acquis par les bourgeois, quartier par quartier, et devinrent indépendants, tandis que la ville haute restait sous la domination de l'évêque et du chapitre, et qu'une partie de la rade, face au port, demeurait la propriété de l'abbaye de Saint-Victor.

En tout cas, ce qui est commun à toutes les villes, c'est l'empressement qu'elles mirent à faire confirmer ces précieuses libertés qu'elles venaient d'acquérir, et leur hâte à s'organiser, à mettre par écrit leurs coutumes, à régler leurs institutions sur les besoins qui leur étaient propres. Leurs usages diffèrent suivant ce qui fait la spécialité de chacune d'elles : tissage, commerce, ferronnerie, tanneries, industries maritimes ou autres. La France devait pendant tout l'Ancien Régime conserver un caractère très spécial du fait de ces coutumes particulières à chaque ville, fruit tout empirique des leçons du passé, et, qui plus est, fixées en toute indépendance par le pouvoir local, donc au mieux des besoins de chacune. Cette variété, d'une ville à l'autre, donnait à notre pays une physionomie très séduisante et des plus sympathiques ; la monarchie absolue eut la sagesse de ne pas toucher aux usages locaux, de ne pas imposer un type d'administration uniforme ; ce fut l'une des forces — et l'un des charmes — de l'ancienne France. Chaque ville possédait, à un degré difficile à imaginer de nos jours, sa personnalité propre, pas seulement extérieure, mais intérieure, dans tous les détails de son administration, dans toutes les modalités de son existence. Elles sont, en général, — tout au moins dans le Midi — dirigées par des consuls dont le nombre varie : deux, six, quelquefois douze ; ou encore un seul recteur réunit l'ensemble des charges, assisté d'un viguier représentant le seigneur, lorsque la cité n'a pas la plénitude des libertés politiques. Souvent encore, dans les cités méditerranéennes, on fait appel à un podestat, institution assez curieuse ; le podestat est toujours un étranger (ceux de Marseille sont tous italiens) auquel on confie le gouvernement de la cité pour une période d'un an ou deux ; partout où il a été employé, ce régime a donné entière satisfaction.

En tout cas, l'administration de la cité comprend un conseil élu par les habitants, généralement au suffrage restreint ou à plusieurs degrés, — et des assemblées plénières réunissant l'ensemble de la population, mais dont le rôle est plutôt consultatif. Les représentants des métiers tiennent toujours une place importante, et l'on sait quelle fut la part prise par le prévôt des marchands à Paris dans les mouvements populaires du XIVe siècle. La grande difficulté à laquelle se heurtent les communes, ce sont les embarras financiers ; presque toutes se montrent incapables d'assurer une bonne gestion des ressources ; le pouvoir est d'ailleurs vite accaparé par une oligarchie bourgeoise qui se montre plus dure envers le petit peuple que ne l'avaient été les seigneurs — d'où la rapide décadence des communes ; elles sont souvent agitées de troubles populaires, et périclitent dès le XIVe siècle, aidées en cela, il faut bien le dire, par les guerres de l'époque et le malaise général du royaume.

***

Au XIIe et au XIIIe siècle, le commerce prend une extension prodigieuse, car une cause extérieure vient lui donner une nouvelle impulsion : les Croisades. Les rapports avec l'Orient, qui n'avaient jamais été complètement interrompus aux époques précédentes, connaissent alors une vigueur nouvelle ; les expéditions outre-mer favorisent l'établissement de nos marchands en Syrie, en Palestine, en Afrique du Nord et jusque sur les bords de la mer Noire. Italiens, Provençaux et Languedociens se font une âpre concurrence, et un vaste courant d'échanges s'établit, dont la Méditerranée est le centre, et qui remonte, suivant la route séculaire de la vallée du Rhône, de la Saône et de la Seine (déjà suivie par les caravanes, qui, avant la fondation de Marseille au VIe siècle avant Jésus-Christ, transportaient l'étain des îles Cassitérides, c'est-à-dire de la Grande-Bretagne, jusqu'aux ports fréquentés par les marchands phéniciens) — vers le Nord de la France, les pays flamands et l'Angleterre. C'est l'époque des grandes foires de Champagne, de Brie et d'Ile-de-France : Provins, Lagny, le Lendit à Saint-Denis, Bar, Troyes, où aboutissent les soieries, les velours et les brocards, l'alun, la cannelle et le girofle, les parfums et les épices, venus du centre de l'Asie, et que l'on échangeait, à Damas ou à Jaffa, contre les toiles de Douai ou de Cambrai, les laines d'Angleterre, les fourrures de Scandinavie. Les maisons de commerce de Gênes ou de Florence avaient sur nos marchés leurs succursales permanentes ; les banquiers lombards ou cahorsins y traitaient avec les représentants des hanses du Nord, et délivraient des lettres de change valables jusque dans les ports les plus reculés de la mer Noire. Nos routes en connaissaient une extraordinaire animation. L'importance de l'apport oriental est capital dans la civilisation médiévale ; déjà le Haut Moyen Age avait connu l'Orient à travers Byzance : l'église de Paris récitait en grec une partie de ses offices ; ce sont les ivoires byzantins qui vraisemblablement ont réappris à l'Occident l'art oublié de sculpter le bois et la pierre, et la décoration des manuscrits irlandais s'inspire des miniatures persanes ; plus tard, les Arabes mènent leur conquête avec la brutalité que l'on sait, et coupent les ponts, pour un temps, entre les deux civilisations. Mais viennent les Croisades, et cet apport oriental — auquel correspond d'ailleurs un apport « franc » en Asie Mineure, que des travaux récents ont mis en lumière — baigne toute l'Europe, lui fait connaître le vertige du trafic, l'éblouissement des fruits étranges, des étoffes précieuses, des parfums violents, des somptueux costumes, — inonde de sa lumière cette époque éprise de couleur et de clarté. Surtout, elle multiplie ce goût du risque, cette soif de mouvement, qui au Moyen Age coexiste de façon si frappante avec l'attachement au sol. Jamais peut-être le mot d'épopée n'a été mieux employé qu'en parlant des Croisades ; jamais l'attirance de l'Orient ne se manifesta avec plus d'ardeur et ne conduisit, en dépit des échecs apparents, à de plus étonnantes réalisations. Qu'il suffise d'évoquer les fondations des « Francs » en Terre-Sainte, depuis les fondoucs des marchands, comptoirs organisés qui forment de véritables petites villes, avec leur chapelle, leurs bains publics, leurs entrepôts, les habitations des marchands et la salle du tribunal et des réunions — jusqu'à ces châteaux forts dont la masse défie encore le soleil : Krak des Chevaliers, château de Saone, fortifications de Tyr, — jusqu'à ces faits d'armes extraordinaires, ceux d'un Raimond de Poitiers ou d'un Renaud de Châtillon, qui font penser que les Croisades, leur but pieux mis à part, furent un heureux dérivatif à l'ardeur bouillante des barons.

L'Europe perdra beaucoup lorsque, au XIVe siècle, son attention se détournera de l'Orient. Saint Louis avait entrevu cette possibilité d'alliance avec les Mongols qui, eût-elle été saisie, aurait probablement changé du tout au tout le destin des deux mondes, oriental et occidental. Sa mort prématurée, l'étroitesse de vues de ses successeurs, ont laissé à l'état d'ébauche un projet dont les travaux de René Grousset ont mis en valeur toute l'importance. Les Mongols pouvaient seuls opposer à l'Islam une barrière efficace ; ils recherchaient l'alliance franque et favorisaient chez eux les chrétiens nestoriens. Les relations établies par Jean du Plan-Carpin, puis par Guillaume de Rubruquis, qui, en 1254, visitait Karakoroum, capitale du Grand-Khan, avaient fait comprendre aux uns et aux autres quels fruits pourraient naître d'une semblable union. Les Mongols n'offraient-ils pas de reconquérir Jérusalem sur les Turcs Mamelouks ? Mais leur offre ne fut pas prise en considération ; l'historien des Croisades, déjà cité, a fait remarquer la coïncidence des deux dates : 1287, ambassade sans résultat du nestorien mongol Rabban Çauma à Paris, auprès de Philippe le Bel, — 1291, perte de Saint-Jean-d'Acre.

Submergé par l'Islam, l'Orient se fermera à l'influence et au commerce européen ; cela marque une décadence irrémédiable pour les villes méditerranéennes, et pour leurs armateurs harcelés par les pirates ; seuls les chevaliers de l'Hôpital Saint-Jean continueront à lutter pied à pied, et de Rhodes à Malte, déploieront des efforts acharnés pour garder notre voie vers l'Orient — lutte inégale, mais admirable, qui ne cessera qu'avec la prise de Malte par Bonaparte.

L'organisation de ce grand commerce oriental est à peu près partout la même. Le négociant confie à un armateur soit une cargaison, soit une certaine somme d'argent à faire fructifier ; la destination du voyage est nettement indiquée en général, mais souvent aussi on laisse l'initiative au navigateur, *ad fortunam maris*. Au retour, ce dernier reçoit un quart du profit, ou, s'il a participé aux frais, une part proportionnelle de la recette, convenue à l'avance. Ainsi sont compris les contrats de « commande » ou de « société » entre les marchands. L'une des différences spécifiques entre le Moyen Age et notre époque, c'est qu'alors le commerçant, non l'armateur, décide de la traversée ; les compagnies de navigation n'ont pas d'itinéraire déterminé; c'est affaire de conventions avec ceux qui veulent voyager.

En ce qui concerne le commerce maritime, l'Église tolère le prêt à intérêt, parce qu'alors les risques encourus justifient le loyer de l'argent. Le plus grand de ces risques, en dehors du naufrage, c'est la coutume du jet : un navire en péril, ou poursuivi par des pirates, se déleste d'une partie de sa cargaison pour alléger sa course. Les recueils de coutumes maritimes, *Constitutum Usus* de Pise, Statuts de Marseille, Consulat de la Mer, règlementent soigneusement le jet, les marchandises qui y sont soumises, et la répartition des pertes entre les marchands qui se trouvent alors sur le bateau. Un autre risque provient du droit de représailles, qui peut être accordé par une cité à ses ressortissants sur les navires d'une cité ennemie, ou plus particulièrement à un marchand qui s'est trouvé lésé ou dont la cargaison a été pillée ; c'est alors l'une des formes du droit de vengeance privée.

Pour mieux se défendre, et par un usage cher à l'époque, les marchands ont l'habitude de s'associer. Il y a d'abord, pour les navires, ce que l'on appelle la conserve : deux navires, ou davantage, décident d'accomplir ensemble leur traversée ; cette décision fait l'objet d'un contrat que l'on ne peut rompre sans s'exposer à des sanctions et à une amende. D'autre part, les marchands d'une cité, où qu'ils se trouvent, forment une association et élisent l'un d'entre eux pour les administrer, et, le cas échéant, assumer la responsabilité ou la défense de leurs intérêts. Les comptoirs les plus importants ont un consul à demeure qui en tous temps, ou du moins durant la grande « saison » commerciale, qui va de la Saint-Jean, le 24 juin, à la Saint-André de novembre, régit le fondouc. Marseille nous offre l'exemple de cette institution des consuls, générale dans les villes de la Méditerranée, dont les décisions ne pouvaient être cassées que par le recteur de la commune et prenaient jusque-là force de loi ; elle-même en avait un dans la plupart des villes de Syrie et du Nord-Africain, à Acre, à Ceuta, à Bougie, à Tunis, et dans les Baléares.

Avec le commerce, l'élément essentiel de la vie urbaine, c'est le métier. La façon dont on l'a compris au Moyen Age, dont on en a réglé l'exercice et les conditions, a mérité de retenir particulièrement l'attention de notre époque, qui voit dans le système corporatif une solution possible au problème du travail. Mais le seul type de corporation[1] réellement intéressant, c'est la corporation médiévale, celle-ci prise dans le sens large de confrérie ou association de métier, et d'ailleurs altérée de bonne heure sous la pression de la bourgeoisie ; les

1. C'est à regret que nous employons ce terme, dont on a tant abusé et qui a prêté à si nombreuses confusions à propos de nos anciennes institutions. Notons d'abord qu'il s'agit d'un vocable moderne, qui n'apparaît qu'au XVIIIe siècle. Jusqu'alors il n'avait été question que de *maîtrises* ou de *jurandes*. Celles-ci, que caractérise le monopole de fabrication pour un métier donné dans une ville, ont été, durant la belle période du Moyen Age, assez peu nombreuses ; elles existaient à Paris, mais non dans l'ensemble du royaume où elles ne commencèrent à devenir le régime habituel — avec encore de nombreuses exceptions — qu'à la fin du XVe siècle. L'âge d'or des corporations a été, non le Moyen Age, mais le XVIe siècle ; or dès cette époque elles commençaient, sous l'impulsion de la bourgeoisie, à être en fait accaparées par les patrons qui firent de la maîtrise une sorte de privilège héréditaire, tendance qui s'accentua si bien qu'aux siècles suivants les maîtres constituaient une véritable caste dont l'accès était difficile, sinon impossible, aux ouvriers peu fortunés. Ceux-ci n'eurent d'autre ressource que de former à leur tour, pour leur défense, des sociétés autonomes et plus ou moins secrètes, les compagnonnages.

Après avoir été, dans l'esprit de certains historiens, le synonyme de « tyrannie », la corporation a fait l'objet de jugements moins sévères, et parfois d'éloges exagérés. Les travaux d'Hauser ont eu surtout pour but de réagir contre cette dernière tendance, et de démontrer qu'il faut se garder de voir en elle un monde « idyllique » ; il est bien certain qu'aucun régime de travail ne peut être qualifié d' « idyllique », pas plus la corporation qu'un autre — si ce n'est, peut-être, par comparaison avec la situation faite au prolétariat industriel au XIXe siècle, ou avec des innovations modernes telles que le système Bedaud.

siècles suivants n'en ont connu que des déformations ou des caricatures.

On ne saurait mieux définir la corporation médiévale qu'en voyant en elle l'organisation familiale appliquée au métier. Elle est le groupement, en un organisme unique, de tous les éléments d'un métier déterminé : patrons, ouvriers, apprentis sont réunis, non sous une autorité quelconque, mais en vertu de cette solidarité qui naît naturellement de l'exercice d'une même industrie. C'est, comme la famille, une association naturelle ; elle n'émane pas de l'État, ni du roi. Lorsque saint Louis mande à Etienne Boileau de rédiger le *Livre des Métiers*, ce n'est que pour faire mettre par écrit les usages déjà existants, sur lesquels son autorité n'intervient pas. Le seul rôle du roi vis-à-vis de la corporation, comme de toutes les institutions de droit privé, c'est de contrôler l'application loyale des coutumes en vigueur ; comme la famille, comme l'Université, la corporation médiévale est un corps libre, ne connaissant pas d'autres lois que celles qu'elle s'est elle-même forgées : c'est là son caractère essentiel qu'elle conservera jusque vers la fin du XVe siècle.

Tous les membres d'un même métier font d'office partie de la corporation, mais tous, bien entendu, n'y jouent pas le même rôle : la hiérarchie va des apprentis aux maîtres-jurés formant le conseil supérieur du métier. On a l'habitude d'y distinguer trois degrés : apprenti, compagnon ou valet, et maître ; mais cela n'appartient pas à la période médiévale, durant laquelle, jusqu'au milieu du XIVe siècle environ, on peut, dans la plupart des métiers, passer maître aussitôt l'apprentissage terminé. Les valets ne deviendront nombreux qu'à dater du XVIIe siècle, où une oligarchie de riches artisans cherche de plus en plus à se réserver l'accès à la maîtrise, ce qui ébauche la formation d'un prolétariat industriel. Mais, pendant tout le Moyen Age, les chances au départ sont exactement les mêmes pour tous, et tout apprenti, à moins d'être par trop maladroit ou paresseux, finit par passer maître.

L'apprenti est lié à son maître par un contrat d'apprentissage — toujours ce lien personnel, cher au Moyen Age — comportant des obligations pour les deux parties : pour le maître, celle de former son élève au métier, de lui assurer le vivre et le couvert, moyennant paiement par les parents des frais d'apprentissage ; pour l'apprenti, l'obéissance à son maître, et l'application au travail. On retrouve, transposée dans l'artisanat, la double notion de « fidélité-protection » qui unit le seigneur à son vassal ou à son tenancier. Mais comme, ici, l'une des parties contractantes est un enfant de douze à quatorze ans, tous les soins sont apportés à renforcer la protection dont il doit jouir, et, tandis que l'on manifeste la plus grande indulgence pour les fautes, les étourderies, voire même les vagabondages de l'apprenti, les devoirs du maître sont sévèrement précisés : il ne peut prendre qu'un apprenti à la fois, pour que son enseignement soit fructueux, et qu'il ne puisse pas exploiter ses élèves en se déchargeant sur eux d'une partie de sa besogne ; cet apprenti, il n'a le droit de s'en charger qu'après avoir exercé la maîtrise pendant un an au moins, afin que l'on ait pu se rendre compte de ses qualités techniques et morales. « Nul ne doit prendre apprenti, s'il n'est si sage et si riche qu'il le puist apprendre et gouverner et maintenir son terme... et ce doit être su et fait pour les deux prud'hommes qui gardent le métier », disent les règlements. Ils fixent expressément ce que le maître doit dépenser chaque jour pour la nourriture et l'entretien de l'élève ; enfin, les maîtres sont soumis à un droit de visite détenu par les jurés de la corporation, qui viennent à domicile examiner la façon dont l'apprenti est nourri, initié au métier et traité en général. Le maître a envers lui les devoirs et les charges d'un père, et doit entre autres veiller à sa conduite et à sa tenue morale ; en revanche, l'apprenti lui doit respect et obéissance, mais on va jusqu'à favoriser de la part de ce dernier une certaine indépendance : au cas où un apprenti se sauve de chez son maître, celui-ci doit attendre un an avant de pouvoir en reprendre un autre, et durant toute cette année, il est tenu d'accueillir le fugitif, s'il revient — cela, pour que toutes les garanties soient du côté du plus faible, et non du plus fort.

Pour passer maître, il faut avoir terminé son temps d'apprentissage ; ce temps varie suivant les métiers, comme il est normal, et dure en général de trois à cinq ans ; il est probable qu'alors le futur maître devait faire la preuve de son habileté devant les jurés de sa corporation, ce qui est à l'origine du chef-d'œuvre dont les conditions iront en se compliquant au cours des siècles ; de plus, il doit acquitter une taxe, d'ailleurs minime (de 3 à 5 sous en général) — sa cotisation à la confrérie du corps de métier ; enfin, dans certains métiers, pour lesquels le marchand est tenu de justifier sa solvabilité, le versement d'une caution est exigé. Telles sont les conditions de la maîtrise pendant la période médiévale proprement dite ; à dater du XIVe siècle environ, les corporations, jusque-là indépendantes pour la plupart, commencent à être rattachées au pouvoir central, et l'accès à la maîtrise se fait plus difficile : on exige, dans certaines branches, un stage préalable de trois ans comme compagnon, et le postulant doit verser une redevance que l'on appelle l'*achat de métier*, variant de 5 à 20 sous.

L'exercice de chaque métier faisait l'objet d'une réglementation minutieuse, qui tendait avant tout à maintenir l'équilibre entre les membres de la corporation. Toute tentative pour accaparer un marché, toute ébauche d'entente entre quelques maîtres au détriment des autres, tout essai pour mettre la main sur une trop grande quantité de matières premières, étaient sévèrement réprimés : rien de plus contraire à l'esprit des anciennes corporations que le stockage, la spéculation, ou nos modernes *trusts*. On punissait aussi implacablement l'acte de détourner à son profit la clientèle d'un voisin, ce que de nos jours on appellerait l'abus de la publicité. La concurrence existait cependant, mais elle était restreinte au domaine des qualités personnelles : la seule façon d'attirer le client, c'était de faire mieux à prix égal, plus achevé, plus soigné que le voisin.

Les règlements étaient là encore pour veiller à la bonne exécution du métier, rechercher les fraudes et punir les malfaçons ; dans ce but, le travail devait autant que possible être fait dehors, ou tout au moins en pleine lumière ; gare au drapier qui aurait entassé l'étoffe de mauvaise qualité dans les recoins obscurs de sa boutique ! tout doit être montré en plein jour, sous l'auvent où le badaud aime à s'attarder, où Maître Pathelin vient « engigner » le marchand naïf.

Les maîtres-jurés ou « gardes du métier » sont là pour faire observer les règlements. Ils exercent un droit de visite sévère. Les fraudeurs sont mis au pilori, et exposés, avec leur mauvaise marchandise, pendant un temps variable ; leurs compagnons sont les premiers à les montrer du doigt. C'est qu'on porte très vif le sentiment de l'honneur du métier. Ceux qui font tache excitent le mépris de leurs confrères qui se sentent atteints par la honte qui en rejaillit sur le métier tout entier ; on les met au ban de la société ; on les regarde un peu comme des chevaliers parjures qui auraient mérité la dégradation. L'artisan médiéval, en général, a le culte de son travail. On en trouve le témoignage dans les romans de métier comme ceux de Thomas Deloney sur les tisserands et les cordonniers de Londres : les cordonniers intitulent leur art « le noble métier » et sont fiers du proverbe : « Tout fils de cordonnier est prince né. » Un poème médiéval, le *Dit des Fèvres* (des ouvriers) s'attarde complaisamment sur les mérites de ceux-ci :

> M'est il avis que fèvres sont
> La gent pour qu'on doit mieux prier.
> Bien savez que de termoier [*lambiner*]
> Ne vivent pas fèvres, c'est voir [*vrai*]
> N'est pas d'usure leur avoir
> ...De leur labeur, de leur travail
> Vivent les fèvres loyaument
> Et si donnent plus largement
> Et dépensent de ce qu'ils ont
> Que usuriers, qui rien ne font,
> Chanoines, prouvères, ou moines.

C'est un trait spécifiquement médiéval, cette fierté de son état, — et non moins médiévale, la jalousie avec laquelle chaque corporation revendique ses privilèges.

Celui de juger par elle-même des délits du métier est peut-être l'un des plus précieux pour l'époque, mais elle estime essentielle aussi la liberté de s'administrer par ses propres représentants. Pour cela, on élit chaque année un conseil composé de maîtres choisis, soit par l'ensemble de la corporation, soit par les autres maîtres ; les usages varient suivant les métiers. Les conseillers prêtent serment, d'où leur nom de « jurés » ; ils doivent veiller à l'observation des règlements, visiter et protéger les apprentis, trancher les différends qui peuvent s'élever entre les maîtres, inspecter les boutiques pour faire la police des fraudes. C'est à eux que revient aussi la charge d'administrer la caisse de la corporation. Leur influence est telle dans la cité qu'ils en viennent souvent à jouer un rôle politique.

Dans quelques villes, comme à Marseille, les délégués des métiers prennent une part effective à la direction des affaires communales ; ils font d'emblée partie du Conseil Général ; aucune décision touchant les intérêts de la ville ne peut être prise sans eux ; ils choisissent tous les huit jours des « semainiers » qui assistent le recteur et sans lesquels on ne peut pas tenir de délibération. Suivant l'expression de l'historien de la commune de Marseille, M. Bourrilly, les chefs de métier étaient « l'élément moteur » de la vie municipale, et l'on pourrait dire que Marseille eut au XIIIe siècle un gouvernement à base corporative.

La confrérie, d'origine religieuse, qui, elle, existe à peu près partout, même là où le métier n'est pas organisé en maîtrise ou jurande, est un centre d'entr'aide. Parmi les charges qui pèsent régulièrement sur la caisse de la communauté figurent en première place les pensions versées aux maîtres âgés ou infirmes, et les secours aux membres malades, pendant leur temps de maladie et de convalescence. C'est un système d'assurances dans lequel chaque cas peut être connu et examiné en particulier, ce qui permet d'apporter le remède approprié à chaque situation et d'éviter aussi les abus et les cumuls. « Si fils de maître eschiet pauvre, et veut apprendre, les prud'hommes doivent leur faire apprendre des 5 sols (taxe corporative) — et de leurs aumônes », dit le statut des « boucliers de fer » ou fabricants de boucles. La corporation aide le cas échéant ses membres lorsqu'ils sont en voyage ou en cas de chômage. Thomas Deloney place dans la bouche d'un confrère du Noble Métier un passage très significatif. Tom Drum (c'est son nom) a rencontré sur sa route un jeune seigneur ruiné et lui propose de l'accompagner jusqu'à Londres : « C'est moi qui paye, dit-il, à la prochaine ville nous nous amuserons bien. — Comment, dit le jeune homme, je croyais que tu n'avais qu'un petit sou pour toute fortune. — Je vais te dire, reprend Tom. Si tu étais cordonnier comme moi, tu pourrais voyager d'un bout à l'autre de l'Angleterre avec rien qu'un penny dans ta poche. Pourtant dans chaque ville tu trouverais bon gîte et bonne chère, et de quoi boire, sans même dépenser ton penny. C'est que les cordonniers ne veulent pas voir qu'un des leurs ne manque de rien. Voilà notre règlement : Si un compagnon arrive dans une ville, sans argent et sans pain, il n'a qu'à se faire connaître, et pas besoin de s'occuper d'autre chose. Les autres compagnons de la ville non seulement le reçoivent bien, mais lui fournissent gratis le vivre et le couvert. S'il veut travailler, leur bureau se charge de lui trouver un patron, et il n'a pas à se déranger. » Ce court passage en dit assez pour se passer de commentaires.

Ainsi comprises, les corporations étaient un centre très vivant d'aide mutuelle, faisant honneur à leur devise : « Tous pour un, chacun pour tous. » Elles tiraient gloire de leurs œuvres de charité. Les orfèvres obtiennent ainsi la permission de tenir boutique le dimanche et aux fêtes des Apôtres, chômées en général, chacun à tour de rôle ; tout ce qu'il gagne ce jour-là sert à offrir le jour de Pâques un repas aux pauvres de Paris : « Quanque il gagne qui l'ouvroir a ouvert, il le met en la boîte de la confrérie des orfèvres, ... et de tout l'argent de cette boîte donne-t-on chacun an le jour de Pâques un dîner aux pauvres de l'Hôtel-Dieu de Paris. » Dans la plupart des métiers aussi, les orphelins de la corporation sont élevés à ses frais.

Tout cela se passe dans une atmosphère de concorde et de gaieté dont le travail moderne ne peut guère donner idée. Les corporations et confréries ont chacune leurs traditions, leur fête, leurs rites pieux ou bouffons, leurs chansons, leurs insignes. Toujours d'après Thomas Deloney, un cordonnier, pour être adopté comme fils du « Noble Métier », doit savoir « chanter, sonner du cor, jouer de la flûte, manier le bâton ferré, combattre à l'épée et compter ses outils en vers ». Lors des fêtes de la cité, et aux cortèges solennels, les corporations déploient leurs bannières, et c'est à qui se trouvera quelques titres de préséance. Ce sont de petits mondes extraordinairement vivants et actifs, qui achèvent de donner à la cité son impulsion et sa physionomie originale.

Au total, on ne saurait mieux résumer le caractère de la vie urbaine au Moyen Age qu'en citant le grand historien des villes médiévales, Henri Pirenne : « L'économie urbaine est digne de l'architecture gothique dont elle est contemporaine. Elle a créé de toutes pièces... une législation sociale plus complète que celle d'aucune autre époque, y compris la nôtre. En supprimant les intermédiaires entre vendeur et acheteur, elle a assuré aux bourgeois le bienfait de la vie à bon marché ; elle a impitoyablement poursuivi la fraude, protégé le travailleur contre la concurrence et l'exploitation, réglementé son labeur et son salaire, veillé à son hygiène, pourvu à l'apprentissage, empêché le travail de la femme et de l'enfant, en même temps qu'elle a réussi à réserver à la ville le monopole de fournir de ses produits les campagnes environnantes et à trouver au loin des débouchés à son commerce » (1).

(1) *Les Villes et les Institutions urbaines au Moyen Age*, tome I, p. 481.

LA ROYAUTÉ

Plus on étudie la société médiévale, à travers les textes de l'époque, plus elle apparaît comme un organisme complet, semblable, suivant la comparaison chère à Jean de Salisbury, à l'organisme humain, possèdant une tête, un cœur et des membres. Beaucoup plus que des inégalités foncières, les trois « ordres », clergé, noblesse et tiers état, représentent un système de répartition des forces, de « division du travail ». C'est du moins ainsi qu'on les comprenait :

> Labeur de clerc est de prier
> Et justice de chevalier ;
> Pain leur trouvent les labouriers.
> Cil paist, cil prie et cil défend.
> Au champ, à la ville, au moustier,
> S'entr'aïdent de leur métier
> Ces trois par bel ordenement[1].

Il en résulte une société très composite, et qui par sa complexité rappelle en effet le corps humain avec sa multitude d'organes étroitement assujettis les uns aux aux autres, et concourant tous à l'existence comme à l'équilibre de l'être, dont tous bénéficient également.

(1) Poème de *Miserere*, du Reclus de Molliens.

Cette complexité de structure s'aggrave de l'extrême variété des seigneuries et des provinces ; chacune possède son caractère, vigoureusement marqué. Les proverbes du temps soulignent avec complaisance, — et malice, cette diversité :

> Les meilleurs jongleurs sont en Gascogne
> Les plus courtois sont en Provence
> Les plus apperts hommes en France
> Les meilleurs archers en Anjou
> Les plus « enquérants » en Normandie
> Les meilleurs mangeurs de raves sont en Auvergne
> Les plus « rogneux » en Limousin, etc., etc.

Petits traits locaux, qui s'accusent de manière autrement profonde dans les différences que nos coutumes présentent entre elles.

Devant une pareille marqueterie, la tâche du pouvoir central s'avérait particulièrement difficile. Il est évident qu'il n'y avait place, au Moyen Age, ni pour un régime autoritaire ni pour une monarchie absolue. Les caractères de la royauté médiévale en prennent d'autant plus d'intérêt, chacun d'eux apportant la solution d'un problème sur la question toujours épineuse des rapports de l'individu et du pouvoir central.

Ce qui est remarquable au premier abord, c'est la multitude d'échelons qui s'interposent entre l'un et l'autre. Loin d'être les deux seules forces en présence, l'État et l'individu ne correspondent que par une foule d'intermédiaires. L'homme au Moyen Age n'est jamais un isolé ; il fait nécessairement partie d'un groupe : domaine, association ou « université » quelconque, qui assure sa défense tout en le maintenant dans la voie droite. L'artisan, le commerçant sont à la fois surveillés et défendus par les maîtres de leur métier, qu'ils ont eux-mêmes choisis. Le paysan est soumis à un seigneur, lequel est vassal d'un autre, celui-ci d'un autre, et ainsi de suite jusqu'au roi. Une série de contacts personnels jouent ainsi le rôle de « tampons » entre le pouvoir central et le « Français moyen », qui de ce fait ne peut jamais être atteint par des mesures générales arbitrairement appliquées, et n'a pas affaire non plus à des puissances irresponsables ou anonymes, comme le serait par exemple celle d'une loi, d'un trust ou d'un parti.

Le domaine du pouvoir central est d'ailleurs strictement limité aux affaires publiques. Dans les questions d'ordre familial, si importantes pour la société médiévale, l'Etat n'a pas le droit d'intervenir, et l'on peut dire de chaque foyer ce que l'on dit encore du *home* d'un Anglais, que c'est le « château fort » de ceux qui y vivent. Mariages, testaments, éducation, contrats personnels sont réglés par la Coutume, comme le métier et en général toutes les modalités de la vie personnelle. Or la coutume est un ensemble d'observances, de traditions, de règlements issus de la nature des faits, non d'une volonté extérieure ; elle présente cette garantie de n'avoir pas été imposée par la force, mais de s'être développée spontanément, en accord avec l'évolution du peuple, — et cet avantage d'être indéfiniment malléable, de s'adapter à tout fait nouveau, d'absorber tout changement. Le respect que l'on a pour elle explique pourquoi, pendant toute la durée de l'Ancien Régime, les rois n'ont jamais fait d'ordonnance sur le droit privé. Même dans la période postérieure au Moyen Age, ils n'ont légiféré que sur la forme des actes de la vie privée, non sur ces actes eux-mêmes : par exemple sur l'enregistrement des dispositions testamentaires, mais jamais sur le testament ; ils ont ordonné la mise par écrit des coutumes, mais n'ont en aucune façon touché au droit coutumier ; ce qui relève de son domaine leur a toujours échappé.

Ces réserves faites, comment s'exerce l'autorité royale ? Le théologien Henri de Gand voit dans la personne du roi un chef de famille, défenseur des intérêts de tous et de chacun. Tel paraît bien être le caractère de la monarchie médiévale. Le roi, placé à la tête de la hiérarchie féodale, comme le seigneur à la tête du domaine, et le père à la tête de la famille, est à la fois un administrateur et un justicier. C'est ce que symbolisent ses deux attributs : le sceptre et la main de justice.

Comme administrateur, il a d'abord l'occasion d'exercer son pouvoir directement, sur son propre domaine. Il connaît donc, par expérience, les détails de la « gérance » d'un fief, et sait ce qu'il peut exiger de ses vassaux, ayant dans ce fief les mêmes droits et les mêmes devoirs qu'eux. Ce fut, en maintes occasions, précieux pour l'ensemble du royaume. Comme un vassal est tenté, plus ou moins, d'imiter son suzerain, le pouvoir royal fut amené à donner aux barons des exemples salutaires. Les réformes qu'il introduisait chez lui, et ne se reconnaissait pas le droit d'imposer aux autres, se répandaient souvent dans l'ensemble du pays. Ce fut le cas pour l'affranchissement général des serfs du domaine, au début du XIVe siècle. Cela provoquait une émulation bienfaisante, dont la royauté elle-même bénéficia parfois. Ainsi, les grands vassaux avaient le droit de battre monnaie, mais le roi finit par amener la France entière à préférer la sienne aux autres, en veillant à ce qu'elle fût toujours la plus saine et la plus juste — car il ne faut pas abuser de la légende des rois faux monnayeurs, qui n'est justifiée que pour Philippe le Bel, et aux époques des grandes misères publiques de la guerre de Cent ans.

Sur les domaines seigneuriaux, le roi ne possède qu'un pouvoir indirect. Les barons qui relèvent immédiatement de lui sont peu nombreux, mais tous peuvent faire appel de leur suzerain au roi, et les ordres qu'il donne se transmettent par une série d'intermédiaires dans tout le royaume. Le droit qu'il exerce est, essentiellement, un droit de contrôle : veiller à ce que tout ce qui est prescrit par la coutume soit normalement exécuté, maintenir la « tranquillité de l'ordre ». C'est à ce titre qu'il est l'arbitre tout désigné pour apaiser les querelles entre vassaux. On sait la réponse de saint Louis à ceux qui lui faisaient remarquer, après le *Dit d'Amiens*, qu'il ferait mieux de laisser les grands barons se battre entre eux, et s'affaiblir d'eux-mêmes : « S'(ils) voyaient que je les laissasse guerroyer, ils se pourraient aviser entre eux, et dire : Le roi par sa malice nous laisse guerroyer. Si en adviendrait que par haine qu'ils auraient à moi, ils me viendraient courre sus, dont je pourrais bien perdre — sans la haine de Dieu que je conquérrais, qui dit : Bénis soient tous les apaiseurs. »

Cette puissance aurait pu rester toute platonique, car, pendant la plus grande partie du Moyen Age, le roi de France dispose, avec son domaine exigu, de ressources inférieures à celles des grands vassaux. Mais le prestige que lui confère l'onction[1], et la haute tenue morale de la lignée capétienne, se révèlent singulièrement efficaces contre les seigneurs les plus turbulents. L'exemple du roi d'Angleterre déclarant qu'il ne peut faire le siège d'une place où se trouve son suzerain, et celui de ce même roi recourant à l'arbitrage royal pour régler ses propres différends avec ses barons, le prouvent suffisamment. L'autorité royale, jusqu'au XVIe siècle, s'est fondée plutôt sur la force morale que sur les effectifs militaires.

C'est elle aussi qui a solidement assis le renom des

1. C'est en effet l'onction, faite sur le front avec l'huile de la Sainte-Ampoule conservée à Reims, par l'archevêque de la cité, qui consacre la personne royale. Les premiers Capétiens, pour assurer leur succession, prenaient soin de faire oindre leur fils de leur vivant.

rois justiciers. Les *Regrets de la mort de saint Louis* insistent sur ce point :

> Je dis que Droit est mort, et Loyauté éteinte,
> Quand le bon roi est mort, la créature sainte
> Qui chacune et chacun faisait droit à sa plainte...
> A qui se pourront mais les pauvres gens clamer
> Quand le bon roi est mort qui les sut tant aimer ?

Le « bon roi » revient d'ailleurs lui-même souvent sur ce point, dans ses *Enseignements* à son fils : « A justice tenir et à droiture sois loyaux et roide à tes sujets, sans tourner à dextre et à senestre, mais adès droit ; et soutiens la querelle du pauvre jusques à tant que la vérité soit déclarée. » Joinville raconte en maintes occasions comment il mettait ces principes en action. Jusqu'aux confins du royaume se fait sentir la justice royale : « ...et dedans le Rhône trouvâmes un châtel que l'on appelle Roche de Glin, que le roi avait fait abattre pour ce que Roger, le sire du châtel, était crié de dérober les pélerins et les marchands. » C'est à bon droit que s'est popularisée l'image familière du chêne de Vincennes, sous lequel il rendait la justice. Les peines frappant les coupables peuvent aller jusqu'à la confiscation des biens : c'est une notion assez difficile à réaliser de nos jours, l'argent dont on paie une propriété vous donnant pleins pouvoirs sur celle-ci, qui ne peut plus vous être enlevée que faute d'argent : pour régler des dettes envers le fisc ou envers des particuliers. Cela se passait ainsi dans la Rome antique. Au Moyen Age, le domaine est inaliénable : un seigneur, même criblé de dettes, le conservera sa vie durant, mais en revanche, il court en tout temps le risque de se le voir confisquer s'il se montre indigne de sa charge ou enfreint son serment. Tout pouvoir implique alors une responsabilité. Le roi lui-même n'est pas à l'abri de cette règle. Henri de Gand, qui définit ses pouvoirs, reconnaît à ses sujets le droit de le déposer, s'il leur donne un ordre contraire à leur conscience ; le Pape peut les délier de leur serment de fidélité, et ne manque pas d'user de cette faculté lorsqu'un roi commet quelque exaction, même dans sa vie privée ; c'est le cas qui se présenta lorsque la malheureuse reine Ingeburge, délaissée par Philippe-Auguste, adressa de la prison d'Etampes son appel à Rome. Le principe fondamental est que, selon la doctrine de saint Thomas : « Le peuple n'est pas fait pour le prince, mais le prince pour le peuple. »

On a d'ailleurs, à cette époque, une très haute idée des devoirs d'un souverain. Eustache Deschamps, qui fut le chantre et le miroir de son temps, les énumère ainsi :

> Premier il doit Dieu et l'Église aimer ;
> Humble cœur ait, pitié, compassion ;
> Le bien commun doit sur tous préférer,
> Son peuple avoir en grand dilection,
> Être sage et diligent,
> Vérité ait, tel doit être régent,
> Lent de punir, aux bons non faire ennui
> Et aux mauvais rendre droit jugement
> Si qu'on voie toute bonté en lui...

La personnalité des rois capétiens était singulièrement bien adaptée à la conception médiévale de la royauté ; en les plaçant sur le trône, leurs contemporains avaient eu la main heureuse, tant ils ont répondu à ce que leur peuple pouvait attendre d'eux, étant donné la mentalité de l'époque, et les besoins du pays. Ils sont, avant tout, réalistes. Très attachés à leur domaine, ils ne perdent jamais de vue leurs intérêts. On pourrait même leur reprocher une certaine étroitesse de conceptions. Lorsque, des derniers Carolingiens, on passe à Hugues le Grand ou à Hugues Capet, la différence est frappante : les descendants de Charlemagne, même les plus déchus, gardent une mentalité « impériale » ; ils regardent vers Rome, vers Aix-la-Chapelle ; ils pensent en « Européens ». Les Capétiens, eux, se préoccupent peu de ce qui se passe au delà des limites de leur terroir ; ils se méfient de l'Empire comme d'une dangereuse illusion ; plutôt que l'Europe, ils voient la France. Pressentis à plusieurs reprises par la Papauté pour ceindre la couronne impériale, ils refuseront toujours, et ce n'est pas sans froncer le sourcil qu'ils verront leurs cadets courir, comme Charles d'Anjou, leur fortune à l'étranger.

Leurs ambitions sont limitées, mais pratiques. Se voyant à la tête d'un petit domaine, mais forts de l'onction royale, ils ont cherché, avec une ténacité imperturbable, à affermir leur domaine tout en développant leur autorité morale. Même les Croisades ne les intéressent qu'au second plan. La première, qui ébranle toute l'Europe, n'émeut pas le roi de France ; Philippe-Auguste se croise sans conviction — se souvenant sans doute que l'Orient n'avait pas porté chance à son père Louis VII, qui y avait compromis, avec son bonheur conjugal, l'assiette de son royaume ; il saisit la première occasion pour revenir, jugeant sa présence en Artois ou en Vermandois plus opportune que sur les rivages palestiniens. Il faut un saint Louis pour embrasser avec ferveur la Croisade, mais c'est parce qu'en lui le but religieux prédomine, à l'exclusion précisément de toute ambition terrestre. La chimère impériale, l'aventure italienne — autant de tentations auxquelles nos Capétiens ne s'arrêtent même pas. Leurs descendants furent-ils bien avisés de rompre avec cette politique du bon sens ? Les mésaventures d'un Charles VIII, d'un Louis XII, d'un François Ier démontrent suffisamment quelle somme de sagesse représentait semblable modération.

En revanche, c'est avec un étonnant esprit de suite que les rois capétiens se sont efforcés de consolider leur domaine. Une génération après l'autre, on les voit arrondir ce précieux territoire, acquérir ici un comté, là un château, batailler âprement pour une forteresse, revendiquer un héritage, au besoin l'épée à la main. En tacticiens avisés, ils savent tout le prix que l'on doit accorder à une route, à une tête de pont. La gloire d'un Louis VI, c'est de s'être assuré le passage entre Paris et Orléans ; il sait que pour lui les tours de Montlhéry ont plus d'importance que n'en aurait une couronne étrangère. En même temps, ils interviennent partout où ils le peuvent, dans les limites du royaume, ne perdant aucune occasion de rappeler leur présence et leur pouvoir aux vassaux trop sûrs de leurs forces ; que ce soit pour rappeler un seigneur à la raison ou mater des soldats mercenaires, comme les cottereaux du Berry, ils sont toujours là. Rendre la justice est pour eux la plus saine des politiques, et ils savent, le cas échéant, sacrifier leur intérêt immédiat pour un bien supérieur. On se rappelle l'étonnement que suscita, parmi les contemporains aussi bien que chez les historiens, le geste de Louis IX rendant au roi d'Angleterre l'Agenais, la Saintonge et une partie du Limousin, après avoir conquis sur lui ces provinces. Acte de « haute politique » cependant, ainsi que l'a qualifié Auguste Longnon, et dont le roi s'est expliqué lui-même : « Je suis certain que les devanciers au roi d'Angleterre ont perdu tout par droit la conquête que je tiens ; et la terre que je lui doins, ne lui doins-je pas pour autre chose que je sois tenu à lui ou à ses hoirs, mais pour mettre amour entre mes enfants et les siens, qui sont cousins germains ; et me semble que ce que je lui doins en emploie-je bien, pour ce que il n'était pas mon homme, si en entre en mon hommage. » Le résultat fut effectivement qu'il y gagna la fidélité de son vassal le plus redoutable — et la paix entre la France et l'Angleterre, pour une période de plus de cinquante années.

A côté de cet esprit méthodique, il faut mentionner la bonhomie, l'aimable familiarité de ces rois de France. Rien de moins autocrate, on l'a fait remarquer, qu'un monarque médiéval[1]. Dans les Chroniques, dans les récits, il n'est question que d'assemblées, de délibérations, de conseils de guerre. Le roi ne fait rien sans prendre l'avis de sa *mesnie*. Et cette mesnie n'est pas composée, comme le sera Versailles, de courtisans dociles : ce sont des hommes d'armes, des vassaux aussi puissants et souvent plus riches que le roi lui-même, des moines, des savants, des juristes ; le roi sollicite leurs conseils, discute avec eux, et attache beaucoup d'importance à ces prises de contact : « Garde que tu aies en ta compagnie, lit-on dans les *Enseignements de saint Louis*, prud'hommes et loyaux, qui ne soient pas pleins de convoitise, soient religieux, soient séculiers, et souvent parle à eux... Et si aucun a action contre toi, ne le crois pas jusques à tant que tu en saches la vérité, car ainsi le jugeront tes conseillers plus hardiment selon vérité, pour toi ou contre toi. » Lui-même prêche d'exemple ; il faut lire tout au long, dans Joinville, le récit de ce pathétique conseil de guerre tenu par le roi en Terre Sainte, lorsque les débuts malheureux de sa croisade viennent tout remettre en question et incitent la plupart des barons à vouloir rentrer en France. La façon dont Louis IX fait savoir à Joinville qu'il lui sait

1. Citons ce passage très pertinent d'A. HADENGUE, dans son ouvrage *Bouvines, victoire créatrice* : « Les conseils de guerre ! Ils sont très en usage dans les états-majors des armées moyenâgeuses. Sans cesse reviennent sous la plume des chroniqueurs les mêmes expressions : « A l'avies prin fu li consaus... lors li roi prist conseil... Adonc il prist conseil... » Au treizième siècle, un chef militaire n'ordonne pas, ne tranche pas à la façon d'un général omnipotent. Son autorité est faite de collaboration, de confiance, d'amitié. Est-il dans l'embarras ? Il s'assied au pied d'un arbre, appelle à lui ses « hauts barons », expose les faits, recueille les avis. Son opinion personnelle ne prévaut pas toujours. « Chacun dit sa raison », comme l'écrit Philippe Mouskès (p. 188-189). »

gré d'avoir pris le parti contraire, et d'avoir osé l'exprimer, est tout empreinte de cette familiarité, extrêmement sympathique, des rois avec leur entourage :

« Tandis que le roi ouit ses grâces, j'allai à une fenêtre ferrée... et tenois mes bras parmi les fers de la fenêtre, et pensois que si le roi s'en venoit en France, que je m'en irois vers le prince d'Antioche... En ce point que j'étois illec, le roi se vint appuyer à mes épaules, et me tint ses deux mains sur la tête. Et je cuidai que ce fût messire Philippe de Nemours, qui trop d'ennui m'avoit fait le jour pour le conseil que je lui avois donné ; et dis ainsi : « Laissez-moi en paix, messire Philippe. » Par male aventure, au tourner que je fis ma tête, la main le roi me chei parmi le visage ; et connus que c'étoit le roi à une émeraude qu'il avoit en son doigt. Et il me dit : « Tenez-vous tout coi ; car je vous veuil demander comment vous fûtes si hardi que vous, qui êtes un jeune homme, m'osâtes louer ma demeurée, encontre tous les grands hommes et les sages de France, qui me louoient m'allée. — Sire, fis-je, si j'avois la mauvestié en mon cœur, si ne vous louerois-je à nul fuer que vous la fissiez. — Dites-vous, fit-il, que je ferois que mauvais si je m'en allois ? — Si m'aïst Dieu, Sire, fis-je, oui. » Et il me dit : « Si je demeure, demeurrez-vous ? » Et je lui dis que oui... « Or soyez tout aise, dit-il, car je vous sais moult bon gré de ce que vous m'avez loué... »

Cette bonhomie, cette simplicité de mœurs, sont tout à fait caractéristiques de l'époque. Alors que l'empereur et la plupart des grands vassaux se plaisent à déployer leur faste, la lignée capétienne se fait remarquer par la frugalité de son train de vie. Les rois vont et viennent au milieu de la foule. Louis VII s'endort un jour seul à la lisière d'une forêt, et lorsque ses familiers le réveillent, il leur fait observer qu'il peut bien dormir ainsi, seul et sans armes, puisque personne ne lui en veut. Philippe-Auguste, quelques heures avant

Bouvines, s'assied au pied d'un arbre, et se restaure d'un peu de pain trempé dans du vin. Saint Louis se laisse insulter dans la rue par une vieille femme, et défend à ses compagnons de la reprendre. On réserve pour les fêtes et les entrées solennelles pourpoints de velours et manteaux d'hermine, — encore porte-t-on souvent le cilice sous l'hermine. C'est un sujet de plaisanteries courant, pour les étudiants allemands habitués aux magnificences impériales, que la simplicité de l'équipage royal. Cette simplicité ne fut pas imitée par les Valois, et moins encore par leurs successeurs de la Renaissance, mais s'ils y gagnèrent une cour brillante, ils y perdirent ce contact familier avec le peuple, élément précieux du prestige d'un prince.

LES RAPPORTS INTERNATIONAUX

Le Moyen Age, tel qu'il se présentait, risquait de ne jamais connaître que chaos et décomposition. Né d'un empire effondré, et de vagues d'invasions successives, formé de peuples disparates qui avaient chacun leurs usages, leurs cadres, leur ordre social, différents, quand ils n'étaient pas opposés — et presque tous un sens très vif des castes, de leur supériorité de vainqueurs, il aurait dû présenter, et ne présenta en fait à ses débuts, que le plus inconcevable émiettement.

Cependant, on constate qu'aux XIIe et XIIIe siècles cette Europe si divisée, si bouleversée à sa naissance, traverse une ère d'entente et d'union telle qu'elle n'en avait jamais connue et n'en connaîtra peut-être plus au cours des siècles. On voit, lors de la première Croisade, des princes sacrifier leurs biens et leurs intérêts, oublier leurs querelles pour prendre ensemble la Croix, — les peuples les plus divers se réunir en une seule armée, l'Europe entière tressaillir à la parole d'un Urbain II, d'un Pierre l'Ermite, plus tard d'un saint Bernard ou d'un Foulques de Neuilly. On voit des monarques, préférant l'arbitrage à la guerre, s'en remettre au jugement du Pape ou d'un roi étranger pour régler leurs dissensions. On se trouve, fait plus remarquable encore, devant une Europe organisée ; elle n'est pas un empire, elle n'est pas une fédération ; elle est : la Chrétienté.

Il faut reconnaître ici le rôle joué par l'Église et la Papauté dans l'ordre européen ; elles ont été en effet des facteurs essentiels d'unité ; le diocèse, la paroisse, se confondant souvent avec le domaine, ont été durant la période de décomposition du Haut Moyen Age, les cellules vivantes à partir desquelles s'est reconstituée la nation. Les grandes dates qui devaient pour toujours marquer l'Europe, ce sont celles de la conversion de Clovis, assurant dans le monde occidental la victoire de la hiérarchie et de la doctrine catholiques sur l'hérésie arienne, — et le couronnement de Charlemagne par le Pape Etienne II, qui consacre le double glaive, spirituel et temporel, dont l'union formera la base de la Chrétienté médiévale.

Il faut tenir compte, d'une manière plus générale, de l'influence du dogme catholique qui enseigne que tous les fils de l'Église sont membres d'un même corps, comme le rappellent les vers de Rutebeuf

Tous sont un corps en Jésus-Christ
Dont je vous montre par l'écrit
Que li uns est membre de l'autre

L'unité de doctrine, vivement sentie à l'époque, jouait en faveur de l'union des peuples. Charlemagne l'avait si bien compris que pour conquérir la Saxe il envoyait des missionnaires plutôt que des armées — par conviction d'ailleurs, non par simple ambition ; l'histoire s'est répétée dans l'Empire germanique avec la dynastie des Othons.

Pratiquement, la Chrétienté peut se définir l' « université » des princes et des peuples chrétiens obéissant à une même doctrine, animés d'une même foi, et reconnaissant dès lors le même magistère spirituel.

Cette communauté de foi s'est traduite par un ordre européen assez déroutant pour des cerveaux modernes, assez complexe dans ses ramifications, grandiose cependant lorsqu'on l'examine dans son ensemble. La paix au Moyen Age a été très précisément, selon la belle définition de saint Augustin, la « tranquillité » de cet ordre.

Un point central reste fixe, la Papauté, centre de la vie spirituelle ; mais très divers sont ses rapports avec les différents États. Certains sont liés envers le Saint-Siège par des titres spéciaux de dépendance : tel est l'Empire romain germanique dont le chef, sans se trouver, comme on l'a cru souvent, sous la suzeraineté du Pape, doit cependant être choisi ou du moins confirmé par lui ; cela s'explique si l'on se rapporte aux circonstances qui ont présidé à sa fondation, et à la part essentielle qu'y avait prise la Papauté. Celle-ci ne fait d'ailleurs que lui conférer son titre, et juger des cas de déposition.

D'autres royaumes sont les feudataires du Saint-Siège ; ils ont, à un moment donné de leur histoire, demandé aux Papes leur protection ; ils lui ont, comme les rois de Hongrie, remis solennellement leur couronne, ou, comme les rois d'Angleterre, de Pologne ou d'Aragon, l'ont prié d'authentiquer leurs droits, de sorte que le sceau de saint Pierre ratifie désormais et préserve leurs libertés.

D'autres enfin, et de ce nombre est la France, n'ont aucun lien de dépendance temporelle envers le Saint-Siège, mais acceptent naturellement ses arrêts en matière de conscience, et se soumettent aussi volontiers à sa détermination arbitrale.

Tel est dans ses grandes lignes l'édifice de la Chrétienté, comme l'a précisé Innocent III à une époque où déjà elle se trouvait réalisée dans la pratique depuis plusieurs siècles. Elle repose essentiellement sur une entente d'ordre mystique entre les peuples. Lorsqu'on met en regard les principes de l'équilibre européen, conçus lors du traité de Westphalie, on ne peut s'empêcher de trouver assez pauvre ce dosage des nationalités, cette aiguille de balance tenant lieu des solides assises sur lesquelles se fondait la paix médiévale.

On s'est souvent mépris sur le caractère de ces rapports entre l'Église et les États ; nous sommes habitués à voir dans l'autorité spirituelle et l'autorité temporelle deux puissances nettement distinctes, et parfois cette « intrusion » de la Papauté dans les affaires des princes a été jugée intolérable. Tout s'éclaire si l'on se replace dans la mentalité de l'époque : ce n'est pas le Saint-Siège qui impose son pouvoir aux princes et aux peuples, mais ces princes et ces peuples, étant croyants, recourent tout naturellement au magistère spirituel, soit qu'ils veuillent faire raffermir leur autorité ou respecter leurs droits, soit qu'ils désirent faire régler leurs différends par un arbitre impartial. Ainsi que l'énonce Grégoire X : « S'il est du devoir de ceux qui dirigent les États de sauvegarder les droits et l'indépendance de l'Église, il est aussi du devoir de ceux qui ont le gouvernement ecclésiastique de tout faire pour que les rois et les princes possèdent la plénitude de leur autorité. » Les deux pouvoirs, au lieu de s'ignorer ou de se combattre, se renforcent mutuellement.

Ce qui a pu prêter à confusion, c'est qu'il est général au Moyen Age de professer un plus grand respect pour l'autorité religieuse que pour l'autorité laïque, et de juger l'une supérieure à l'autre, suivant le mot célèbre d'Innocent III, « comme l'âme l'est au corps », ou « comme le soleil l'est à la lune » : hiérarchie de valeurs, qui n'entraîne pas nécessairement une subordination de fait.

De plus, il ne faut pas l'oublier, l'Église, gardienne de la foi, est aussi juge au for interne, et dépositaire des serments. Personne, au Moyen Age, n'aurait songé à le contester. Lorsqu'un scandale public a été commis, elle a le droit et le devoir de prononcer sa sentence, de renvoyer le coupable ou d'absoudre le repenti. Elle ne fait donc qu'user d'un magistère qui lui est universellement reconnu, quand elle excommunie un Robert le Pieux, ou un Raimond de Toulouse. De même, lorsqu'à la suite de leur conduite répréhensible ou de leurs exactions, elle délie les sujets du roi Philippe-Auguste ou de l'empereur Henri IV du serment de fidélité, elle exerce l'une de ses fonctions souveraines, car, au Moyen Age, tout serment prend Dieu à témoin, et par conséquent l'Église, qui a le pouvoir de lier et de délier.

Qu'il y ait eu des abus de la part du Saint-Siège, comme de la part du pouvoir temporel, c'est chose incontestable ; l'histoire des démêlés de la Papauté et de l'Empire est là pour le prouver. Mais dans l'ensemble on peut dire que cette tentative audacieuse d'unir les deux glaives, le spirituel et le temporel, pour le bien commun, se solde par une réussite. C'était une garantie de paix et de justice, que cette puissance morale dont on ne pouvait enfreindre les arrêts sans courir des dangers précis, entre autres celui de se voir dépouillé de sa propre autorité, et perdu dans l'estime de ses sujets : tant qu'Henri II est en lutte avec Thomas Beckett, on ne sait lequel prévaudra, mais du jour où le roi décide de se débarrasser du prélat par un meurtre, c'est lui le vaincu. La réprobation morale, et les sanctions qu'elle attire, ont alors plus d'efficacité que la force matérielle. Pour un prince frappé d'interdit, la vie n'est plus tolérable : les cloches silencieuses sur son passage, ses sujets fuyant à son approche, tout cela compose une atmosphère à laquelle les caractères les plus fortement trempés ne résistent pas. Même un Philippe-Auguste en vient finalement à se soumettre, alors qu'aucune contrainte extérieure n'aurait pu l'empêcher de laisser la malheureuse Ingeburge gémir dans sa prison.

Pendant la plus grande partie du Moyen Age, le droit de guerre privée reste considéré comme inviolable par le pouvoir civil et la mentalité générale ; maintenir la paix entre les barons et les États, présente donc d'immenses difficultés, et, n'eût été cette conception de la Chrétienté, l'Europe risquait de n'être jamais qu'un vaste champ de bataille. Mais le système en vigueur permet d'opposer toute une série d'obstacles à l'exercice de la vengeance privée. D'abord, la loi féodale veut qu'un vassal qui a juré fidélité à son seigneur ne puisse porter les armes contre lui ; il y a eu, bien entendu, des manquements, mais le serment de fidélité est tout de même loin d'être une simple théorie ou un simulacre : lorsque le roi de France Louis VII vient au secours du comte Raimond V, menacé dans Toulouse par Henri II d'Angleterre, celui-ci, quoique disposant de forces très supérieures, et assuré de la victoire, se retire en déclarant qu'il ne peut faire le siège d'une place où se trouve son suzerain ; en l'occurrence, le lien féodal avait tiré la royauté française d'une passe particulièrement dangereuse.

D'autre part, le système féodal ménage toute une succession d'arbitrages naturels : le vassal peut toujours en appeler d'un seigneur au suzerain de ce dernier ; le roi, à mesure que son autorité s'étend, exerce de plus en plus son rôle de médiateur ; le Pape enfin reste l'arbitre suprême. Il suffit souvent de la réputation de justice ou de sainteté d'un grand personnage pour que l'on recoure ainsi à lui ; l'histoire de France en offre plus d'un exemple : Louis VII est le protecteur de Thomas Beckett et son intermédiaire lors de ses conflits avec Henri II ; saint Louis s'impose de même à la Chrétienté lorsqu'il rend le célèbre *Dit d'Amiens* qui apaisait les différends entre Henri III d'Angleterre et ses barons.

Il reste que n'importe quel noble peut alors, par vengeance ou par ambition, envahir les terres de son voisin, et que le pouvoir central n'est pas assez puissant pour substituer sa justice à celle de l'individu — sans parler des guerres toujours possibles entre les Etats. Le Moyen Age ne s'est pas attaqué au problème de la guerre en général, mais par une suite de solutions pratiques et de mesures appliquées dans l'ensemble de la Chrétienté, il a successivement restreint le domaine de la guerre, les cruautés de la guerre, les longueurs de la guerre. C'est ainsi, par des lois précises, que s'est édifiée la Chrétienté pacifique.

La première de ces mesures a été la Paix de Dieu, instaurée dès la fin du xe siècle[1] : c'est aussi la première distinction qui ait été faite, dans l'histoire du monde, entre le faible et le fort, entre les guerriers et les populations civiles. Dès la date de 1023, l'évêque de Beauvais fait jurer au roi Robert le Pieux le serment de la Paix. Défense est faite de maltraiter les femmes, les enfants, les paysans et les clercs ; les maisons des cultivateurs sont, comme les églises, déclarées inviolables. On réserve la guerre à ceux qui sont équipés pour se battre. Telle est l'origine de la distinction moderne entre objectifs militaires et monuments civils — notion totalement ignorée du monde païen. L'interdiction n'a pas toujours été respectée, mais celui qui la transgressait savait qu'il s'exposait à des sanctions redoutables, temporelles et spirituelles.

Il y a ensuite la Trêve de Dieu, inaugurée dès le début du xie siècle elle aussi, par l'empereur Henri II,

1. Le concile de Charroux, en 989, lance l'anathème contre quiconque entrera de force dans une église et en enlèvera quelque chose, contre quiconque volera les biens des paysans ou des pauvres, leur brebis, leur bœuf, leur âne.

le roi de France Robert le Pieux, et le Pape Benoît VIII. Les conciles de Perpignan et d'Elne, datant de 1041 et 1059, l'avaient déjà renouvelée, lorsque, à son passage à Clermont en 1095, Urbain II la définit et la proclame solennellement, au cours de ce même concile qui fut à l'origine des Croisades. Elle réduit la guerre dans le temps, comme la Paix de Dieu dans son objet : par ordre de l'Église, tout acte de guerre est interdit depuis le premier dimanche de l'Avent jusqu'à l'octave de l'Epiphanie, depuis le premier jour du Carême jusqu'à l'octave de l'Ascension, et, pendant tout le reste du temps, du mercredi soir au lundi matin. Imagine-t-on ce qu'étaient ces guerres fragmentées, grignotées, qui ne pouvaient durer plus de trois journées de suite ? Là encore il y a des infractions, mais c'est aux risques et périls du contrevenant, et aussi à sa honte. Lorsque Otton de Brunswick est mis en déroute, à Bouvines, contre toute attente, par l'armée très inférieure en nombre de Philippe-Auguste, on ne manque pas de voir là le châtiment de celui qui avait osé rompre la trêve et engager le combat un dimanche.

Les princes chrétiens prennent parfois des initiatives qui complètent et secondent celles de l'Église. Philippe-Auguste, par exemple, institue la « quarantaine-le-roi » : un intervalle de quarante jours doit obligatoirement s'écouler entre l'offense faite, et dûment relevée par celui qui l'a reçue, — et l'ouverture des hostilités ; sage mesure, qui ménage le temps de la réflexion et des accommodements à l'amiable. Ce même intervalle de quarante jours se retrouve dans les délais accordés aux ressortissants d'une cité ennemie pour regagner leur pays et mettre leurs affaires en sûreté lorsqu'une guerre éclate. Ainsi, il n'aurait pu au Moyen Age être question de séquestre ou de camp de concentration.

Mais la grande gloire du Moyen Age, c'est d'avoir entrepris l'éducation du soldat, d'avoir fait, du soudard, un chevalier. Celui qui se battait par amour des grands coups, de la violence et du pillage, est devenu le défenseur du faible ; il a transformé sa brutalité en force utile, son goût du risque en courage conscient, sa turbulence en activité féconde ; son ardeur s'est, tout à la fois, vivifiée et disciplinée. Le soldat a désormais un rôle à remplir, et les ennemis qu'on l'invite à combattre sont précisément ceux en qui subsistent les désirs païens de massacre, de débauche et de pillage. La chevalerie est l'institution médiévale dont on a gardé plus volontiers le souvenir, et à juste titre, car jamais sans doute on n'eut conception plus noble du titre de guerrier. Telle qu'on la trouve instituée dès le début du XIIe siècle, elle est réellement un ordre, et presque un sacrement. Contrairement à l'opinion généralement répandue, elle ne va pas de pair avec la noblesse. « Nul ne naît chevalier », dit un proverbe. Des roturiers, même des serfs, se la voient conférer, et tous les nobles ne la reçoivent pas ; mais être armé chevalier, c'est devenir noble, et parmi les maximes du temps, l'une veut que « le moyen d'être anobli sans lettres est d'être fait chevalier ».

Du futur chevalier, on exige des qualités précises, que traduit le symbolisme des cérémonies au cours desquelles on lui décerne son titre. Il doit être pieux, dévoué à l'Église, respectueux de ses lois : son initiation débute par une nuit entière passée en prières, devant l'autel sur lequel est déposée l'épée qu'il ceindra. C'est la veillée d'armes, après laquelle, en signe de pureté, il prend un bain, puis entend la messe et communie. On lui remet alors solennellement l'épée et les éperons, en lui rappelant les devoirs de sa charge : aider le pauvre et le faible, respecter la femme, se montrer preux et généreux ; sa devise doit être « Vaillance et largesse ». Viennent ensuite l'adoubement et la rude « colée », le coup de plat d'épée donné sur l'épaule : au nom de saint Michel et de saint Georges, il est fait chevalier.

Pour bien s'acquitter de ses devoirs, il lui faut être aussi adroit que brave : la cérémonie se poursuit donc par une série d'épreuves physiques, qui sont autant de *tests* destinés à éprouver sa valeur. Il entre en lice, pour « courir une quintaine », — c'est-à-dire, à cheval, renverser un mannequin, — et pour désarçonner au tournois les adversaires qui viendront le défier. Les jours où sont faits de nouveaux chevaliers sont jours de fête, où chacun rivalise de prouesses, sous les yeux des châtelains, de la mesnie seigneuriale, et du menu peuple massé aux abords du champ de tournois. Adresse et vigueur physique, bienveillance et générosité, le chevalier représente un type d'homme complet, dont la beauté corporelle s'accompagne des qualités les plus séduisantes :

> Tant est prud'homme si comme semble
> Qui a ces deux choses ensemble :
> Valeur du corps et bonté d'âme.

Ce que l'on attend de lui, ce n'est pas seulement, comme dans l'idéal antique, un équilibre, un juste milieu, *mens sana in corpore sano,* mais un maximum ; on l'invite à se dépasser lui-même, à être tout à la fois le plus beau et le meilleur, en mettant sa personne au service d'autrui. Ces romans dans lesquels les héros de la Table ronde vont sans cesse à la recherche de l'exploit le plus merveilleux ne font que traduire l'idéal exaltant offert alors à celui qui se sent la vocation des armes. Rien de plus « dynamique », pour employer une expression moderne, que le type du bon chevalier.

La chevalerie peut se perdre de même qu'elle se mérite : celui qui manque à ses devoirs est dégradé publiquement ; on lui coupe ses éperons d'or au ras du talon, en signe d'infamie :

> Honni soit hardement où il n'a gentillesse

disait-on, — ce qui revenait à exprimer que la pure valeur guerrière n'était rien sans noblesse d'âme.

Aussi bien la chevalerie a-t-elle été le grand enthousiasme du Moyen Age ; le sens du mot : chevaleresque, qu'il nous a légué, traduit très fidèlement l'ensemble de qualités qui suscitaient son admiration. Il suffit de parcourir sa littérature, de contempler les œuvres d'art qui nous en restent, pour voir partout, dans les romans, dans les poèmes, dans les tableaux, dans les sculptures, dans les manuscrits enluminés, surgir ce chevalier dont la belle statue de la cathédrale de Bamberg représente un parfait spécimen. Il n'est d'autre part que de lire nos chroniqueurs pour constater que ce type d'homme n'a pas existé que dans les romans, et que l'incarnation du parfait chevalier, réalisée sur le trône de France en la personne d'un saint Louis, a eu, à cette époque, une foule d'émules.

On se représente, dans ces conditions, quels pouvaient être les caractères de la guerre médiévale ; strictement localisée, elle se réduit souvent à une simple promenade militaire, à la prise d'une ville ou d'un château. Les moyens de défense sont alors très supérieurs aux moyens d'attaque : les murs, les fossés d'une forteresse garantissent la sécurité des assiégés ; une chaîne tendue en travers de l'entrée d'un port constitue une sauvegarde, au moins provisoire. Pour l'attaque, on ne recourt guère qu'aux armes à main : l'épée, la lance. Si un beau corps à corps arrache aux chroniqueurs des cris d'admiration, ils n'ont en revanche que dédain pour ces armes de lâches que sont l'arc ou l'arbalète, qui diminuent les risques, mais aussi les grands exploits. Pour faire le siège d'une place, on utilise des machines : perrières, mangonneaux, ainsi que la sape et la mine, mais on compte surtout sur la faim et la durée des opérations pour réduire les assiégés. Aussi les donjons sont-ils pourvus en conséquence : d'énormes provisions de céréales s'entassent dans de vastes caves dont la légende romantique a fait des « oubliettes »[1], et l'on s'arrange pour avoir toujours un puits ou une citerne à l'intérieur de la place forte. Lorsqu'une machine de guerre est trop meurtrière, la Papauté en interdit l'emploi ; l'usage de la poudre à canon, dont on connaît les effets et la composition dès le XIIIe siècle, ne commence à se répandre que du jour où son autorité n'est plus assez forte, et où, déjà, les principes de la Chrétienté commencent à s'émietter. Enfin, comme l'écrit Orderic Vital, « par crainte de Dieu, par chevalerie, on cherchait à faire des prisonniers plutôt qu'à tuer. Des guerriers chrétiens n'ont pas soif de répandre le sang. » Il est courant de voir, sur le champ de bataille, le vainqueur faire grâce à celui qu'il a désarçonné, et qui lui crie merci. On a cité en exemple la bataille des Andelys, menée par Louis VI en 1119, dans laquelle, sur neuf cents combattants, on relève trois morts en tout.

Les principes de la Chrétienté nuisent-ils au patriotisme ? On a cru longtemps qu'il fallait faire remonter l'idée de patrie à Jeanne d'Arc. En fait, tout contredit cette assertion. L'expression « France la douce » se trouve dans la *Chanson de Roland* — et l'on n'en a jamais imaginé de plus aimable pour qualifier notre contrée. Les poètes n'ont cessé depuis de la désigner sous cette épithète :

Des pays est douce France la fleur

lit-on, dans *Andrieu contredit*, et, dans le *Roman de Fauvel* :

1. La méprise est d'autant plus étonnante que ces vastes caves servant de réserve, avec juste un trou circulaire au milieu de la voûte, par lequel on fait passer les corbeilles pour puiser le grain, existent encore en certains pays, en Algérie par exemple.

Le beau jardin de grâces plein
Où Dieu, par espéciauté,
Planta les lys de royauté...
Et d'autres fleurs à grand plenté :
Fleur de paix et fleur de justice,
Fleur de foi et fleur de franchise,
Fleur d'amour et fleur épanie
De sens et de chevalerie...
C'est le jardin de douce France...

Impossible d'évoquer sa patrie avec plus de tendresse. Et si l'on passe à l'examen des faits, on trouve, dès la date lointaine de 1124, la preuve la plus convaincante de l'existence du sentiment national : il s'agit de cet essai d'invasion de la France par les armées de l'empereur Henri V, dirigées contre notre pays suivant les routes séculaires des invasions, au nord-est de la France, en direction de Reims ; on assiste alors à une levée d'armes générale dans tout le royaume ; les barons les plus turbulents, parmi lesquels un Thibaut de Chartres, alors en pleine révolte, oublient leurs querelles pour venir se ranger sous l'étendard royal, le célèbre oriflamme rouge frangé de vert, que Louis VI avait pris sur l'autel de Saint-Denis, — si bien que devant cette masse de guerriers surgie spontanément de l'ensemble du pays, l'empereur n'osa insister et fit demi-tour. La notion de patrie était donc, dès cette époque, assez ancrée pour provoquer une coalition générale, et l'on avait, à travers la diversité et l'émiettement des fiefs, conscience de faire partie d'un tout. Cette notion devait s'affirmer encore avec éclat, un siècle plus tard, à Bouvines, et l'explosion de joie que suscita, à Paris et dans tout le royaume, l'annonce de la victoire royale, en témoigne suffisamment. Le patriotisme, à cette époque, s'appuie sur sa base la plus sûre, qui est l'amour du terroir, l'attachement au sol, mais il sait au besoin se manifester pour la France entière, pour le « jardin de douce France ».

L'ÉGLISE

L'HISTOIRE de l'Église est si intimement liée à celle du Moyen Age en général qu'il est malaisé d'en faire un chapitre à part ; mieux vaudrait sans doute étudier, à propos de chaque caractère de la société médiévale, ou de chaque étape de son évolution, l'influence qu'elle exerça ou la part qu'elle y prit[1]. Il est d'ailleurs impossible d'avoir une vue juste de l'époque si l'on ne possède quelque connaissance de l'Église, non seulement dans ses grandes lignes, mais même dans les détails tels que la liturgie ou l'hagiographie, et c'est la première recommandation que l'on fait aux apprentis-médiévistes, soit aux élèves de l'École des Chartes, que de se familiariser avec eux.

On saisira tout de suite l'importance de son rôle si l'on se reporte à l'état de la société durant ces siècles que l'on est convenu d'appeler le Haut Moyen Age : période d'émiettement des forces, pendant laquelle l'Église représente la seule hiérarchie organisée. Face

1. Pour prendre un exemple, des travaux récents ont mis en valeur l'origine, non seulement religieuse, mais proprement eucharistique des associations médiévales : la procession du Saint-Sacrement a été la « cause directe » de la fondation des confréries ouvrières. Voir à ce sujet le bel ouvrage de G. Espinas, *Les origines du droit d'association* (Lille, 1943), en part. Tome I, p. 1034.

à la désagrégation de tout pouvoir civil, un point demeure stable, la Papauté, rayonnant dans le monde occidental en la personne des évêques ; et même lors des périodes d'éclipse que subit le Saint-Siège, l'ensemble de l'organisation demeure solide. En France, le rôle des évêques et celui des monastères est capital dans la formation de la hiérarchie féodale. Ce mouvement qui pousse les petites gens à rechercher la protection des grands propriétaires, à se confier à eux par ces actes de *commendatio* que l'on voit se multiplier dès la fin du Bas-Empire, ne pouvait que jouer en faveur des biens ecclésiastiques ; on se groupait autour des monastères plus volontiers encore qu'autour des seigneuries laïques. « Il fait bon vivre sous la crosse », disait un dicton populaire, traduisant le proverbe latin *Jugum ecclesie, jugum dilecte*. Des abbayes comme Saint-Germain-des-Prés, Lérins, Marmoutiers, Saint-Victor de Marseille ont vu ainsi s'accroître leurs possessions. De même les évêques sont souvent devenus les seigneurs temporels de tout ou partie de la cité dont ils avaient fait leur métropole, et qu'ils contribuent activement à défendre contre les invasions. L'attitude de l'évêque Gozlin lors de l'attaque de Paris par les Normands est loin de constituer un fait isolé, et souvent, l'architecture même de l'église porte la marque de cette fonction militaire, qui était alors, pour tous ceux qui possédaient quelque puissance, un devoir et une nécessité : telles sont les Saintes-Maries-de-la-Mer ou les églises fortifiées de la Thiérache.

La grande sagesse de Charlemagne fut de comprendre l'intérêt que présentait cette hiérarchie solidement organisée, et quel facteur d'unité l'Église pouvait être pour l'Empire. De fait, la loi catholique était seule à pouvoir cristalliser les possibilités d'union qui se révélaient grâce à l'avènement de la lignée carolingienne, à pouvoir cimenter les uns aux autres ces groupes d'hommes épars retranchés sur leurs domaines. Tout comme il acceptait la féodalité, trouvant plus utile de se servir de la puissance des barons, que de la combattre, il ménagea, en favorisant l'Église, l'avènement de la Chrétienté. Son couronnement à Rome par le Pape Etienne II reste l'une des grandes dates du Moyen Age, associant pour des siècles le glaive spirituel et le glaive temporel. La donation de Pépin venait de fournir à la Papauté le domaine territorial qui devait constituer l'assise de son magistère doctrinal ; en recevant sa couronne des mains du Pape, Charlemagne affirmait à la fois son propre pouvoir et le caractère de ce pouvoir, s'appuyant sur des bases spirituelles pour établir l'ordre européen. La Papauté s'était donné un corps, l'Empire se donne une âme.

De là cette complexité de la société médiévale, tant civile que religieuse. Domaine spirituel et domaine temporel, que depuis la Renaissance on a regardés de plus en plus comme distincts et séparés, dont on s'est efforcé de définir les limites respectives, et que l'on a tendu à voir s'ignorer mutuellement, sont alors continuellement mêlés. Si l'on distingue ce qui revient à Dieu et ce qui revient à César, les mêmes personnages peuvent tour à tour représenter l'un et l'autre, et les deux puissances se complètent. Un évêque, un abbé, sont aussi bien des administrateurs de seigneuries, et il n'est pas rare de voir l'autorité laïque et l'autorité religieuse se partager une même châtellenie ou une même ville ; un cas typique est fourni par Marseille, où coexistent la ville épiscopale et la ville vicomtale, avec même une enclave réservée au chapitre et nommée la ville des Tours. Cette puissance foncière du clergé résulte à la fois des faits économiques et sociaux, et de la mentalité générale de l'époque où le besoin d'une unité morale compense la décentralisation.

Pareil ordre n'allait pas sans dangers ; les luttes du

Sacerdoce et de l'Empire sont là pour prouver que ce départ très délicat à faire entre le règne de Dieu et celui de César n'a pas toujours été réalisé à la perfection : il y eut des empiètements de part et d'autre ; la querelle des Investitures, en particulier, met au jour les prétentions des empereurs à s'immiscer dans des questions relevant de la hiérarchie ecclésiastique. La France est sans doute l'une des contrées où l'on sut avec le plus de justesse réaliser cette synthèse entre le pouvoir spirituel et le pouvoir temporel, et les Capétiens, jusqu'à Philippe le Bel, sont arrivés dans l'ensemble à concilier la défense de leurs intérêts avec le respect de l'autorité ecclésiastique, non par un équilibre précaire, mais par cette vue exacte des choses et ce désir de justice qui dès le XIIe siècle amenaient un Louis VII à être choisi comme arbitre dans les conflits opposant les deux grandes puissances de la Chrétienté : l'empereur Frédéric Barberousse et le Pape Alexandre III.

De son côté, l'Église n'a pas toujours su se défendre des convoitises matérielles qui sont pour elle la plus redoutable des tentations. C'est le grave reproche que l'on peut faire au clergé médiéval, de n'avoir pas dominé sa richesse. Ce défaut a été vivement senti à l'époque. Les proverbes abondent, qui manifestent que le peuple donnait sa préférence aux clercs pratiquant la pauvreté évangélique : « Jamais de riche moine on ne dira bonne chanson », et encore : « Crosse de bois, évêque d'or, évêque de bois, crosse d'or. » On admet les revenus du clergé : « Qui autel sert, d'autel doit vivre », mais on s'attaque, comme il est juste, aux abus dont en trop de cas il ne sait se garder, à la cupidité surtout :

Et si ils vont la messe ouïr
Ce n'est pas pour Dieu conjouir
Ains est pour les deniers avoir

Ainsi s'exprime Rutebeuf, qui renouvelle plus d'une fois ses critiques :

> Toujours veulent, sans donner, prendre
> Toujours achètent sans rien vendre ;
> Ils tollent [*prennent*], l'on ne leur tolt rien.

Cette avarice, d'après lui, a corrompu jusqu'à la cour de Rome :

> Qui argent porte à Rome assez tôt provende a :
> On ne les donne mie si com Dieu commanda ;
> On sait bien dire à Rome : si voil impetrar, da,
> Et si non voilles dar, anda la voie, anda !

Si les attaques s'arrêtent devant la personnalité du Pape, les cardinaux sont souvent accusés de cet attachement à l'argent qui fait distribuer les prébendes et les bénéfices aux plus riches, non aux plus dignes. Et l'on sait aussi quelles protestations vigoureuses suscite leur népotisme, et celui des évêques :

> A leurs neveux, qui rien ne valent
> Qui en leurs lits encore étalent
> Donnent provendes, et trigalent [*s'amusent*]
> Pour les deniers que ils emmallent [*encaissent*]

Etienne de Fougères, à qui sont dus ces vers, donne des conseils salutaires sur ce point à ceux qui ont mission de nommer les pasteurs des fidèles :

> Ordonner doit bon clerc et sage
> De bonne mœurs, de bon aage,
> Et né de loyal mariage ;
> Peu ne me chaut de quel parage [*origine*]
> Ne doit nul prouvère ordonner,
> Se il moustier lui veut donner,
> Que il ne sache sermonner,
> Et la gent bien arraisonner.

Cette richesse devait inévitablement entraîner une décadence et un relâchement dans les mœurs, dont l'Église s'est défendue par des réformes successives. C'est Rutebeuf encore qui s'élève, entre autres, contre cette apathie de certains clercs préoccupés avant tout de profiter de leurs biens matériels :

> Ah ! prélats de Sainte Église
> Qui, pour garder les corps de bise
> Ne voulez aller aux matines,
> Messire Geoffroy de Sargines
> Vous demande delà la mer.
> Mais je dis cil fait à blâmer
> Qui rien nulle plus vous demande
> Fors bons vins et bonnes viandes
> Et que le poivre soit bien fort...

Ces faiblesses sont à l'origine des crises qu'à diverses reprises traverse l'Église médiévale, et des grands mouvements qui l'agitent. L'évolution du clergé régulier rend très exactement compte de l'évolution générale de l'Église. Dans les premiers siècles, les moines bénédictins accomplissent un travail pratique : ce sont des défricheurs, ouvrant la voie à l'Evangile du soc de leur charrue ; ils abattent des forêts, dessèchent des marécages, acclimatent la vigne et sèment le blé ; leur rôle est éminemment social et civilisateur ; ce sont eux aussi qui gardent à l'Europe les manuscrits de l'Antiquité et fondent les premiers centres d'érudition. Répondant aux besoins de la société qu'ils évangélisaient, ils ont été des pionniers et des éducateurs, aidant puissamment au progrès matériel et moral de cette société. Les ordres qui se fondent par la suite ont un tout autre caractère : franciscains, dominicains ont un but d'abord doctrinal ; ils représentent une réaction précisément contre cet abus des richesses que l'on reproche à l'Église de leur temps, et contre les hérésies qui la menacent. En même temps, ils accentuent le mouvement de réforme, déjà dessiné par deux fois avec les moines noirs de Cluny et les moines blancs de Clairvaux et de Cîteaux. Ainsi, l'Église avait elle-même senti les dangers auxquels l'exposait sa place dans le monde médiéval et y portait remède, tout en continuant à faire face aux nécessités nouvelles qui se présentaient : aux périls encourus par les Lieux-Saints, aux difficultés éprouvées par les pèlerins qui les visitent, elle oppose le secours guerrier des Templiers, et le secours charitable des Hospitaliers. Chaque état de fait suscite de sa part de nouvelles initiatives, à travers lesquelles on peut suivre toute la marche d'une époque.

Il est plus difficile de démêler l'influence morale exercée par l'Église dans les institutions privées, parce que la plupart des notions qui lui sont dues sont à ce point entrées dans les mœurs que l'on a du mal à se rendre compte de la nouveauté qu'elles présentaient. L'égalité morale de l'homme et de la femme, par exemple, représente un concept entièrement étranger à l'Antiquité ; la question ne s'en était même pas posée. De même, dans la législation familiale, c'était une profonde originalité que de substituer au droit du plus fort la protection due aux faibles ; le rôle du père de famille et du propriétaire foncier s'en trouvait complètement modifié. En face de sa puissance, on proclamait la dignité de la femme et de l'enfant et l'on faisait, de la propriété, une fonction sociale. La façon d'envisager le mariage, d'après les idées chrétiennes, était, elle aussi, radicalement nouvelle : jusqu'alors on n'avait vu que son utilité sociale, et admis par conséquent tout ce qui n'entraînait pas de désordres de ce point de vue ; l'Église, pour la première fois dans l'histoire du monde, voyait le mariage par rapport à l'individu, et considérait en lui, non l'institution sociale, mais l'union de deux êtres pour leur épanouissement personnel, pour la réalisation de leur fin terrestre et surnaturelle ; cela entraînait, entre autres conséquences, la nécessité d'une libre adhésion chez chacun des conjoints dont elle faisait les ministres d'un sacrement, ayant le prêtre pour témoin, — et l'égalité des devoirs pour tous les deux. Jusqu'au Concile de Trente les formalités à l'église sont très réduites, puisqu'il suffit de l'échange des serments devant un prêtre : « Je te prends à époux. — Je te prends à épouse » pour que le mariage soit valide ; c'est à la maison que se passent les cérémonies symboliques : boire au même gobelet, manger au même pain :

> Boire, manger, coucher ensemble
> Font mariage, ce me semble

tel est l'adage de droit coutumier, auquel on ajoute au XVIe siècle : « Mais il faut que l'Église y passe. »

Il faudrait signaler encore l'influence exercée par la doctrine ecclésiastique sur le régime du travail ; le droit romain ne connaissait, dans les contrats de louage ou de vente, que la loi de l'offre et de la demande, alors que le droit canonique, et après lui le droit coutumier, assujettissent la volonté des contractants aux exigences de la morale et à la considération de la dignité humaine. Cela devait avoir une profonde influence sur les règlements des corps de métiers, qui interdisaient à la femme les travaux trop fatigants pour elle, la tapisserie de haute lisse, par exemple ; le résultat fut aussi toutes ces précautions dont on entourait les contrats d'apprentissage, et ce droit de visite accordé aux jurés, ayant pour but de contrôler les conditions de travail de l'artisan et l'application des statuts. Surtout, il faut noter comme très révélateur le fait d'avoir étendu au samedi après-midi le repos du dimanche, au moment où l'activité économique s'amplifie avec la renaissance du grand commerce et le développement de l'industrie.

Une révolution plus profonde devait être introduite par les mêmes doctrines en ce qui concerne l'esclavage. Notons que l'Église ne s'est pas élevée contre l'institution proprement dite de l'esclavage, nécessité économique des civilisations antiques. Mais elle a lutté pour que l'esclave, traité jusqu'alors comme une chose, fût désormais considéré comme un homme et possédât les droits propres à la dignité humaine ; ce résultat une fois obtenu, l'esclavage se trouvait pratiquement aboli ; l'évolution fut facilitée par les coutumes germaniques qui connaissaient un mode de servitude très adouci ; l'ensemble donna lieu au servage médiéval, qui respectait les droits de l'être humain, et n'introduisait plus, comme restriction à sa liberté, que l'attachement à la glèbe. Il est curieux de constater que ce fait paradoxal de la réapparition de l'esclavage au XVIe siècle, en pleine civilisation chrétienne, coïncide avec le retour général au droit romain dans les mœurs.

Nombre de conceptions propres aux lois canoniques ont passé ainsi dans le droit coutumier. La manière dont le Moyen Age envisage la justice est de ce point de vue très révélatrice, car la notion d'égalité spirituelle des êtres humains, étrangère aux lois antiques, s'y fait jour généralement. C'est en ce sens qu'ont été introduites, dans la suite des temps, diverses réformes, par exemple en ce qui concerne la législation des bâtards, traités plus favorablement par le droit ecclésiastique que par le droit civil, parce qu'on ne les tient pas pour responsables de la faute à laquelle ils doivent la vie. En droit canon, une peine infligée a pour but, non la vengeance de l'injure, ou la réparation envers la société, mais l'amendement du coupable, et ce concept, entièrement nouveau lui aussi, n'a pas été sans modifier le droit coutumier. La société médiévale connaît ainsi le droit d'asile, consacré par l'Église, et il est assez déroutant, pour la mentalité moderne, de voir des officiers de justice subir une condamnation pour avoir osé pénétrer dans les terres d'un monastère afin d'y rechercher un criminel ; c'est cependant ce qui arriva, entre autres, au juriste Beaumanoir. Ajoutons que les tribunaux ecclésiastiques rejetaient le duel judiciaire bien avant sa proscription par Louis IX, et qu'ils furent les seuls, jusqu'à l'ordonnance de 1324, à prévoir des dommages et intérêts pour la partie lésée. Le Moyen Age, sous la même influence, connaissait la gratuité de la justice pour les pauvres, qui recevaient même, si nécessaire, un avocat d'office. Le coupable n'était déclaré tel qu'une fois la preuve faite, ce qui signifie que l'on ignorait la prison préventive.

L'Église, comme toute société médiévale, jouit de privilèges dont le principal consiste précisément à posséder ses propres tribunaux. C'est le *privilegium fori*, reconnu à tous les clercs, et à ceux qui par leur profession sont rattachés à la vie cléricale, par exemple les étudiants et les médecins. Le rôle des officialités, ou tribunaux ecclésiastiques, au Moyen Age, fut d'autant plus étendu que le nombre de personnes relevant directement ou indirectement du clergé était alors immense, et comme le titre de clerc s'appliquait d'une manière infiniment moins restreinte que de nos jours, il y eut souvent confusion et contestations entre la justice royale ou seigneuriale et la justice ecclésiastique. Les clercs étaient tous ceux qui avaient un mode de vie clérical ; cette définition assez vague avait le défaut de convenir aussi bien à ceux qui, maîtres ou élèves, fréquentaient l'Université, qu'aux moines et aux prêtres ; on s'est fondé parfois sur des signes extérieurs, comme la tonsure, ou le vêtement, mais ces attributs pouvaient être usurpés par ceux qui préféraient la justice du droit canon à celle du droit coutumier d'où le proverbe : « L'habit ne fait pas le moine. » D'une manière générale, on considéra comme clercs ceux qui se soumettaient aux obligations de la vie cléricale, en particulier pour ce qui concerne l'interdiction du mariage, qui d'ailleurs ne s'étend alors qu'aux clercs recevant les ordres majeurs, c'est-à-dire aux diacres et aux prêtres. Au XIIe siècle, cette interdiction est appliquée aux sous-diacres, mais non aux ordres mineurs qui n'étaient pas considérés alors comme devant mener forcément au sacerdoce. Les autres clercs pouvaient convoler en justes noces, pourvu que ce soit *cum unica et virgine*, une seule fois, et avec une jeune fille. Épouser une veuve, ou se remarier, c'était pour un clerc s'exposer à être taxé de bigamie, terme qui a maintes fois prêté à confusion.

Une série de mesures est venue régler et restreindre au Moyen Age les droits des clercs en ce qui concerne le régime des successions ; il s'agissait en effet d'empêcher que par suite des testaments faits en faveur des clercs la majeure partie des terres finît par revenir à l'Église. Aussi les clercs devaient-ils renoncer à leurs successions, tout au moins pour les biens fonciers, et cela constituait une contrepartie aux privilèges ecclésiastiques. Pour les impôts également, leurs obligations n'étaient pas les mêmes que celles des laïcs ; les curés de paroisse touchaient en général la dîme, comptée, suivant les provinces, de manières différentes : c'était « de dix gerbes l'une », ou la onzième gerbe, ou même, comme dans le Berry, la douzième ou la treizième. En revanche, l'ensemble du clergé était assujetti aux décimes levés par le roi ; nombre d'ambassades auprès du Saint-Siège ont pour but de demander l'autorisation de lever sur le clergé des « décimes extraordinaires », par exemple à l'occasion d'une expédition ; cela correspondait aux tailles levées sur les paysans et représentant leur contribution aux guerres du royaume.

L'une des fonctions de l'Église et de ses tribunaux,

c'est la lutte contre l'hérésie. On touche ici à un caractère essentiel de la vie médiévale, qui a souvent fait scandale par la suite. Pour bien le saisir, il faut comprendre que l'Église est alors la garante de l'ordre social, et que tout ce qui la menace attaque en même temps la société civile. Aussi bien les hérésies suscitent-elles souvent de plus violentes réprobations chez les laïcs que chez les clercs. Pour prendre un exemple, on a de nos jours quelque mal à se représenter le profond malaise apporté dans la société par l'hérésie albigeoise, simplement par ce fait qu'elle proscrivait le serment ; c'était battre en brèche l'essence même de la vie médiévale : le lien féodal. Toute l'assise de la féodalité s'en trouvait ébranlée[1]. D'où les réactions vigoureuses, excessives parfois, auxquelles on assista. Ces excès doivent-ils être attribués à l'Église ? Luchaire, peu suspect d'indulgence envers elle, voit dans la Papauté un « pouvoir essentiellement modérateur » dans la lutte contre l'hérésie. C'est en effet ce qui ressort des rapports entre Innocent III et Raimond de Toulouse, et de la correspondance du Pape avec ses légats. D'autre part l'examen des cas particuliers révèle nettement que les pillages et les massacres, lorsqu'ils ont lieu, sont le fait d'une minorité excitée, qui s'en voit par la suite vivement blâmée par l'autorité ecclésiastique. On a déjà cité[2] la lettre de saint Bernard aux bourgeois de Cologne, après le massacre des hérétiques qui eut lieu en 1145 : « Le peuple de Cologne a dépassé la mesure. Si nous approuvons son zèle, nous n'approuvons nullement ce qu'il a fait, car la foi est œuvre de persuasion et ne s'impose pas. » C'est que, comme il arrive souvent, les laïcs sont beaucoup moins modérés et plus impitoyables que les clercs dans leurs jugements, et que chez eux aussi les préoccupations

1. La remarque a été faite par M. BELPERRON, dans son ouvrage sur *La Croisade des Albigeois* (p. 76).
2. *Ibid.*, p. 115.

matérielles s'ajoutent pour les aggraver aux préoccupations doctrinales. Le premier souverain qui applique aux hérétiques condamnés à être livrés au bras séculier la peine du feu, c'est l'empereur Frédéric II ; on peut s'en étonner lorsqu'on connaît le personnage fort peu soucieux d'orthodoxie qu'il était. N'a-t-on pas vu en lui, maintes fois, un esprit des plus « modernes », volontiers sceptique, rien moins que pressé d'obéir aux objurgations du Pape, et qui, lorsqu'il se croise, affiche tout au long de sa croisade le plus profond mépris pour ses coreligionnaires, avec la plus vive sympathie pour les musulmans ? Il est bien probable dès lors que la préservation des hérésies ne devait l'intéresser que d'une manière très secondaire ; mais en politique avisé il avait senti le danger que les hérétiques faisaient courir à la société temporelle. De même les massacres de Juifs lors de la première croisade ne sont pas commis par les armées de Pierre l'Ermite ou de Gautier Sans Avoir, mais sont ordonnés en Allemagne, par un seigneur laïc, le comte Ennrich de Leiningen, après le départ des croisés. Les bannissements de Juifs ont d'ailleurs été, en France du moins, beaucoup moins nombreux qu'on ne l'a dit, puisqu'il n'y en eut que trois de portée générale, l'un sous saint Louis, lors de sa croisade, les deux autres sous Philippe le Bel, ordonnés par lui pour des raisons financières.

C'est sous une action semblable des pouvoirs laïques, détournant à leur profit, et pour s'en faire un instrument de domination, les mesures de défense prises par l'Église — quelquefois, s'entend, avec la complicité de certains ecclésiastiques isolés — que l'Inquisition s'est acquis sa fâcheuse réputation. Elle n'a cependant eu un caractère vraiment sanglant et féroce que dans l'Espagne impériale du début du XVIe siècle. Pendant tout le Moyen Age, elle n'est qu'un tribunal ecclésiastique destiné à « exterminer » l'hérésie, c'est-à-dire, à l'extirper en la chassant hors des limites (*ex terminis*) du royaume ; les pénitences qu'elle impose ne sortent pas du cadre des pénitences ecclésiastiques, ordonnées en confession : ce sont des aumônes, des pèlerinages, des jeûnes. Dans les cas graves seulement, le coupable est livré au bras séculier, ce qui signifie qu'il encourt des peines civiles, comme l'emprisonnement ou la mort — car, de toutes façons le tribunal ecclésiastique n'a pas le droit de prononcer lui-même de semblables peines. Aussi bien, de l'aveu des auteurs, de quelque tendance soient-ils, qui ont étudié l'Inquisition d'après les textes, celle-ci n'a-t-elle fait, suivant l'expression de Lea, écrivain protestant, traduit en français par Salomon Reinach, « que peu de victimes »[1]. Sur les neuf cent trente condamnations portées par l'Inquisiteur Bernard Gui durant sa carrière, quarante-deux en tout entraînèrent la peine capitale. Quant à la torture, on ne relève, dans toute l'histoire de l'Inquisition dans le Languedoc, que trois cas certains où elle fut appliquée ; c'est dire que son usage était rien moins que général. Il fallait d'ailleurs, pour qu'elle fût appliquée, qu'il y eût commencement de preuve ; elle ne pouvait servir qu'à faire compléter des aveux déjà faits. Ajoutons que, comme tous les tribunaux ecclésiastiques, celui de l'Inquisition ignore la prison préventive et laisse les prévenus en liberté jusqu'à preuve faite de leur culpabilité.

Il n'est pas sans intérêt, en étudiant l'Église au Moyen Age, de consacrer quelque attention aux caractères de la foi médiévale, sur laquelle beaucoup de jugements erronés ont été portés. On y voit volontiers une époque de « foi naïve », de « foi du charbonnier », où l'on accepte

1. LEA, *Histoire de l'Inquisition*, t. I, p. 489.

en bloc, et aveuglément, préceptes et prescriptions ecclésiastiques, où la peur de l'enfer tient dans l'épouvante des populations crédules, et de ce fait plus facilement exploitées, où enfin la rigueur des disciplines et la crainte du péché excluent tout plaisir temporel.

En fait, c'est au Moyen Age que s'est élaborée l'une des plus vastes et des plus audacieuses synthèses qu'ait connues l'histoire de la philosophie. Cette conciliation entre la sagesse antique et le dogme chrétien, aboutissant aux grandes œuvres des théologiens du XIIIe siècle, ne représente-t-elle pas, toute préoccupation d'ordre religieux mise à part, un magnifique effort de l'esprit ? La querelle des Universaux, les discussions sur le nominalisme ou l'illuminisme, qui passionnèrent le monde pensant d'alors, témoignent de l'intense activité intellectuelle dont les Universités, celle de Paris, celle d'Oxford et autres, étaient le centre. Les joutes auxquelles on assiste entre théologiens, les démêlés d'un Abélard ou d'un Siger de Brabant, ardemment suivis et discutés par la jeunesse des écoles, ne sont-elles pas la preuve qu'en ces matières, plus qu'en toute autre peut-être, le sens critique trouvait à s'exercer? Lorsque, après le meurtre du légat Pierre de Castelnau, la Croisade des Albigeois fut décidée, il s'était écoulé plus de vingt années de discussions entre les envoyés de Rome et les tenants du Catharisme : Peut-on en conclure que la foi n'était pas discutée ? Il semble au contraire que la religion, telle qu'elle était alors comprise, préoccupait l'intelligence autant que le cœur, et que l'on n'a cessé d'en approfondir les différents aspects. Il n'y a pas là trace de « naïveté » — pas plus que dans ce qu'elle inspirait, qu'il s'agisse des cathédrales ou des croisades. On pourrait objecter qu'il n'en était pas de même dans le peuple, mais c'est du peuple cependant que sortaient ces moines et ces écoliers passionnés de dialectique et de théologie ; c'est le peuple qui lance, dans des fabliaux, ses attaques contre les richesses du clergé et qui, aussi, partait pour la croisade et bâtissait les cathédrales. On ne commettait pas, en se rendant à la voix des prédicateurs, un acte irréfléchi, de pure obéissance. Les poèmes et chansons de Croisade qui circulent à travers l'époque font appel, pour convaincre, à la persuasion, — à cette persuasion propre à la doctrine catholique, qui propose à l'homme, pour fin dernière, l'amour divin — mais c'est de la dialectique tout de même, non des appels sentimentaux :

> Vous qui aimez de vraie amour
> Éveillez vous, ne dormez point.
> L'alouette vous trait le jour
> Et si vous dit en son latin :
> Or est venu le jour de paix
> Que Dieu, par sa très grand douçour
> Promet à ceux qui pour s'amour
> Prendront la croix, et pour leur fait
> Souffriront peine nuit et jour.
> Or verra-t-il les amants vrais...

Et le résultat des Croisades, l'établissement des royaumes latins d'Orient, prouve qu'il ne s'agissait pas là de transports irraisonnés ; tous ces chevaliers qui bâtissent des forteresses, et qui rédigent des codes à l'usage de leurs nouvelles principautés, ne font nullement figures d'étourdis ou d'exaltés et ne se laissent pas dépasser par les événements. Comme l'a remarqué Lavisse lui-même : « A la gloire de conquérir, nos chevaliers savaient joindre, au besoin, celle d'organiser les conquêtes et de fonder un gouvernement. Mais peut-être qu'ils n'auraient pas remporté un tel succès si l'Église n'avait collaboré à leur œuvre[1]. » Si leur foi était naïve, on doit se dire alors qu'elle n'excluait pas un solide sens pratique. Et les réalisations auxquelles

1. *Histoire de France*, t. II, 2, p. 105.

elle conduit forcent aussi à penser qu'elle ne consistait pas seulement, comme on l'a dit, dans le culte des reliques. Le Moyen Age aime les reliques, comme il aime tout ce qui est signe visible d'une réalité invisible. Ce n'est pas sentimentalité, c'est réalisme. La relique correspond à cette *traditio*, cette remise d'un symbole constituant les actes de ventes, ou l'investiture d'un comté ; trait général de l'époque, et pas seulement de la religion de cette époque.

Ce n'est pas ici la place de discuter la croyance à l'enfer, qui appartient au dogme catholique et n'est pas par conséquent spéciale au Moyen Age. Reste à savoir si les visions de l'enfer, magistralement évoquées par les peintres et les poètes, engendraient cette terreur paralysante que l'on imagine volontiers, et si les mortifications inspirées par l'Église achevaient de priver nos ancêtres des joies de l'existence. Il semble bien que le ressort essentiel de la foi médiévale ait été, non la crainte, mais l'amour : « Sans amour ne pourra nul hom Dieu bien servir », disait-on, et encore :

Sans amour nul ne peut à honneur parvenir
Si doit être amoureux qui veut grand devenir.

Ce n'est pas un mince étonnement que de trouver, dans les traités de morale de l'époque, huit péchés capitaux énumérés, au lieu des sept que nous connaissons ; or le huitième, c'est, chose inattendue, la tristesse, *tristitia*. Les théologiens la définissent, pour la condamner, et détaillent les *remedia tristitie* auxquels il convient d'avoir recours, lorsqu'on se sent en proie à la mélancolie :

Car irié, morne et pensis
Peut l'on bien perdre Paradis,
Et plein de joie et envoisié —
Mais qu'on se gard d'autre péché —
Le peut-on bien conquerre aussi.

A la base de la conception du monde au Moyen Age, on découvre au contraire un solide optimisme. A tort ou à raison, on part alors de ce principe que le monde est bien fait, que si le péché perd l'homme, la Rédemption le sauve, et que rien, épreuve ou joie, n'arrive, qui ne soit pour son bien, dont il ne puisse tirer enseignement et profit :

Car maintes fois aller à l'aventure
En ce qu'on craint, avoir peine et douleur
Vient à effet de douce nourriture :
Je tiens que Dieu fait tout pour le meilleur.

Dieu n'a pas fait chacun d'une jointure,
Terres ni fleurs toutes d'une couleur :
Mais rien n'advient dont fleur n'ait ouverture.
Je tiens que Dieu fait tout pour le meilleur,

ainsi s'exprime Eustache Deschamps, l'un des poètes qui a donné le « panorama » le plus complet et le plus exact de la vie de son temps. Devant des textes de ce genre, et sans même évoquer ces ripailles gigantesques dont les fêtes religieuses donnaient l'occasion, on est bien forcé de penser que s'il y eut, dans l'histoire du monde, une époque de joie, c'est le Moyen Age, — et de conclure par la remarque très juste de Drieu la Rochelle : « Ce n'est pas en dépit du christianisme, mais à travers le christianisme que se manifeste ouvertement et pleinement cette joie de vivre, cette joie d'avoir un corps, d'avoir une âme dans ce corps... cette joie d'être[1]. »

1. Article sur *La Conception du corps au Moyen Age*, dans la *Revue Française*, nº 1, 1940, p. 16.

L'ENSEIGNEMENT

L'ENFANT, au Moyen Age comme à toutes les époques, va à l'école. C'est, en général, à l'école de sa paroisse, ou du monastère le plus voisin. Toutes les églises, en effet, s'adjoignent une école ; le Concile de Latran de 1179 leur en fait une obligation stricte, et c'est une disposition courante, encore visible en Angleterre, pays plus conservateur que le nôtre, que de trouver réunis l'église, le cimetière et l'école. Souvent aussi, ce sont des fondations seigneuriales qui assurent l'instruction des enfants ; tel petit village des bords de la Seine, Rosny, avait, dès le début du XIIIe siècle, une école fondée vers l'an 1200 par son seigneur, Guy V Mauvoisin. Quelquefois encore, il s'agit d'écoles purement privées : les habitants d'un hameau s'associent pour entretenir un maître chargé d'enseigner les enfants ; un petit texte amusant nous a conservé la pétition de quelques parents pour demander le renvoi d'un professeur qui, n'ayant pas su se faire respecter de ses élèves, est par eux débordé au point que *eum pugiunt grafionibus*, — qu'ils le piquent de leurs *grafiones*, les stylets avec lesquels ils écrivent sur leurs tablettes enduites de cire.

Mais les privilégiés sont évidemment ceux qui peuvent profiter de l'enseignement des écoles épiscopales ou monastiques, ou encore des écoles capitulaires, car les chapitres des cathédrales étaient soumis aussi à l'obligation d'enseigner que leur précisa le même Concile de Latran[1]. Certaines acquièrent au Moyen Age un éclat tout particulier, par exemple celles de Chartres, de Lyon, du Mans où les élèves jouaient des tragédies antiques, celle de Lisieux où, au début du XIIe siècle, l'évêque en personne se plaisait à venir enseigner, celle de Cambrai dont un texte cité par l'érudit Pithou nous apprend qu'elles avaient été établies notamment afin d'être utiles au peuple dans la conduite de ses affaires temporelles.

Les écoles monastiques ont eu peut-être plus de renom encore et les noms de celles du Bec, de Fleury-sur-Loire où fut élevé le roi Robert le Pieux, de Saint-Géraud d'Aurillac où Gerbert apprit les premiers rudiments des sciences qu'il allait lui-même porter à un si haut point de perfection, reviennent tout naturellement à la mémoire, comme celles de Marmoutier près de Tours, de Saint-Bénigne de Dijon, etc. A Paris, on trouve dès le XIIe siècle trois séries d'établissements scolaires : l'école Notre-Dame, ou groupe des écoles de l'évêché, dont le chantre assume la direction pour les classes élémentaires, et le chancelier pour le degré supérieur ; les écoles des abbayes telles que Sainte-Geneviève, Saint-Victor ou Saint-Germain des Prés, et enfin les institutions particulières ouvertes par les maîtres qui ont obtenu la licence d'enseignement, comme Abélard, par exemple.

1. « Dans chaque diocèse, dit Luchaire, en dehors des écoles rurales ou paroissiales qui existaient déjà... les chapitres et les monastères principaux avaient leurs écoles, leur personnel de maîtres et d'élèves » (*La Société française au temps de Philippe-Auguste*, p. 68).

L'enfant y était admis à l'âge de sept ou huit ans, et l'enseignement qui préparait aux études de l'Université s'étendait comme aujourd'hui sur une dizaine d'années ; ce sont les chiffres que donne l'abbé Gilles le Muisit. Les garçons étaient séparés des filles qui avaient en général leurs établissements particuliers, moins nombreux peut-être, mais où les études étaient quelquefois très poussées. L'abbaye d'Argenteuil où fut élevée Héloïse enseignait aux jeunes filles l'Écriture Sainte, les lettres, la médecine et même la chirurgie, sans compter le grec et l'hébreu qu'y professa Abélard. En général, les petites écoles procuraient à leurs élèves les notions de grammaire, d'arithmétique, de géométrie, de musique et de théologie qui leur permettraient d'accéder aux sciences étudiées dans les Universités ; il se peut que quelques-unes aient comporté une sorte d'enseignement technique. L'*Histoire Littéraire* cite par exemple l'école de Vassor au diocèse de Metz, dans laquelle, tout en apprenant l'Écriture Sainte et les lettres, on travaillait l'or, l'argent, le cuivre[1]. Les maîtres étaient presque toujours secondés par les plus âgés et les mieux formés des étudiants, comme de nos jours dans l'enseignement mutuel.

C'étoit ce belle chose de plenté[2] d'écoliers :
Ils manoient[3] ensemble par loges, par soliers,
Enfants de riches hommes et enfants de toiliers [*d'ouvriers*],

dit Gilles le Muisit, rappelant ses souvenirs de jeunesse ; c'est qu'en effet à cette époque les enfants de toutes les « classes » de la société étaient instruits ensemble, comme en témoigne l'anecdote célèbre qui montre Charlemagne sévissant contre les fils de barons qui se

1. L. VII, c. 29 ; relevé par J. GUIRAUD, *Histoire partiale, histoire vraie* p. 348.
2. Abondance.
3. Demeuraient.

montraient paresseux, au contraire des fils de serfs et de pauvres gens. La seule distinction établie était dans les rétributions demandées, l'enseignement étant gratuit pour les pauvres, et payant pour les riches. Cette gratuité pouvait se prolonger, nous le verrons, dans toute la durée des études, et même pour l'accès à la maîtrise, puisque le Concile de Latran, déjà cité, défend aux personnes qui ont la mission de diriger et de surveiller les écoles « d'exiger des candidats au professorat une rémunération quelconque pour l'octroi de la licence ».

Il y a d'ailleurs peu de différence, au Moyen Age, dans l'éducation donnée aux enfants de diverses conditions ; les fils des moindres vassaux sont élevés au manoir seigneurial avec ceux du suzerain, ceux des riches bourgeois sont soumis au même apprentissage que le dernier des artisans s'ils veulent tenir à leur tour la boutique paternelle. C'est sans doute pourquoi l'on a tant d'exemples de grands personnages issus de familles d'humble condition : Suger, qui gouverne la France pendant la croisade de Louis VII, est fils de serfs ; Maurice de Sully, l'évêque de Paris qui fit bâtir Notre-Dame, est né d'un mendiant ; saint Pierre Damien, dans son enfance, garde les pourceaux, et l'une des plus vives lumières de la science médiévale, Gerbert d'Aurillac, est également berger ; le pape Urbain VI est le fils d'un petit cordonnier de Troyes, et Grégoire VII, le grand pape du Moyen Age, d'un pauvre chevrier. Inversement, beaucoup de grands seigneurs sont des lettrés dont l'éducation n'a pas dû différer beaucoup de celle des clercs : Robert le Pieux compose des hymnes et des séquences latines ; Guillaume IX, prince d'Aquitaine, est le premier en date des troubadours ; Richard Cœur de Lion nous a laissé des poèmes, comme les seigneurs d'Ussel, des Baux et tant d'autres — pour ne pas parler de cas plus exceptionnels comme celui du roi d'Espagne Alphonse X l'Astronome qui écrit tour à tour des poèmes et des ouvrages de droit, fait faire des progrès notables aux connaissances astronomiques de l'époque par la rédaction de ses *Tables Alphonsines*, laisse une vaste Chronique sur les origines de l'Histoire d'Espagne, et une compilation de droit canonique et de droit romain qui fut le premier *Code* de son pays.

Les écoliers les plus doués prennent tout naturellement le chemin de l'Université ; ils font leur choix suivant la branche qui les attire, car chacune d'elles a un peu sa spécialité. A Montpellier, c'est la médecine ; dès la date de 1181 Guilhem VII, seigneur de cette ville, a donné à tout particulier, quel qu'il soit et d'où qu'il vienne, la liberté d'enseigner cet art, pourvu qu'il présente des garanties de savoir suffisantes. Orléans se fait une spécialité du droit canonique, comme Bologne du droit romain. Mais, déjà, « rien ne se peut comparer à Paris », où l'enseignement des arts libéraux et de la théologie attire les étudiants de toutes les contrées : d'Allemagne, d'Italie, d'Angleterre, et même du Danemark ou de la Norvège.

Ces Universités sont des créations ecclésiastiques, le prolongement, en quelque sorte, des écoles épiscopales, dont elles diffèrent en ce qu'elles relèvent directement du Pape, et non de l'évêque du lieu. La bulle *Parens scientiarum* de Grégoire IX peut être considérée comme la charte de fondation de l'Université médiévale, avec les règlements édictés en 1215 par le cardinal-légat Robert de Courçon, agissant au nom d'Innocent III, et qui reconnaissent explicitement aux maîtres et aux élèves le droit d'association. Créée par la papauté, l'Université a un caractère entièrement ecclésiastique : les professeurs appartiennent tous à l'Église, et les deux grands ordres qui l'illustrent au XIIIe siècle, Franciscain et Dominicain, vont bientôt s'y couvrir de gloire, avec un saint Bonaventure et un saint Thomas d'Aquin ; les élèves, même ceux qui ne se destinent pas au sacerdoce, sont appelés clercs, et quelques-uns portent la tonsure — ce qui ne veut pas dire que l'on n'y enseigne que la théologie, puisque leur programme comporte toutes les grandes disciplines scientifiques et philosophiques, de la grammaire à la dialectique, en passant par la musique et la géométrie.

Cette « université » des maîtres et des étudiants forme un corps libre. Philippe-Auguste avait dès l'an 1200 soustrait ses membres à la juridiction civile — autrement dit, à ses propres tribunaux ; maîtres, élèves, et même les domestiques de ceux-ci ne relèvent que des tribunaux ecclésiastiques, ce qui est considéré comme un privilège et consacre l'autonomie de cette corporation d'élite. Maîtres et étudiants sont donc entièrement dégagés d'obligations envers le pouvoir central ; ils s'administrent eux-mêmes, prennent en commun les décisions qui les concernent et gèrent leur trésorerie sans aucune immixtion de l'État. C'est là le caractère essentiel de l'Université médiévale, et probablement celui qui la distingue le plus de celle d'aujourd'hui.

Cette liberté favorise entre les diverses cités une émulation dont on aurait peine à se faire une idée actuellement. Pendant des années, les maîtres de droit canon d'Orléans et ceux de Paris se disputent les élèves. Les registres de la Faculté de Décret, publiés dans la Collection des *Documents inédits,* fourmillent de récriminations au sujet de ces étudiants parisiens qui s'en vont en fraude passer leur licence à Orléans où les examens sont plus faciles. Menaces, radiations, procès, rien n'y fait, et les contestations se prolongent interminablement. Émulation aussi au sujet des professeurs, plus ou moins estimés, des thèses discutées avec passion, pour lesquelles les étudiants prennent fait et cause, et vont parfois jusqu'à se mettre en grève. L'Université, plus encore que de nos jours, est au Moyen Age un monde turbulent.

C'est aussi un monde cosmopolite ; les quatre « nations » entre lesquelles étaient répartis les clercs parisiens l'indiquent suffisamment : il y avait les *Picards*, les *Anglais*, les *Allemands* et les *Français*. Les étudiants venus de chacune de ces contrées étaient donc assez nombreux pour former un groupe qui avait son autonomie, ses représentants, son activité particulière ; en dehors de cela on relève couramment sur les registres des noms italiens, danois, hongrois et autres. Les professeurs qui enseignent viennent eux aussi de toutes les parties du monde : Siger de Brabant, Jean de Salisbury portent des noms significatifs ; Albert le Grand vient de Rhénanie, saint Thomas d'Aquin et saint Bonaventure, d'Italie. Il n'y a pas alors d'obstacle aux échanges de pensée, et l'on ne juge un maître que sur l'étendue de son savoir. Ce monde bigarré possède une langue commune, le latin, seul parlé à l'Université ; c'est sans doute ce qui lui évite d'être une nouvelle Tour de Babel, malgré les groupes disparates dont elle est composée ; l'usage du latin facilite les rapports, permet aux savants de communiquer d'un bout à l'autre de l'Europe, dissipe à l'avance toute confusion dans l'expression, et sauvegarde aussi l'unité de la pensée. Les problèmes qui passionnent les philosophes sont les mêmes à Paris, à Edinburgh, à Oxford, à Cologne ou à Pavie, bien que chaque centre, et chaque personnalité, y impriment leur caractère propre. Thomas d'Aquin, venu d'Italie, achève à Paris d'éclaircir et de mettre au point une doctrine dont il avait conçu les bases en écoutant à Cologne les leçons d'Albert le Grand. Rien ne ressemble moins à un vase clos, on le voit, que la Sorbonne du XIIIe siècle.

« Clercs viennent à études de toutes nations
Et en hiver s'assemblent par plusieurs légions.
On leur lit et ils oient[1] pour leur instruction ;
En été s'en retraient[2] moult en leurs régions,

c'est ainsi que Gilles le Muisit, déjà cité, résume la vie des étudiants.

Leur va-et-vient est perpétuel, en effet ; ils partent pour rejoindre l'Université de leur choix, retournent chez eux aux vacances, se mettent en route, entre temps, pour aller profiter des leçons d'un maître renommé, ou étudier une matière dont telle ville s'est fait une spécialité. Nous avons mentionné déjà les « fugues » des candidats aux examens de droit canonique vers Orléans ; cela se répète constamment, et parfois entre des cités beaucoup plus éloignées. Étudiants et professeurs sont des habitués de la grand'route ; à cheval et plus souvent à pied, ils parcourent des lieues et des ieues, couchant dans des granges, ou à l'hôtellerie. Avec les pèlerins et les marchands, ce sont eux qui contribuent le plus à l'animation extraordinaire qui régna sur nos routes au Moyen Age, et qu'elles n'ont retrouvé qu'au siècle de l'automobile, ou plutôt, depuis le développement des sports de plein air. Le monde lettré est alors un monde itinérant. C'est à tel point que chez quelques-uns le mouvement devient un besoin, une manie ; de nos jours, on rencontre au Quartier latin de ces étudiants vieillis dans la bohème, qui n'ont pu se remettre à une vie normale, ni utiliser les études dont ils portent le poids pendant des années ; au Moyen Age, cette sorte d'individus traînait sur la route : c'était le *clerc vagabond* ou *goliard*, type bien médiéval, inséparable du « climat » de l'époque ; « tout aux tavernes et aux filles », il va d'un cabaret à l'autre, en quête

1. Écoutent.
2 S'en retournent.

d'une « repue franche » et surtout d'un verre de vin, hante les mauvais lieux, garde quelques bribes de savoir dont il se sert pour l'ébahissement des bonnes gens, auxquels il récite des vers d'Horace ou des fragments de chansons de geste, amorce, au hasard des rencontres, une discussion sur quelque question théologique, et finit par se perdre dans la foule des jongleurs, des vauriens et des va-nu-pieds, — sinon par se faire pendre à la suite de quelque mauvais coup ; ses chansons ont fait le tour de l'Europe, et le monde estudiantin connaît encore de ces *chants goliardiques* :

Meum est propositum in taberna mori,
Vinum sit appositum morientis ori
Ut dicant cum venerint angelorum chori :
Deus sit propitius huic potatori !

L'Église dut sévir à plusieurs reprises contre ces *clerici vagi* qui entretenaient la débauche et la paresse dans le monde des étudiants.

Ils restent l'exception : dans l'ensemble, l'étudiant du XIIIe siècle n'a pas une vie très différente de celui du XXe. On a conservé et publié des lettres adressées à leurs parents ou à leurs camarades[1], qui révèlent les mêmes préoccupations qu'aujourd'hui, à peu de chose près : les études, les demandes d'argent et de ravitaillement, les examens. L'étudiant riche logeait en ville, avec son valet ; ceux de condition plus modeste prenaient pension chez les bourgeois du quartier Sainte-Geneviève, et se faisaient exonérer de tout ou partie de leurs droits d'inscription à la Faculté : on trouve souvent en marge, dans les registres, une mention indiquant que tel ou tel n'a rien versé, ou n'a versé que la moitié de la rétribution, *propter inopiam*, à cause de sa pauvreté.

1. Cf. HASKINS, *The life of medieval students as illustrated by their letters*, dans *l'American historical review*, III (1892), nº 2.

L'étudiant dénué de ressources exerce souvent de petits métiers pour vivre : il est copiste, ou relieur chez les libraires qui tiennent boutique dans la rue des Écoles ou la rue Saint-Jacques. Mais en dehors de cela, il peut être défrayé du vivre et du couvert dans les *collèges* établis. Le premier en date a été créé à l'Hôtel-Dieu de Paris par un bourgeois de Londres qui, au retour d'un pèlerinage en Terre sainte, vers la fin du XIIe siècle, a eu l'idée de faire œuvre pie en favorisant le savoir chez les gens de modeste condition : il laissait une fondation perpétuelle, à charge d'héberger et de nourrir gratuitement dix-huit étudiants pauvres, qui étaient seulement astreints, à tour de rôle, à veiller les morts de l'hôpital et à porter croix et eau bénite lors des enterrements. Un peu plus tard, on fonde de même le collège Saint-Honoré, celui de Saint-Thomas du Louvre, suivis de beaucoup d'autres. Peu à peu, on prit l'habitude d'organiser dans ces collèges des séances de travail en commun, comme dans les *séminaires* allemands, ou les « groupes d'études » qui fonctionnent depuis quelques années dans nos Facultés ; les maîtres vinrent y donner des répétitions ; certains s'y fixèrent, et parfois le collège devint plus fréquenté que l'Université elle-même ; c'est ce qui est arrivé pour le collège de la Sorbonne. Dans l'ensemble, il y avait tout un système de bourses, non pas officiellement organisé, mais couramment en usage, et qui s'apparentait à notre École Normale Supérieure, moins l'examen d'entrée, ou encore, à ce qui se pratique dans les Universités anglaises, où l'étudiant boursier reçoit gratuitement, non seulement l'instruction, mais encore le vivre et le couvert, et parfois l'habillement.

L'enseignement est donné en latin ; il se divise en deux branches, le *trivium*, ou les arts libéraux : grammaire, rhétorique et logique, — et le *quadrivium*, c'est-à-dire les sciences : arithmétique, géométrie, musique et astronomie ; ce qui, avec les trois facultés de théologie, droit et médecine, forme le cycle des connaissances. Comme méthode, on utilise surtout le commentaire : on lit un texte, les *Etymologies* d'Isidore de Séville, les *Sentences* de Pierre le Lombard, un traité d'Aristote ou de Sénèque, suivant la matière enseignée, et on le glose, en faisant toutes les remarques auxquelles il peut donner lieu, du point de vue grammatical, juridique, philosophique, linguistique, etc. Cet enseignement est donc surtout oral ; il fait une large part à la discussion ; les *Questiones disputate*, questions à l'ordre du jour, traitées et discutées par les candidats à la licence devant un auditoire de maîtres et d'élèves, ont parfois donné lieu à des traités complets de philosophie ou de théologie, et certaines gloses célèbres, mises par écrit, étaient elles-mêmes commentées et expliquées dans la suite des cours. Les thèses soutenues par les candidats au doctorat ne sont pas alors de simples exposés sur un ouvrage entièrement rédigé, mais bien des *thèses*, émises et soutenues devant tout un amphithéâtre de docteurs et de maîtres, et durant lesquelles tout assistant peut prendre la parole et présenter ses objections.

Comme on le voit, cet enseignement se présente sous une forme synthétique, chaque branche étant replacée dans un ensemble où elle acquiert une valeur propre, correspondant à son importance pour la pensée humaine. Pour prendre un exemple, il y a de nos jours équivalence entre une licence de philosophie et une licence d'espagnol ou d'anglais, bien que la formation supposée par ces différentes disciplines se place sur un plan très différent ; au Moyen Age, on peut être maître en philosophie, ou en théologie, ou en droit, — ou encore maître ès-arts, ce qui implique l'étude de l'ensemble ou de l'essentiel des connaissances relatives à l'homme, le *trivium* représentant les sciences de l'esprit, et le *quadrivium* celles des corps, et des nombres qui les régissent. Toute la série des études s'applique donc à donner une culture générale, et l'on ne se spécialise réellement qu'au sortir de la Faculté. C'est ce qui explique le caractère encyclopédique des savants et lettrés de l'époque ; un Roger Bacon, un Jean de Salisbury, un Albert le Grand, ont réellement fait le tour des connaissances de leur époque, et peuvent s'adonner tour à tour aux sujets les plus divers, sans craindre l'éparpillement, parce que leur vision de base est une vision d'ensemble.

Au sortir de ses séances de travail à la Faculté et au Collège, l'étudiant médiéval est un sportif, capable d'abattre des étapes de plusieurs lieues, et aussi, — les annales de l'époque ne s'en plaignent que trop, — de manier l'épée. Des rixes éclatent quelquefois, dans cette population turbulente, aux alentours de Sainte-Geneviève ou de Saint-Germain-des-Prés, et c'est pour avoir trop bien su se servir de son arme que François Villon dut quitter Paris. Les exercices physiques lui sont aussi familiers que les bibliothèques, et, plus encore que dans les autres corps de métier[1], sa vie s'agrémente de fêtes et amusements qui égayent le Quartier latin. Sans parler même de la fête des Fous et de celle des Sots qui sont des occasions exceptionnelles, il n'y a pas de réception de docteur qui ne soit suivie de cérémonies parodiques, à laquelle les graves maîtres en Sorbonne prennent leur part ; Ambroise de Cambrai, qui fut chancelier de la Faculté de Décret, et prit son rôle à cœur, nous en a laissé le récit dans les comptes rendus détaillés qu'il dressa pendant le temps où il occupa sa charge. Un être ainsi formé était prêt pour l'action autant que pour la réflexion, et c'est sans doute pour-

1. Notons que le Moyen Age ne connaît pas de fossé entre métiers manuels et professions libérales ; les termes sont à ce sujet significatifs : on qualifie de *maître* aussi bien le drapier qui a terminé son apprentissage que l'étudiant en théologie qui a obtenu la licence d'enseignement.

quoi l'on voit à cette époque des personnalités s'adapter aux situations les plus diverses, et réussir : prélats combattants, comme Guillaume des Barres ou Guérin de Senlis à la bataille de Bouvines, juristes capables d'organiser la défense d'un château, comme Jean d'Ibelin, seigneur de Beyrouth, marchands explorateurs, ascètes bâtisseurs, etc.

L'Université a d'ailleurs été la grande fierté du Moyen Age ; les Papes parlent avec complaisance de ce « fleuve de science qui, par ses multiples dérivations, arrose et féconde le terrain de l'Église universelle » ; on note, non sans satisfaction, qu'à Paris la multitude des étudiants est telle, que leur nombre en vient à dépasser celui de la population[1]. On est plein d'indulgence pour eux, malgré leurs « jolivetés » et facéties qui souvent incommodent le bourgeois ; ils jouissent de la sympathie générale. Quelques scènes de leur vie ont été retracées par l'un des sculpteurs du portail Saint-Étienne, à Notre-Dame de Paris : on les voit en train de lire et d'étudier ; une femme vient les troubler, les arrache à leurs livres, et, pour la punir, elle est mise au pilori par ordre de l'autorité. Les rois donnent l'exemple de cette façon de traiter les « écoliers » en enfants gâtés : Philippe-Auguste, après la bataille de Bouvines, envoya un messager faire part de sa victoire en premier lieu aux étudiants parisiens.

Tout ce qui touche au savoir est ainsi honoré au Moyen Age. « A déshonneur meurt à bon droit qui n'aime livre », disait un proverbe[2] ; et il suffit de se pencher sur les textes pour retrouver trace des mesures par lesquelles tout appétit de science était encouragé et alimenté ; citons entre autres la création, en 1215,

1. L'affirmation ne peut être prise à la lettre, mais il n'est pas sans intérêt de savoir que la population parisienne à cette époque comprenait un peu plus de quarante mille habitants.
2. Renart, Prov. franç., II, 99.

d'une chaire de théologie à Paris, spécialement pour permettre aux prêtres du diocèse de perfectionner et de compléter leurs études, ce qui témoigne du souci d'entretenir un degré élevé d'instruction, même dans le petit clergé. Le « prud'homme », ce type d'homme complet qui fut l'idéal du XIIIe siècle, devait être nécessairement un lettré :

> Pour rimer, pour versifier,
> Pour une lettre bien dicter,
> Si métier fut[1], pour bien écrire
> Et en parchemin et en cire,
> Pour une chanson controuver[2].

On peut se demander si, dans ces conditions, le peuple était aussi ignorant, au Moyen Age, qu'on le croit en général ; il avait à sa portée, incontestablement, les moyens de s'instruire, et la pauvreté n'était pas un obstacle, puisque le cours des études pouvait être entièrement gratuit, de l'école du village, ou plutôt de la paroisse, jusqu'à l'Université. Et il en profitait, puisque les exemples abondent, de petites gens devenus grands clercs.

Est-ce à dire que l'instruction était aussi répandue que de nos jours ? Il semble bien que sur ce point il y ait eu malentendu : on a plus ou moins, assimilé la culture et la lettre. Un illettré est pour nous, fatalement, un ignorant. Or le nombre d'illettrés était sans aucun doute plus grand au Moyen Age qu'à notre époque[3]. Mais ce point de vue est-il juste ? Peut-on faire de la connaissance de l'alphabet le critérium de la culture ? De ce que l'éducation est devenue surtout visuelle, peut-on conclure que l'homme ne s'éduque que par la vision ?

1. Si besoin est.
2. Cité par l'*Histoire littéraire*, t. XX.
3. Quoique moins qu'on ne l'a dit, puisque la plupart des témoins intervenant dans les actes notariés savent signer, et que l'on a entre autres l'exemple de Jeanne d'Arc, petite paysanne qui cependant savait écrire.

Dans un chapitre des Statuts municipaux de la ville de Marseille, datant du XIIIe siècle, se trouvent énumérées les qualités requises d'un bon avocat, et l'on ajoute : *litteratus vel non litteratus, qu'il soit lettré ou non*. Cela paraît très significatif : on peut donc être un bon avocat et ne savoir ni lire ni écrire, — connaître la coutume, le droit romain, le maniement du langage, et ignorer l'alphabet. Notion qu'il nous est difficile d'admettre, mais qui, cependant, est d'importance capitale pour comprendre le Moyen Age : on s'instruit alors davantage par l'ouïe que par la lecture. Si honorés qu'ils soient, les livres, les écritures ne tiennent qu'une place secondaire ; le rôle de premier plan est dévolu à la parole, au verbe. Cela, dans toutes les circonstances de la vie : de nos jours, officiers et fonctionnaires rédigent des rapports ; au Moyen Age, ils prennent conseil et délibèrent ; une thèse n'est pas un ouvrage imprimé, c'est une discussion ; la conclusion d'un acte, ce n'est pas une signature apposée au bas d'un écrit, c'est la tradition manuelle ou l'engagement verbal ; gouverner, c'est s'informer, enquêter, puis faire « crier » les décisions prises.

Un élément essentiel de la vie médiévale a été la prédication. Prêcher, à cette époque, ce n'était pas monologuer en termes choisis, devant un auditoire silencieux et convaincu. On prêchait un peu partout, pas seulement dans les églises, mais aussi dans les marchés, sur les champs de foire, au carrefour des routes, — et de façon très vivante, pleine de flamme et de fougue. Le prédicateur s'adressait à l'auditoire, répondait à ses questions, admettait même ses contradictions, ses rumeurs, ses apostrophes. Un sermon agissait sur la foule, pouvait déchaîner sur l'heure une croisade, propager une hérésie, entraîner des révoltes. Le rôle didactique des clercs était alors immense : c'étaient eux qui enseignaient aux fidèles leur histoire et leurs légendes, leur science et leur foi, — eux qui faisaient part des grands événements, qui transmettaient d'un bout à l'autre de l'Europe la nouvelle de la prise de Jérusalem, ou celle de la perte de Saint-Jean d'Acre, — eux qui conseillaient les uns et guidaient les autres, même dans leurs affaires profanes. De nos jours ceux qui manquent de mémoire visuelle, cependant plus rare, et d'un exercice plus automatique, moins raisonné que la mémoire auditive, sont handicapés dans leurs études et dans la vie. Au Moyen Age, il n'en était rien ; on s'instruisait en écoutant, et la parole était d'or.

Chose curieuse, notre époque voit revenir cette importance du Verbe, et revivre cet élément auditif qui s'était perdu. On peut penser que la Radio jouera, pour les générations à venir, le rôle qui fut joué naguère par la prédication ; il est à souhaiter en tout cas qu'elle en soit l'équivalent, en ce qui concerne l'éducation du peuple.

Car, si le terme de culture latente a jamais eu un sens, c'est bien au Moyen Age. Tout le monde alors a une connaissance au moins courante du latin parlé, et module le plain-chant qui suppose, sinon la science, du moins l'usage de l'accentuation. Tout le monde possède une culture mythologique et légendaire ; or les fables et les contes en disent plus long sur l'histoire de l'humanité, et sur sa nature, qu'une bonne partie des sciences inscrites de nos jours aux programmes officiels. Dans les romans de métier qu'a publiés Thomas Deloney, on voit les tisserands citer dans leurs chansons Ulysse et Pénélope, Ariane et Thésée. Si l'on a pu nommer les vitraux : « la Bible des illettrés », n'est-ce pas parce que les plus ignorants y déchiffraient sans effort des histoires qui leur étaient familières — accomplissant en toute simplicité ce travail d'interprétation qui de nos jours donne tant de mal aux archéologues !

En dehors de cela, il y avait les connaissances techniques, que l'on s'assimilait au cours des années d'apprentissage ; ni art, ni métier n'étaient improvisés : il fallait, pour les exercer avec fruit, qu'ils fussent devenus comme une seconde nature ; c'est sans doute pourquoi tant d'artistes locaux, dont les noms ne nous seront jamais connus, ont pu acquérir cette maîtrise que révèlent des œuvres comme le Dévot Christ de Perpignan ou la Mise en Croix de Vénasque. A-t-on le droit de tenir pour ignorant un homme qui connaît à fond son métier, si humble soit-il ? Et il faut considérer qu'à ces connaissances de métier viennent s'ajouter tout un lot de traditions : le *Compost des bergiers*, qu'une heureuse curiosité a fait redécouvrir, il n'y a pas si longtemps, nous offre un échantillon de ces petites *Sommes* du savoir traditionnel : astronomie, médecine, botanique, météorologie — qui pouvait s'acquérir au sein des métiers, variant avec chacun d'eux, et qui constituait la base d'une culture sans doute plus étendue et certainement mieux adaptée aux besoins locaux, qu'on ne pourrait le croire.

LES LETTRES

MALGRÉ le grand nombre de travaux modernes consacrés à la littérature médiévale, nous ne sommes pas encore parvenus à nous en faire une idée juste, et à l'apprécier comme elle le mériterait. Elle reste une curiosité d'érudit, ou, ce qui est plus dangereux, sert de prétexte à des évocations assez artificielles. Un pas important a cependant été fait, en ce que l'on est arrivé du moins à convaincre le public de l'existence d'une littérature médiévale. La grande difficulté qui s'oppose à de plus amples progrès, c'est la question linguistique ; on ne peut que regretter que, parmi la masse de connaissances disparates dont on accable l'adolescence, aucune place, ou une place ridiculement insignifiante, ne soit faite à l'ancien français, qui cependant constitue indéniablement une part de notre patrimoine national, — estimée de moins en moins méprisable à mesure qu'on la connaît mieux[1]. Les jugements à la Gustave Lanson ou à la Thierry Maulnier, qui n'ont vu dans toute la

1. Il faut dire que cette désaffection va plus au Moyen Age en général qu'à sa littérature en particulier : on étudie pendant plusieurs mois la question d'Orient au XIXe siècle, ou les changements de ministères de Mac-Mahon à Jules Grévy, mais combien de bacheliers ont une notion, même vague, des principaux événements des Croisades, ou de la manière dont se forma l'unité française en ces siècles qui sont le fondement et l'abrégé de notre Histoire ?

« littérature versifiée du Moyen Age » que « fatras, bavardage et préciosité », destinés à sombrer dans un « bienveillant oubli », ne résistent pas à un examen, même superficiel, de la poésie médiévale.

Il n'y a qu'une seule époque pendant laquelle la France ait possédé une littérature nationale, entièrement jaillie de notre sol ; et cette époque, c'est le Moyen Age. Passé le XVe siècle, un engouement étrange pour l'imitation va déterminer des lois strictes, restreindre les genres, juguler l'inspiration personnelle, en faveur d'un prototype immuable qui sera l'Antiquité. Certes, il ne s'agit pas ici de dénigrer l'Antiquité et ses incontestables chefs-d'œuvre, ni surtout de se méprendre sur la maîtrise toute personnelle avec laquelle un Racine, un Molière, ont su dominer la loi d'imitation que leur temps leur imposait ; et il faut compter aussi avec les dissidents qui, sans avoir les honneurs des manuels de littérature, n'en constituent pas moins une part importante des lettres françaises. Il reste que, jusqu'à la fin du XIXe siècle, dans l'ensemble, classiques et romantiques se sont soumis volontairement à une discipline inspirée, soit des Grecs et des Latins, soit de l'étranger. Pour trouver un véritable épanouissement de l'esprit français, une littérature personnelle, pure, dépouillée de tout emprunt, en dehors de notre XXe siècle, il faut recourir au Moyen Age. S'obstiner à ne rien voir au delà de la Renaissance, c'est se mutiler de la plus authentique manifestation du génie de notre race ; c'est au surplus ignorer une époque pendant laquelle précisément la civilisation et les lettres françaises furent imitées par toute l'Europe ; c'est surtout se priver d'un trésor incomparable de poésie, de verve, de grandeur — le plus riche, le plus coloré, le plus émouvant qui soit.

Une bonne partie de la production littéraire du Moyen Age reste encore à l'état de manuscrit, enfouie dans nos bibliothèques, alors qu'on réédite sans cesse les mêmes œuvres. Faut-il voir là un manque de curiosité ? La faute en serait plutôt à nos méthodes d'histoire littéraire, qui, appliquées à la littérature du Moyen Age, nous ont considérablement gênés. On s'est ingénié à rechercher les sources des œuvres médiévales, sources du Roman de Renart, sources des fabliaux, etc., tout comme s'il s'agissait de tragédies classiques, inspirées du théâtre de Sophocle ou de Sénèque. Un temps précieux a été perdu de la sorte. Utile en ce qui concerne notre littérature depuis le XVIe siècle, la recherche des sources ne constituait qu'une entrave à l'étude du Moyen Age, et s'est avérée, dans la plupart des cas, oiseuse, sinon puérile. Bédier a rendu un service immense à la littérature en montrant l'importance de ces thèmes humains qui n'appartiennent pas plus à l'Inde ou à la Chine qu'à l'Europe ou à l'Afrique : le thème du trompeur trompé, la fable du renard et des raisins, et tant d'autres, sur lesquels on avait raisonné à perte de vue, jusqu'à établir des filiations compliquées qui tombent d'elles-mêmes lorsqu'on s'aperçoit que l'homme, sous toutes les latitudes, a eu, devant les mêmes phénomènes, des réflexes semblables, et que si notre folklore médiéval a des points communs avec celui de tel ou tel peuple ancien, c'est parce qu'il a puisé aux sources éternelles de l'humanité. On a remarqué, dans les chants des bergers tchèques, des rythmes semblables à ceux de nos pastorales d'autrefois : ce n'est pas parce que celles-ci dérivent de ceux-là, mais parce qu'une même vie et de mêmes habitudes ont inspiré des cadences identiques. De même les marins, sous toutes les latitudes et chez tous les peuples, ont usé, pour se transmettre les ordres et harmoniser leurs efforts, de *tropes*, d'inflexions rythmées et poétiques dictées par leur métier, accordées au balancement de la mer et du navire. Quelque connaissance de l'homme aurait mieux valu, pour pénétrer la littérature médiévale, que la recherche des sources suivant les vénérables traditions de la Sorbonne.

Cela ne signifie pas que le Moyen Age ait ignoré l'Antiquité ; Horace, Sénèque, Aristote, Cicéron et beaucoup d'autres sont étudiés et cités fréquemment, et les principaux héros des littératures anciennes, Alexandre, Hector, Pyrame et Thisbé, Phèdre et Hippolyte, ont inspiré à leur tour les auteurs médiévaux ; les *Métamorphoses* et les *Héroïdes* d'Ovide ont été traduites à plusieurs reprises ; surtout, le Moyen Age a aimé profondément Virgile, témoignant en cela d'un goût indiscutable, puisque Virgile fut sans doute le seul poète latin digne de ce nom. Mais si l'on voit alors en l'Antiquité un réservoir d'images, d'histoires et de sentences morales, on ne va pas jusqu'à la prôner comme un modèle, comme le critère de toute œuvre d'art ; on admet qu'il est possible de faire aussi bien, et mieux qu'elle ; on l'admire, mais on se garderait bien de l'imiter.

En revanche, jaillie tout entière de notre sol, la littérature médiévale en reproduit fidèlement les moindres contours, les moindres nuances. Toutes les classes sociales, tous les événements historiques, tous les traits de l'âme française y revivent, en une fresque éblouissante. C'est que la poésie a été la grande affaire du Moyen Age, et l'une de ses passions les plus vives. Elle régnait partout : à l'église, au château, dans les fêtes et sur les places publiques ; il n'y avait pas de festin sans elle, pas de réjouissance où elle ne jouât son rôle, pas de société, université, association ou confrérie où elle n'eût accès ; elle s'alliait aux fonctions les plus graves : certains poètes ont gouverné des comtés, comme Guillaume d'Aquitaine ou Thibaut de Champagne ; d'autres ont gouverné des royaumes, comme le roi René d'Anjou, ou Richard Cœur de Lion, d'autres comme Beaumanoir ont été juristes et diplomates ;

on a même pu voir un Philippe de Novare, assiégé dans la Tour de l'Hôpital avec une trentaine de compagnons, écrire en hâte, pour demander du secours, non un appel de détresse, mais un poème, et la légende du troubadour Blondel, retrouvant son maître emprisonné grâce à un chant qu'ils avaient ensemble composé, ne fait qu'exprimer une vérité d'application courante au Moyen Age. Dire des vers, ou en écouter, apparaissait comme un besoin inhérent à l'homme. On ne verrait guère, de nos jours, un poète s'installer sur des tréteaux, devant une baraque de foire, pour y déclamer ses œuvres ; spectacle qui était alors commun. Un paysan s'arrachait à son labour, un artisan à sa boutique, un seigneur à ses faucons, pour aller entendre un trouvère ou un jongleur. Jamais peut-être, sauf aux plus beaux jours de la Grèce ancienne, ne se manifesta un tel appétit de rythme, de cadence et de beau langage.

La poésie, de nos jours, est plus ou moins l'apanage d'une élite. Le Moyen Age n'a pas connu d'élite, pas plus dans le domaine intellectuel qu'ailleurs, car chacun pouvait, dans sa sphère, devenir un être d'élite. Les joies de l'esprit n'étaient pas réservées aux privilégiés ou aux lettrés et l'on pouvait, sans savoir ni grec ni latin, et même sans savoir ni A ni B, accéder aux délices les plus hautes de la poésie. Parmi les quelque cinq cents trouvères et troubadours dont les noms sont parvenus jusqu'à nous, on trouve aussi bien des grands seigneurs comme le châtelain de Coucy, les seigneurs des Baux ou les princes déjà cités, que des vilains ou des clercs, comme Rutebeuf, Peire Vidal ou Bernard de Ventadour. Au rebours de ce qui s'est passé, par exemple, au XVIIe siècle, où une œuvre littéraire n'était destinée qu'à la Cour ou aux salons, il y eut entre les classes sociales des échanges féconds ; la sève poétique circulait librement, et s'enrichissait de tout ce que le peuple pouvait lui apporter de vigueur, et la haute société de raffinement. Encore au XVe siècle, un même thème poétique était traité à la fois par Charles d'Orléans, Alain Chartier, Jean Régnier, François Villon et d'autres encore — tous différents d'éducation, de rang et de profession, sans que leurs œuvres fussent très dissemblables, tant la poésie était un domaine commun aux princes et aux truands. On connaît ainsi *La Forêt de Longue Attente* ou encore le refrain des ballades du fameux concours de Blois :

Je meurs de soif emprès de la fontaine.

Certains genres ont été de préférence cultivés par la noblesse : ainsi les romans de chevalerie ; mais les vilains avaient, eux, le Roman de Renart, dont les principaux types vivent encore et nous restent familiers, après avoir parcouru l'Europe et séduit jusqu'à la plume d'un Gœthe qui s'en est fait l'adaptateur. Aux lais et aux fables qui faisaient les délices de la cour de Champagne ou d'Angleterre correspondent les fabliaux dont la verve drue et truculente a inspiré un La Fontaine et un Molière.

Certains domaines restent communs à toute la société médiévale : l'épopée, par exemple, et le théâtre. Nos chansons de geste suscitèrent autant d'admiration dans les hôtelleries où pèlerins et voyageurs trouvaient un gîte, sur le chemin de Rome ou de Saint-Jacques, que dans les manoirs seigneuriaux. Quant au théâtre, à la fois religieux et populaire, il mobilisait un peuple entier et enthousiasmait les clercs comme les nobles et les manants. Si l'on a pu parler, au Moyen Age, d'une littérature du peuple, d'une littérature cléricale et d'une littérature de la noblesse, cela doit s'entendre plutôt comme une note dominante, car, dans leurs créateurs comme dans leur public, les œuvres en général participent aussi bien des unes et des autres

« classes », avec à peine un goût plus marqué ici ou là.

Et ce domaine littéraire est aussi mobile que vaste. On se heurte à d'extrêmes difficultés lorsqu'on veut donner une édition critique d'une chanson de geste ou d'un poème médiéval. Là encore, il semble que l'on ait eu tort d'apporter aux textes du Moyen Age une méthode qui ne valait que pour les œuvres antiques ou modernes. En réalité, il y a toujours, non pas une, mais de multiples formes d'une même œuvre. Bédier, en rassemblant les divers épisodes du Roman de Tristan et Yseult, épars dans plusieurs poèmes, a fait une œuvre à la fois des plus authentiques et des plus accessibles — infiniment plus proche du Moyen Age que ne l'aurait été l'édition impeccable de chacun de ces poèmes.

Pour nous, une œuvre littéraire est chose personnelle, et immuable, fixée dans la forme que son auteur lui a donnée ; d'où notre hantise du plagiat. Au Moyen Age, l'anonymat est courant. Surtout, une idée, une fois émise, appartient aussitôt au domaine public ; elle passe de mains en mains, s'agrémente de mille fantaisies, subit toutes les adaptations imaginables, et ne retombe dans l'oubli que lorsqu'on en a épuisé les multiples aspects. Le poème mène une vie indépendante de celle de son créateur ; c'est chose mouvante, et sans cesse renaissante ; toute trouvaille est reprise, remaniée, amplifiée, rajeunie, avec le mouvement et l'animation qui caractérisent la vie. L'erreur des critiques allemands, voyant dans la *Chanson de Roland* une œuvre collective et impersonnelle, s'explique si l'on considère ce caractère fluide, pourrait-on dire, de nos grandes gestes et en général des productions littéraires du Moyen Age. A leur origine, il y a eu certainement une activité précise, mais elles ont sans cesse évolué, au gré des poètes qui les enrichissaient d'une nouvelle sève, ou tout simplement des jongleurs qui les récitaient à leur manière, et y greffaient des épisodes de leur cru. C'est ainsi que les romans bretons se sont transformés inépuisablement, et se retrouvaient au XVe siècle, très loin de leur forme primitive, dans le cycle des Amadis.

Parfois encore l'œuvre littéraire représente le terme d'une évolution. Tels sont ces étonnants « romans de métier » auxquels il a déjà été fait allusion, et dont Abel Chevalley nous a révélé la saveur. Leur matière, ce sont les chansons d'atelier, les « bonnes histoires » que l'on se transmettait de compagnon à apprenti, les récits d'aventures arrivées à tel maître, à sa femme, à son valet, les légendes des saints protecteurs de la corporation ; tout cela finissait par former une mine toute trouvée pour un écrivain tant soit peu doué ; Thomas Deloney[1] l'utilisa avec bonheur pour l'Angleterre, au début du XVIe siècle ; les métiers de France n'ont pas eu la même fortune, mais il n'est pas impossible que l'on n'en retrouve, à l'état de manuscrit. Dans un autre genre, Bédier a lumineusement montré la naissance de nos épopées au long des routes de pèlerinages, et le rôle joué par les clercs qui instruisaient et les jongleurs qui distrayaient, dans la formation de nos grandes gestes nationales. C'est encore l'une des formes de la fécondité de la vie médiévale, cette création perpétuelle, qui participe de la vie du peuple, ou plutôt de la vie de toute une contrée, dans ses masses populaires comme dans ses classes « privilégiées ». Les thèmes poétiques, les héros de roman circulent et se multiplient à l'image de l'humanité. Roland, Charlemagne, Guillaume au « Courb-nez » ont fait partie du patrimoine européen, de même que le style gothique. Seules les différenciations locales, le génie de chaque province, de chaque dialecte, de chaque pays, ont donné un aspect

1. Cf. *Le Noble Métier* et *Jack de Newbury et Thomas de Reading*, romans des cordonniers et des tisserands de la Cité de Londres, traduits par Abel Chevalley, Gallimard, 1927.

particulier et une saveur nouvelle à chacune de leurs réincarnations. Là comme ailleurs, l'influence française ou plus exactement franco-anglaise a dominé le monde connu. Nos trouvères ont eu une fortune internationale, Wolfram d'Eschenbach, Hartmann d'Aue, Walter de la Vogelweide et les autres *minnesinger* les ont imités, et les romans bretons ont été traduits en Italie, en Grèce et jusqu'en Norvège.

Mouvante, animée comme elle l'est, cette littérature médiévale porte un autre caractère qui est celui du Moyen Age entier : l'amour de la vie. Doués d'une faculté d'assimilation extraordinaire, les auteurs de cette époque ont traité leurs héros comme des êtres vivants, actuels, dont l'existence n'eût pas été déplacée dans la société où eux-mêmes se trouvaient. Ils n'ont pas eu besoin de leur faire une atmosphère artificielle pour les justifier. Tels ils les sentaient, tels ils les ont exprimés. En d'autres termes, le Moyen Age littéraire se passe de la couleur locale et de la documentation historique. On a cru relever des exemples de cette fameuse « naïveté » médiévale, lorsqu'on voyait le nain Obéron se dire le fils de Jules César, ou Alexandre se conduire comme un chevalier chrétien. Mais, loin d'être une déficience, cette facilité à transposer les héros de roman de leur passé mort à une vivante actualité ne témoignerait-elle pas d'une prodigieuse puissance d'évocation ? Le Moyen Age n'avait aucune peine à s'imaginer Aristote, Enée ou Hector dans la société médiévale ; sa vitalité l'emportait sur les notions de temps et d'espace. Et c'est pourquoi, sans y mettre la moindre « naïveté », les sculpteurs ont représenté aux tympans des cathédrales Castor et Pollux comme deux chevaliers de leur temps. Ce mépris de la couleur locale au profit de la vérité foncière ne pourrait être d'ailleurs mieux compris que de notre temps, où l'appareil historico-documentaire est de plus en plus laissé de côté au profit de l'intensité d'évocation. Il est infiniment plus agréable de voir la jeune fille Violaine évoluer dans un « Moyen Age de convention », sans rapport avec la réalité historique — mais très proche, par l'esprit, du Moyen Age réel, — que d'assister à une reconstitution, si adroite soit-elle, du *Vray mistère de la Passion* ; et c'est devenu un lieu commun que de dire qu'il vaut mieux représenter Œdipe en sweater et pantalons de flanelle que de subir une réédition des *Burgraves* ou de *Salammbô*.

La littérature médiévale est fortement rattachée à son époque, inséparable des réalités qui ont fait la vie quotidienne du temps. Toutes les préoccupations contemporaines : expéditions militaires, prestige d'un roi, écarts d'un vassal, luttes religieuses, ont été rimées, rythmées, amplifiées, rattachées enfin au grand domaine poétique de l'humanité par ces conteurs inlassables et leur public assoiffé de poésie. Les exploits de Charlemagne ont inspiré nos grandes épopées, les croisades ont été chantées par les trouvères, Peire Cardinal a exhalé dans ses vers l'amertume du Midi albigeois et Guillaume le Breton a chanté la gloire de Philippe-Auguste ; l'institution de la chevalerie a donné naissance à l'innombrable littérature romanesque et galante, et les malheurs de la guerre ont marqué leur empreinte dans les œuvres d'un Jean Régnier ou d'un Charles d'Orléans. Rapports des seigneurs et de leurs vassaux, respect du lien féodal, travaux des serfs et des paysans, lectures des clercs, prières des moines, on retrouve tout cela dans la poésie médiévale, et ceux qui se contenteraient de connaître la littérature de l'époque en sauraient assez pour pouvoir se passer d'en étudier l'histoire. Elle porte la marque de la contrée qui la vit naître et reflète fidèlement ses heurs et ses angoisses. Si, pendant les siècles qui suivirent, elle ne fut parfois que l'exercice d'un bon élève d'Horace ou de Théocrite, ou même un jeu d'érudit, si elle oublia ses attaches populaires et devint une spécialité de bon ton, pendant tout le Moyen Age, elle fut fidèle à elle-même et demeura une création nationale autant qu'humaine, populaire autant que personnelle, collective autant qu'individuelle, puisant sa matière dans le sol de France, dans les aventures de ses barons, dans les ruses de ses femmes, dans ses campagnes fécondes et ses villes bruyantes, parmi lesquelles déjà Paris se détache, le Paris de Rutebeuf, d'Eustache Deschamps et de François Villon.

Mais ce n'est pas seulement parce qu'elle chante notre pays et sa fortune, que la poésie médiévale représente notre plus précieux patrimoine national. Elle qui a inspiré l'Europe et parcouru le monde connu, elle est française jusque dans ses fibres les plus cachées. Nous ne pouvons la renier sans renier notre nature et notre personnalité. Elle est imprégnée de notre esprit, elle en est la création la plus authentique. Cette verve, ce jaillissement perpétuel d'ironie, de mots à l'emporte-pièce, de sarcasmes qui ne savent rien respecter, pas même les croyances les plus sincères, ce rire sonore enfin, rire des fabliaux, des farces, des sermons joyeux, de la fête des fous et autres *bateleiges,* ce rire qui ne trouvera plus d'autres échos en littérature que le théâtre de Molière, n'est-ce pas là le trait distinctif du peuple de France avec son sens de la repartie, son sens du ridicule, son goût pour les bonnes histoires et les plaisanteries un peu lestes. Il est probable que l'on pourrait faire jouer par le peuple d'aujourd'hui, et devant un auditoire populaire, la plupart de nos fabliaux, et certaines scènes du *Jeu de saint Nicolas* ou de *Maître Pathelin,* avec plein succès ; on lit toujours avec autant de plaisir les *Quinze joies de mariage,* et les plaisanteries médiévales sur le bavardage des femmes et les maris trompés sont encore de celles que l'on entend quotidiennement.

Le grand reproche que l'on a fait à ce comique dont on ne peut nier la gaieté et l'exubérance, c'est d'être grossier. Les auteurs de manuels littéraires ont coutume de se voiler la face devant ces « personnages prosaïques », ces « farces indécentes », et ce vocabulaire où le bon ton est quelque peu malmené. Leurs constatations sont justes : une grande partie de la littérature médiévale, et de la meilleure venue, est semée de plaisanteries fort grossières ; cela encore est très français, — très gaulois, pour employer le terme consacré. Au Moyen Age, on nommait chat un chat, et les plaisanteries, même triviales, pourvu qu'elles soient drôles, amusaient énormément. On peut s'en offusquer, ou rééditer l'attitude d'un Francisque Sarcey quittant son siège à la première réplique d'*Ubu Roi,* il reste que, sous la plume des conteurs du Moyen Age, comme sous celle de Rabelais ou d'Alfred Jarry, comme dans la bouche de l'homme du peuple, les grossièretés sont presque toujours si bien venues, si expressives et si savoureuses, qu'elles provoquent irrésistiblement le rire. Il faut d'ailleurs remarquer qu'elles ne s'accompagnent pas de vulgarité, qu'elles restent spontanées et ne sont jamais l'effet d'une attitude ou d'un parti pris, comme de nos jours chez certains intellectuels. Quant aux contes « immoraux » et aux êtres « prosaïques » dont fourmille la littérature médiévale, ils se fondent en général sur une observation très juste de l'existence, et ne contiennent pas plus d'immoralité, que, par exemple, les fables de La Fontaine. Leur verdeur, loin d'être choquante, ne peut que réjouir un esprit bien fait, d'autant plus qu'elle s'accompagne de cette finesse, de ce sens de la repartie, qui est le propre de notre race.

Par un curieux effet du hasard — mais est-ce bien un hasard ? — les deux premières œuvres importantes de notre littérature illustrent parfaitement son double caractère : il y a la *Chanson de Roland,* et il y a le *Pèlerinage de Charles.* Dans le premier poème règnent les sentiments les plus purs de la chevalerie française : fidélité à l'Empereur, amour de France la douce, amitié de deux héros, grandeur de la mort, vaillance et sagesse ; le second est une gigantesque bouffonnerie, où Charlemagne n'est plus qu'un jovial compagnon — en attendant de devenir un vieux barbon comme dans *Huon de Bordeaux,* — et se livre avec ses pairs aux fantaisies les plus ahurissantes : gags monstrueux, vantardises de Gascons, propos extravagants tenus après boire : Roland fait le pari de sonner de son cor avec tant de force que son souffle défoncera toutes les portes de la cité, Olivier s'offre à séduire en un temps record la fille du Roi Hugon. La verve débridée de nos ancêtres s'est donnée libre cours dans ce premier échantillon de l'épopée française, qui est déjà une parodie de l'épopée et prouve qu'on était loin de se prendre au sérieux, de se payer de belles paroles et de beaux sentiments. Le sens de l'humour surgissait toujours à temps pour corriger l'éloquence et éviter l'emphase, comme dans cette réponse à la fois fière et comique, du *Jeu de Saint-Nicolas* :

> Seigneur, si je suis jeune, ne m'ayez en dépit
> On a veü souvent grand cœur en corps petit
> Je ferrai cel forceur, je l'ai pièça élit :
> Sachez je l'occirrai, s'il avant ne m'occit.

L'on se plaisait à ces contrastes de grandeur et de fantaisie ; un ouvrage intitulé : *Dialogue de Salomon et de Marcoul* oppose ainsi constamment des proverbes relevant les uns de la haute sagesse, les autres du bon sens populaire :

> « Qui sage homme sera
> Ja trop ne parlera
> (ce dit Salomon)

Qui ja mot ne dira
Grand noise [*bruit*] ne fera
(Marcoul lui répond)

Le Pèlerinage de Charles, ancêtre direct d'*Ubu Roi,* est né autour de l'Abbaye et de la foire de Saint-Denis. Ces récits profanes ou édifiants que les clercs, par l'intermédiaire des jongleurs, transmettaient au peuple, il a fallu que d'abord ce peuple, dans la cohue des marchés, des rires et de l'ivresse bon enfant, les transformât en un conte drolatique, à l'instant où sur ces mêmes légendes s'élaborait la plus noble de nos épopées.

Car, pays du rire et de la verve pétillante, la France est aussi la patrie d'origine de la chevalerie ; et ce mot, il faut l'entendre dans son sens médiéval : à la fois culte de l'honneur et respect de la femme.

Le Français, tel que nous le révèlent nos œuvres littéraires, de la *Chanson de Roland* au *Roman de la Rose,* a l'horreur innée de toute félonie : rompre le lien féodal et trahir les engagements qui l'unissent à son seigneur sont pour lui les pires espèces de péchés. « Chacun se doit loyal porter », c'est ainsi qu'Eustache Deschamps résume toute règle de « prud'homie ». Lancelot, amant de la reine Genièvre, et Tristan, d'Yseult la Blonde, ne cessent de porter au cœur le remords de trahir leur roi ; c'est tout le drame de leur amour et de leur vie. Un sens inébranlable de la fidélité à la parole donnée se fait jour tout au long de notre poésie, que ce soit le lien seigneurial, comme dans les romans de chevalerie, ou, comme dans les chansons des troubadours, la foi jurée à sa dame : Yvain encourt les plus terribles épreuves pour avoir manqué à sa promesse de revenir au terme fixé.

Le véritable amant doit d'ailleurs être prêt à tout affronter par amour : prouesses physiques, tourments moraux, angoisses des séparations, rien ne doit lui être difficile lorsqu'il s'agit de conquérir celle qu'il aime :

> Pour travail ni pour peine
> Ni pour douleur que j'aie
> Ni pour ire grevaine[1]
> Ni pour mal que je traie[2]
> Ne quiers que me retraie[3]
> De ma dame un seul jour

On ne s'adresse jamais à elle qu'avec un respect infini :

> Dame, de toutes la nonpair
> Belle et bonne, à droit louée

ou encore :

> Belle plaisant, que je n'ose nommer.

La femme apparaît comme une créature à demi divinisée : « gent corps », clair visage « resplendissant si comme or en soleil », manières pleines de joliesse, elle représente pour le chevalier l'idéal de toute perfection :

> Dame, dont n'os(e) dire le nom
> En qui tous biens sont amassés
> De courtoisie avez renom
> Et de valeur toutes passé [*surpassé*]
>
> Œuvre de Dieu, digne, louée
> Autant que nulle créature
> De tous biens et vertus douée
> Tant d'esperit que de nature

Il est facile, d'après notre littérature, de connaître le type de beauté féminine du Moyen Age :

> Elle a un chef blondet
> Yeux verts, bouche sadette,
> Un corps pour embrasser,
> Une gorge blanchette...

1. Courroux douloureux.
2. Que j'endure.
3. Retire.

Je ne vis oncques fleur en branche
Par ma foi, qui fût aussi blanche
Comme est votre sade gorgette ;
Les bras longuets, les doigts tretis [*déliés*]...
Les pieds petits, orteils menus
Doivent être pour beaux tenus...
Vos yeux riants, à point fendus
Qui frémissent comme l'estelle
Par nuit emmi la fontenelle...

Les ruses charmantes que le conteur nous peint par touches délicates — Chrestien de Troyes y a excellé — achèvent d'en faire un être adorable, tout de finesse, de distinction, d'élégance d'esprit : ruses de bergères pour écarter le poursuivant de rencontre, ruses de dames feignant la colère ou la fierté pour mieux séduire le chevalier qui les courtise.

Et, pour rehausser la délicatesse de semblables tableaux, on a su au Moyen Age faire ressortir, mieux qu'à aucune autre époque, le double aspect de l'éternel féminin : à côté de la Vierge, de la femme respectée, honorée, celle pour laquelle on se meurt d'amour, et qu'on n'approche qu'en tremblant, il y a Eve, la tentatrice, Eve par qui le monde fut perdu. Conteurs, poètes, auteurs de fabliaux ne lui ménagent pas les sarcasmes.

Femme ne pense mal, ni nonne, ni béguine
Ne que [*pas plus que*] fait le renard qui happe la géline

Elle ne déploie ses charmes que pour mieux trahir ensuite :

La douce rien qui fausse amie a nom,

Coquette, perverse, elle ne sourit que pour mieux « engigner » les cœurs naïfs qui s'y laissent prendre :

Trop est fou qui tant s'y fie
Qu'il ne s'en peut départir

Il n'en aura que douleur et déception, car

Femme est tôt changée
...Ci rit, ci va pleurant
...Pour décevoir fut née

Dure et impitoyable, elle ne s'émeut d'aucune supplication, d'aucune souffrance, et, comme la Belle Dame sans Merci, n'oppose que calme froideur aux strophes les plus passionnées. Elle est avide et intéressée :

Femme convoite avoir plus que miel ne fait ourse ;
Tant vous aimera femme comme avez rien en bourse

Dans le ménage, elle rend la vie impossible au malheureux mari, et le trompe impudemment. Si elle vous quitte, on est encore trop heureux d'en prendre son parti, comme le fait le poète Vaillant :

Bonnes gens, j'ai perdu ma dame
Qui la trouvera, par mon âme
De très bon cœur je la lui donne
...Car, par Dieu, la gente mignonne
Est à chacun douce personne

Pure ou perverse, raillée ou adulée, la femme domine au Moyen Age les lettres françaises, comme elle domine la société :

Pour femme donne l'on maint don
Et controuve mainte chanson ;
Maints fols en sont devenus sages,
Homme bas monté en parage,
Hardi en deviendrait couard,
Et large qui sut être avare

C'est elle qui inspire les chansons, qui anime les héros de romans, qui fait soupirer ou s'émouvoir les troubadours. On lui dédie ses vers ; pour elle on compose de beaux manuscrits richement enluminés. Elle est le soleil, la rime et la raison de toute poésie.

La femme est d'ailleurs poète elle-même. Fables et lais de Marie de France ont fait les délices des seigneurs de Champagne et d'Outre-Manche ; la littérature est quelquefois pour elle un gagne-pain, comme ce fut le cas pour Christine de Pisan. Elles n'ont pas eu à vaincre le dédain qu'il n'y a pas si longtemps encouraient chez nous les « bas bleus », peut-être parce qu'elles en évitaient les défauts et savaient garder un charme proprement féminin. Le Moyen Age représente la grande époque de la femme, et s'il est un domaine où son règne s'affirme, c'est le domaine littéraire.

Cela encore, c'était bien français. Notre peuple était, dès lors, réputé le plus galant, et déjà les manières françaises servaient de modèle à l'Europe. Aucune civilisation n'a placé si haut l'idéal féminin, et mis tant d'empressement à l'honorer. Dans les pays germaniques, l'homme joua toujours le premier rôle, de Siegfried à Werther ; sans doute une Kriemhild n'avait-elle pas ce qu'il fallait pour séduire un chevalier et provoquer en lui ce sentiment mêlé de noblesse et d'amour, qui vit le jour en France, et que l'on nomme : la courtoisie.

Française dans les grands traits qui la distinguent, notre littérature est mieux encore : un miroir de notre pays dans ses multiples provinces. Picards à la verve gaillarde, Champenois au fin sourire, Normands rusés, Provençaux, Languedociens, à la langue chaude et chantante comme leur poésie, toutes les subtiles variétés de notre terroir y sont exprimées. Dans cette littérature que nos manuels nous présentent en bloc, comme une masse informe, il y a des nuances en nombre infini. Tout provincial peut y retrouver son âme, ses paysages familiers, l'accent de son pays — parfois au sens propre, comme dans cette petite pièce de Conon de Béthune où il se plaint que l'on se soit moqué de ses intonations picardes

> Encor ne soit ma parole françoise
> Si la peut-on bien entendre en françois,
> Et cil ne sont bien appris ni courtois
> Qui m'ont repris, si j'ai dit mot d'Artois,
> Car je ne fus pas nourri à Pontoise...

Après le XVIe siècle, plus ou moins, nos œuvres littéraires portent un uniforme, qui, si superbe soit-il, ne peut faire oublier l'étincelante bigarrure de la poésie médiévale. Langue d'oc et langue d'oïl, parlers poitevins et parlers provençaux, patois normands et bourguignons, tout cela s'est mué en poésie ; tous ont trouvé leur Mistral, capable d'en faire goûter la richesse et d'exprimer par eux l'esprit de leur terroir. Il serait urgent de comprendre la littérature médiévale à la lumière de ces mille aspects de nos provinces, pour comprendre les mille aspects qu'elle présente, et tout ce qu'elle peut nous révéler sur nous-mêmes : Joinville ou Gace Brulé sur la Champagne, Jean Bodel ou Adam de la Halle sur l'Artois, Beaumanoir sur l'Ile-de-France, les troubadours sur notre Midi languedocien et provençal.

Dans l'inépuisable multiplicité de ses formes, dans son individualité si tranchée, la poésie médiévale est avant tout humaine ; elle rejoint les thèmes éternels de toute poésie.

Elle a eu des regards émerveillés pour le monde et les choses : pour le chant des oiseaux, pour le murmure des arbres dans la forêt, pour le jaillissement des sources, pour la féerie des soirs de lune :

> En avril au temps pascour
> Que sur l'herbe nait la flour,
> L'alouette au point du jour
> Chante par moult grand baudour

Pour la douceur du temps nouvel.
Si me levai par un matin
J'ouïs chanter sur l'arbrissel
Un oiselet en son latin.

Ce sens de la nature et de son perpétuel miracle, ces élans d'amour au renouveau du printemps dans les branches, à la fraîcheur des rosées matinales, à la splendeur du couchant, animent toutes nos lettres médiévales du grand souffle de la vie :

Le nouveau temps et mai et violette
Et rossignol me semont de chanter

Nature aimable et toujours surprenante, fleurs sauvages que tressa Nicolette, branches de « chièvrefeuil » dont Tristan traduisit son amour, bosquets de verdure où vint se retraire l'amant désespéré de la Belle Dame sans Merci, — ces champs, ces jardins, ces rivières que peignirent exquisement les enlumineurs n'ont pas été moins goûtés par les conteurs et les poètes. Un mot leur suffit pour évoquer les campagnes, les saisons, l'ombre de l'olivier, l'herbe tendre « qui verdit quand le temps meuille »

Et la mauvis qui commence à tentir
Et le doux son du ruissel sur gravelle.

Leur vision est directe, une simple touche, mais toujours évocatrice ; même La Fontaine ne paraît pas avoir eu plus heureuses trouvailles que nos ancêtres du Moyen Age, passionnés de verdure et de grand air.

Ce frémissement de la vie universelle a disparu de notre littérature après eux ; Ronsard ne plaint les bois de Gastines que pour les nymphes dont l'Antiquité les peuplait, et termine sur des réflexions philosophiques ; si la fontaine Bellerie inspire un poème, ce n'est que parce qu'Horace avait adressé une ode à la fontaine Bandusie. A de rares exceptions près, il faut attendre les romantiques pour retrouver, avec une sentimentalité quelque peu agaçante, des échappées sur la vaste nature. Notre époque a reconquis, avec un Apollinaire ou un Francis Jammes, ce sens aigu de la vie qui nous entoure ; c'est un contact que nous avions perdu, mais dans nos lettres à nouveau circule ce souffle chargé des senteurs de la plaine et de la forêt, des montagnes et de la mer, que nous devons pour une forte part aux romanciers étrangers, à Knut Hamsun entre autres, — et ce sens du paysage et de l'atmosphère que nous restitua *le Grand Meaulnes*. Car ce ne sont pas les élévations philosophiques à la Jean-Jacques, ou les épanchements lamartiniens, qui constituent l'amour de la nature, mais plutôt ces observations directes de la vie familière, ces notations sans emphase d'une journée de pluie fine ou d'une éclatante matinée passée au bord d'un ruisseau, ces évocations simples d'un détail, d'un mur couvert de lierre, d'une rose dans un bouquet, de l'envol d'un corbeau au-dessus d'un champ de blé, d'un bosquet de lilas dans un jardin de Touraine, — qui demeurent liés dans le souvenir aux heures de joie ou d'angoisse, qui donnent leur note particulière aux événements d'une vie humaine, qui parachèvent l'harmonie d'un instant de beauté.

Mais le thème par excellence de la poésie médiévale, c'est l'amour. Tous les aspects, toutes les tonalités de l'amour humain ont été évoqués tour à tour, depuis la passion la plus brutale jusqu'aux raffinements de la rhétorique amoureuse chère aux troubadours. On peut dire hardiment qu'aucune littérature n'a connu une telle richesse et soulevé autant de voiles sur le cœur de l'homme. De l'amour très noble de Guibourc, qui ne peut souffrir que l'être aimé soit un instant inférieur à lui-même, aux « ordes amours » de la Belle Heaulmière, il n'est pas un soupir, pas un baiser, pas un désir d'amour que poètes et romanciers n'aient happés au passage et qu'ils n'aient dans leurs vers fidèlement traduits.

Il y a les simples et fraîches amours pastorales, celles de Robin et de Marion, qui d'ailleurs perdront vite de leur sincérité et deviendront un thème littéraire :

> Chevalier, par Saint Simon,
> N'ai cure de compagnon.
> Par ci passent Guérinet et Robeçon
> Qui oncques ne me requirent si bien non

Mais comme au Moyen Age la malice n'est jamais absente, mainte pastourelle, après avoir menacé le chevalier de son bâton, se laisse séduire par lui :

> Ma belle, pour Dieu merci !
> Elle rit, si répondit :
> Ne faites, pour la gent !

Il y a la grandeur de l'amour conjugal, tel que le chanta Villon dans cette splendide ballade à Robert d'Estouteville, où tout ce qui fait la noblesse et la beauté du mariage se trouve dit avec une simplicité, une aisance, une maîtrise de verbe et de pensée qui touchent à la perfection :

> « Princesse, oyez ce que ci vous résume :
> Que le mien cœur du vôtre désassemble
> Jà ne sera ; tant de vous en présume,
> Et c'est la fin pour quoi sommes ensemble.

A côté de ces pages sereines ou gentilles, les accents de passion charnelle, comme ce poème de Guiot de Dijon, où s'exprime avec une sensualité brûlante toute la détresse d'un désir inassouvi :

> Sa chemise qu'ot vêtue
> M'envoya pour embracier.
> La nuit, quand s'amour m'arguë,
> La mets avec moi coucher
> Moult étroit à ma chair nue.

Et parfois aussi la séparation, non moins navrée, se fait plus pure ; jamais l'amertume poignante d'un amour lointain ne fut mieux évoquée qu'en ces pages de Jaufre Rudel dont on chercha longtemps l'énigme, et qui cependant sont si claires : bouffées d'élans contenus et d'impossibles souhaits, sentiment aigu de l'irrémédiable, qui ternit soudain toute la joie d'un jour d'été :

Si que chants et fleurs d'aubespis
N'om platz plus que l'hiver gelatz.

C'est mot par mot qu'il faudrait savourer chacun de ces poèmes, pour comprendre quelles richesses ont été extraites d'une aussi riche matière. Généralement, lorsqu'on évoque le Moyen Age, on songe à l'amour courtois, et l'on voit cela sous la forme d'une « gente dame », d'un chevalier au tournois et de quelconques accessoires. Rien n'est plus éloigné de l'époque qu'une telle fadeur. Sans doute le badinage y est connu et apprécié : Badinage à la française, plaisir de dire et d'écouter de jolies choses, fleurettes et contes d'amour, thèmes délicieux de la flamme légère et du demi-refus :

« Surpris suis d'une amourette
Dont tout le cœur me volette...
Hélas, ma Dame et si fière
Et de si dure manière,
Ne veut ouïr ma prière
Ni chose que je lui quière.
Ayez merci douce amie
De moi qui de cœur vous prie.

Jean le Seneschal, dans ses ballades qui sont comme un panorama de la vie amoureuse, ne manque pas de faire allusion à ces jeux de courtoisie :

Jà votre cœur ne s'ébahisse
Si priez damoiselle ou dame
Qui raidement vous escondisse :
Tôt se rapaisera, par m'âme,
Donnez en à Amour le blâme
En lui priant que vous pardonne...
Puis l'embrassez secrètement...

Un Thibaut de Champagne, un Guy d'Ussel et beaucoup d'autres ont eu de ces pages charmantes, où rien ne compte que la joliesse du sentiment et la souplesse du vers ; on se plaît aux jeux du caprice, de la ruse féminine, de l'éveil d'un cœur à la coquetterie ; Chrestien de Troyes a montré une incomparable adresse à dénouer les mille petites intrigues, roueries et jalousies de celles qui veulent séduire les autres et ruser avec elles-mêmes ; cela tourne chez quelques-uns au thème littéraire, à la pure invention verbale, qui n'est d'ailleurs pas sans intérêt :

Qui n'auroit d'autre déport
En aimer
Fors Doux Penser
Et Souvenir
Avec l'espoir de jouir,
S'auroit-il tort
Si le port
D'autre confort
Vouloit trouver.
Car pour un cœur saouler
Et soutenir,
Plus quérir
Ne doit mérir
Qui aime fort.
Encor y a maint ressort :
Remembrer,
Imaginer
En doux plaisir,
Sa dame veoir, ouïr,
Son gentil port,
Le recort
Du bien qui sort
De son parler
Et de son doux regarder
Dont l'entr'ouvrir
Peut guérir
Et garantir
Amant de mort.

Sans doute, c'est l'une des beautés du Moyen Age, cette courtoisie, où tout n'était que noblesse de cœur, délicatesse d'esprit, et respect mystique de la femme. Mais croire qu'en une époque de vie intense comme celle-là il n'y eut pas d'accents plus profonds et plus passionnés serait pure absurdité. Parfois, au cœur même de la rhétorique amoureuse, s'exprime avec une vérité poignante toute l'angoisse d'un cœur désespéré. La *Belle Dame sans Merci* d'Alain Chartier en est un exemple frappant. Ce poème, où le thème principal vient et revient sans cesse, où les répliques se succèdent et se rejoignent avec une inlassable cruauté, et qui tient de la complainte autant que de la discussion, est l'un des chefs-d'œuvre de la poésie de tous les temps, par la passion contenue, par la lucidité dans la douleur, par l'implacable logique d'un amour sans espoir.

A. Vos yeux ont si empreint leur merche
En mon cœur, que, quoiqu'il advienne,
Si j'ai l'honneur où je le cherche
Il convient que de vous me vienne.
Fortune a voulu que je tienne
Ma vie en votre merci close :
Si est bien droit qu'il me souvienne
De votre honneur sur toute chose.

D. A votre honneur seul entendez,
Pour votre temps mieux employer ;
Du mien à moi vous attendez
Sans prendre peine à foloyer ;
Bon fait craindre et supployer
Un cœur follement déceü
Car rompre vaut mieux que ployer,
Et ébranlé mieux que cheü.

A. Pensez, ma dame, que depuis
Qu'Amour mon cœur vous délivra
Il ne pourroit, ni je ne puis
Etre autrement tant qu'il vivra :
Tout quitte et franc le vous livra ;
Ce don ne se peut abolir.
J'attends ce qu'il s'en ensuivra.
Je n'y puis mettre ni tollir.

D. Je ne tiens mie pour donné
Ce qu'on offre à qui ne le prend ;
Car le don est abandonné
Si le donneur ne le reprend.
Trop a de cœur qui entreprend
D'en donner à qui le refuse,
Mais il est sage, qui apprend
A s'en retraire, qu'il n'y muse.

A. Ah ! cœur plus dur que le noir marbre,
En qui merci ne peut entrer,
Plus fort à ployer qu'un gros arbre,
Que vous vaut tel rigueur montrer ?
Vous plaît-il mieux me voir outrer
Mort devant vous par votre ébat
Que pour un confort démontrer
Respirer la mort qui m'abat ?

D. Mon cœur ni moi ne vous feïmes
Oncq rien dont plaire vous doyez
Rien ne vous nuit fors que vous-mêmes :
De vous-mêmes juge soyez.
Une fois pour toutes croyez
Que vous demeurez escondit.
De tant redire m'ennuyez
Car je vous en ai assez dit...

Et quelle littérature offre un exemple d'amants tragiques plus complet, plus pathétique, qu'en Tristan et Yseult ? Y eut-il jamais création plus forte et plus parfaite que ces deux êtres éperdument voués l'un à l'autre, et ne vivant que par leur mutuel amour ? « Ni vous sans moi, ni moi sans vous », — ardeur déchirante et sans emphase, violence des contrastes : Tristan ravalé à un rôle de bouffon, Yseult sûre de son amant et torturée de jalousie, amours sauvages et pudiques, morsures des remords et de l'éloignement :

Je suis Tantris qui tant l'aimai
Et aimerai tant com vivrai

— Anuit fûtes ivre au coucher
Et l'ivresse vous fit rêver !
— Voir est : d'itel boivre suis ivre[1]
Dont je ne cuide être délivre...
Le roi l'entend et si s'en rit,
et dit au fol : Si Dieu t'aït,
si je te donnais la reïne
en hoir, et la mette en saisine,
or me dis que tu en ferois
ou en quel part tu la menrois[2] ?
— Roi, fait le fol, là sus en l'air
ai une salle où je repair(e) ;
de verre est faite, belle et grand ;
le soleil va parmi rayant,
en l'air est, et par nuées pend,
ne berce et ne croule pour vent.
Delez la salle a une chambre
faite de cristal et de lambre ;
le soleil, quand main[3] lèvera,
céans moult grand clarté rendra...

Jamais plus riche gamme n'a inspiré un poète, jamais l'amour humain n'a su trouver des accents plus vrais et plus intenses.

Tant d'autres avec eux, tels Lancelot et Genièvre, gardent parmi les transports de la volupté le sens de l'honneur, de la droiture, du respect dû au seigneur que l'on trahit malgré soi. Combien humains aussi, ces moments de soudaine sauvagerie, comme dans l'étrange histoire qui s'appelle *La fille du comte de Ponthieu,* où l'on voit une jeune femme, violée sous les yeux de son mari, se retourner contre lui lorsque ses tourmenteurs la quittent, et chercher à le tuer avant qu'il ne se débarrasse de ses liens, — incapable de supporter sa vue après la grande honte qu'elle avait subie devant lui. Ces cris de douleur et de passion, cette violence de l'être sensible, voilà le Moyen Age, et voilà sa

1. Il est vrai : de tel breuvage suis ivre, dont je ne pense être délivré.
2. Mènerais.
3. Au matin.

poésie, ardente, directe, inoubliable, et qui vous enchaîne lorsqu'on y a une fois goûté, comme ce philtre d'amour que burent par mégarde ses deux héros les plus émouvants.

D'autres thèmes d'inspiration donnent la note virile : la guerre d'abord. Celui qui a prétendu que les Français n'avaient pas « la tête épique » ignorait le Moyen Age. Aucune littérature n'est plus épique que la nôtre. Non seulement elle s'ouvre sur la *Chanson de Roland* — l'un des sommets de l'épopée, dont on n'a pas encore, semble-t-il, pleinement saisi la beauté, — mais elle comprend plus de cent autres œuvres qui la valent, et qui restent, elles aussi, un trésor à explorer. Toutes, ou presque toutes témoignent de cette simplicité dans la grandeur, de ce sens des images, qui font de l'auteur de la *Chanson de Roland* l'un des plus grands poètes de tous les temps. Le caractère de l'épopée française, c'est précisément ce ton simple et dépouillé qui est celui de tout notre Moyen Age : les héros n'y sont pas des demi-dieux, ce sont des hommes, dont la valeur guerrière n'exclut pas les faiblesses humaines. Malgré tout l'art virgilien, Enée paraît bien pâle, et sa psychologie bien sommaire, à côté de Roland ou de Guillaume d'Orange, de ces êtres tout en contrastes, dont la vaillance entraîne tour à tour démesure et humilité, outrance et découragement. Cette justesse d'observation empêche nos épopées de devenir ce qu'elles auraient pu être : un monotone défilé d'individus héroïques et d'exploits prodigieux. La vaillance y est estimée par-dessus tout, même chez les ennemis, même chez les traîtres, et avec elle le sentiment de l'honneur, la fidélité au lien féodal ; mais tant de noblesse d'âme aurait pu devenir fatigante, sans ces nuances qui enrichissent les personnages et leur donnent la vie. C'est pourquoi, si peu que l'on connaisse la *Chanson de Roland* — la seule de nos épopées qui ait eu les honneurs des manuels scolaires — ses héros restent si hauts en couleurs dans notre imagination : Roland, preux, mais téméraire, Turpin, l'archevêque pieux et guerrier, Olivier le Sage, et Charles, haut et puissant empereur, mais plein de pitié pour ses barons massacrés et accablé parfois sous le poids de son existence « peneuse ». Autant de personnages que le conteur a su évoquer par images, par gestes, pourrait-on dire, et non par descriptions. Sobre quand il s'agit du décor de l'action, il va droit au but ; tous les détails qu'il donne sont « vus » et font voir ; ce gonfanon tout blanc dont les franges d'or lui descendent jusqu'aux genoux campe mieux Roland dans la beauté resplendissante de son équipage, que ne le ferait une description minutieuse à la manière moderne. Et les faits et gestes des héros, leurs pensées, leurs préoccupations, sont ainsi traitées par notations visuelles, en touches claires et rapides, avec un art infini dans le choix de ces détails qui frappent, comme frappent dans la réalité, non pas l'ordonnance et la composition générale d'un cortège, mais telle silhouette, telle couleur dominante, le reflet d'un cuivre ou le son d'un tambour. Ce sont les étincelles qui jaillissent des « heaumes clairs » pendant la mêlée d'un combat, les escarboucles qui luisent aux « pommes des mâts » de la flotte sarrasine, ou encore ce gant que Roland tend à Dieu dans son repentir, et que saisit l'Archange Gabriel.

Ce qui a déconcerté les littérateurs dans les épopées médiévales, c'est l'absence totale des procédés analytiques auxquels la littérature classique nous a habitués : pas de récits, l'action directe ; pas de développements sur les caractères, des prises de contact ; pas de dissertations, mais des gestes, des couleurs, des « instantanés » ; dans ce qui était puissance d'évocation, on n'a vu que pauvreté d'invention. Certaines techniques de notre temps, par exemple celle du cinéma, nous ont rendu familière cette traduction de la pensée par l'image, et nous pourrions de nouveau goûter ces chefs-d'œuvre qui redeviennent dans l'esprit de notre époque. Jusqu'ici, on avait résolument laissé de côté leur beauté intrinsèque, pour ne s'occuper que de problèmes qui à vrai dire ne se posaient pas, et eussent paru bien futiles aux cervelles médiévales : en particulier la question de la filiation des épopées, et de leur valeur historique. Y a-t-il eu originairement un ou plusieurs poèmes sur le *Couronnement de Louis* ? Quel personnage a pu être en réalité Guillaume d'Orange ? etc., etc. Il serait temps de prendre enfin ces chefs-d'œuvre pour ce qu'ils sont : des contes narratifs, dans lesquels le point de départ historique n'est qu'un prétexte, et dont le seul but a été d'émouvoir ou de charmer, suivant l'imagination de l'auteur et le goût du public. L'important, c'est qu'ils soient beaux, et ils le sont. Beaux et prodigieusement variés : nous avons déjà fait remarquer comment nos deux épopées les plus anciennes étaient, l'une sublime, l'autre cocasse. Ailleurs, dans le *Charroi de Nîmes*, par exemple, ces deux caractères se chevauchent ; et nulle part l'humour ne perd ses droits, rehaussant toujours la grandeur de certaines scènes par la fantaisie burlesque ou gaillarde des autres. C'est du Shakespeare, avant la lettre.

A côté de la poésie épique, la guerre a inspiré nombre d'œuvres littéraires, chansons de troubadours, récits de chroniqueurs, poèmes narratifs, sans compter les innombrables duels et tournois de la littérature romanesque. Partout elle est évoquée avec la même simplicité ; partout perce une même admiration pour la vaillance et l'adresse, le sens de ce que nous appelons le *fair play*, et qui en fait un beau jeu, d'où les « coups bas » sont exclus, ou du moins toujours flétris, où le courage, même malheureux, est toujours respecté, où, enfin, les lois de l'honneur dominent tout le reste. Lancelot vainqueur se découvre devant son suzerain qu'il a désarçonné, et l'aide à remonter en selle ; Joinville fait de son corps un bouclier au roi saint Louis. Aux excès de la guerre, aux scènes de carnage et de cruauté, qui ne sont pas absentes, s'oppose toujours quelque acte de clémence, quelque écho de pitié.

C'est avec les mêmes yeux que les hommes du Moyen Age ont regardé la mort. Dans aucune littérature sans doute, elle n'a été envisagée avec autant de courage sans emphase et de lucidité sans amertume. Les vers de Villon reviennent à la mémoire dès qu'on l'évoque :

La mort le fait frémir, pâlir,
Le nez courber, les veines tendre
Le col enfler, la chair mollir
Joinctes et nerfs croître et étendre

Et meure Pâris ou Hélène
Quiconque meurt, meurt à douleur ;
Celui qui perd vent et haleine
Son fiel se crève sur son cœur
Puis sue : Dieu sait quelle sueur...

Nombre d'autres poètes en ont parlé avec ce réalisme aigu, cette puissance d'évocation et ce calme impressionnant :

Mort qui saisis les terres franches
Qui fait ta queuz[1] des gorges blanches
Pour ton raseoir affiler,
Qui l'arbre plein de fruits ébranches
Que le riche n'ait que filer,
Qui par long mal le sais piler,
Qui lui ôtes au pont les planches,
Dis moi à ceux d'Angivillers
Que tu fais t'aiguille enfiler
Dont tu leur veux coudre les manches...

Mort des preux dans la mêlée, perdant leurs entrailles par de gigantesques blessures, mort déchirante de

1. Pierre à aiguiser.

Tristan, mort pieuse de l'enfant Vivien, — une grande sérénité subsiste toujours dans la souffrance, décrite pourtant avec une énergie propre à faire frissonner.

A côté de ces thèmes universels, quelques thèmes sont spéciaux à la littérature du Moyen Age. Entre autres la féerie ; on assiste à un débordement d'imagination ; le monde réel et ses trésors n'ont pu suffire à la verve des conteurs : il leur a fallu puiser dans la fantasmagorie et parsemer de merveilles la vie de leurs héros. Bien souvent ces détails imaginaires ne sont que des figures recouvrant de hautes vérités. L'allégorie est de ce nombre : on peut trouver artificielles ces évocations de qualités abstraites, cette manière de faire dialoguer Doux Penser et Faux Semblant, d'invoquer Espoir et de maudire Doutance ou Trahison. C'est, en tout cas, un indice de plus de cette prodigieuse vie qui anime les lettres médiévales, et qui prête une âme, un corps, un langage à toutes choses, même aux plus immatérielles. On sait quel fut le goût de l'époque pour tout ce qui est concret, personnel, visible. Le procédé allégorique, qui s'allie si curieusement au culte de l'image, manifeste ce goût une fois de plus. Faut-il le dédaigner *a priori* ? L'allégorie ne paraît être que la transposition d'un monde invisible auquel nous redonnons une place de choix. Car il n'y a pas très loin, somme toute, des « débats » auxquels le Moyen Age littéraire s'est complu, à ces jeux de l'inconscient auxquels notre époque décerne des noms plus précis, mais moins poétiques : actes manqués, censure, réflexes et réactions plus ou moins conscientes de l'être humain.

Non moins profonds dans leur signification apparaissent ces faits prodigieux : fontaines enchantées jaillissant sous les pas des chevaliers, maîtres-mots à prononcer pour s'asservir les forces naturelles, puissances mystérieuses qui conduisent les hommes vers leur destinée, et auxquelles ils obéissent sans mesurer la portée de leurs gestes. La littérature romanesque fourmille d'exemples de ce genre, auxquels un Chrestien de Troyes a donné leur plus haute expression : la grandeur d'Yvain et de Perceval réside dans ce sens du merveilleux qui se trouve être à la fois si féerique et si humain.

Mais il y a aussi, et surtout, la fantaisie gratuite, le plaisir d'entasser les prodiges et de créer un monde impossible, le goût de l'hurluberlu et de la cocasserie : cheval magique de Cléomadès, gabs et exploits bouffons des pairs dans le *Pèlerinage de Charles*, aventures de Merlin et de Viviane, ou du nain Obéron. Là, aucun obstacle ne s'oppose au fantastique, et les créations, mi-rieuses, mi-émerveillées, se succèdent suivant les caprices d'une imagination débridée. Il ne semble pas qu'aucune époque ait suscité autant d'inventions bizarres et de contes à dormir debout ; le Moyen Age s'en est donné à cœur joie, de cette faculté propre à l'homme de tirer de son cerveau un monde saugrenu, aussi loin que possible de la réalité matérielle ; c'est un jeu d'esprit auquel il a excellé.

Ce goût de l'absurde s'allie aux préoccupations les plus nobles, les plus angoissantes parfois ; par exemple à ce thème de la recherche, de la « quête », qui est bien l'un des plus prenants que le domaine littéraire ait connus, et l'un des plus significatifs pour la compréhension d'une époque qui par là se rapproche singulièrement de la nôtre. L'obsession du départ vers un trésor caché, le besoin de découverte, le désir poignant de la reconquête d'un amour perdu, c'est, tout à la fois, très médiéval et très moderne. Perceval est l'ancêtre du Grand Meaulnes ; et si, depuis, beaucoup de « petits Meaulnes » nous ont un peu dégoûtés des songes d'enfance, il reste que ce thème d'un paradis perdu, d'un « geste-clef » à accomplir, d'une soif à assouvir, cet élan incertain vers une mystérieuse destination rencontre un écho infaillible dans les lettres et la pensée modernes. Le *Graal*, la coupe d'une matière inconnue aux mortels, que tous recherchent, mais que seul un cœur pur pourra recouvrer, demeure l'une des trouvailles les plus séduisantes du Moyen Age. Bien entendu, son interprétation a donné lieu à d'incroyables sottises ; les inévitables recherches historiques d'abord : analyse des sources, des filiations, etc., — alors qu'il s'agit de données humaines, et non d'une énigme historique. Certains critiques sont allés jusqu'à s'étonner de l'attitude de Perceval, regardant, interdit, passer la coupe mystérieuse, sans oser demander à son sujet la moindre explication ; et dans cette sorte d'épouvante, cependant si naturelle, si vraie — celle qui vous saisit lorsqu'on touche au but, lorsque arrive l'inespéré, lorsque la réalité dépasse vos ambitions et vos désirs — on n'a vu qu'un procédé de poète pour faire rebondir une action qui aurait pu s'achever là ! On peut croire cependant que pareille incompréhension ne serait plus possible de nos jours, car les réactions cachées de l'âme humaine nous sont davantage familières et ses ressorts inconnus nous ont été mieux révélés que dans les époques rationnelles ou sentimentales qui nous ont précédés. L'occultisme et, dans une certaine mesure, la psychanalyse, nous ont rendu en cela grand service, malgré les excès et les erreurs des occultistes et des psychanalystes. Voir en Perceval ou en Galaad de simples héros de romans-feuilletons, dont l'auteur tire à la ligne en échafaudant les aventures les plus compliquées, c'est méconnaître l'une des créations les plus hautes de l'esprit humain, incarnant cette profonde sagesse et cette déconcertante audace que représente, dans le monde, la simplicité du cœur.

Et la quête des chevaliers errants traduit aussi, à sa manière, ce mouvement qui caractérise le Moyen Age. Il était normal que la fièvre itinérante de nos ancêtres laissât des traces dans la littérature. En dehors des ouvrages de Chaucer, qui en sont l'expression la plus directe, elle se retrouve dans les romans d'aventure et la littérature chevaleresque. Celui qui, dans sa jeunesse, se contente des paysages familiers et n'éprouve pas le besoin de découvrir d'autres horizons, « on lui devrait les yeux crever », déclare sans ambages Philippe de Beaumanoir. Autant que l'angoisse des séparations, le Moyen Age a chanté l'allégresse des départs :

> N'en puis ma grand joie celer
> En Egypte vais aller

dit un motet anonyme du XIIe siècle. Le pèlerinage, sous toutes ses formes, est aussi familier à la littérature qu'à la vie, fournissant d'ailleurs, comme tout le reste, matière à plaisanterie : l'abus que l'on en faisait parfois inspire un chapitre bien réjouissant à l'auteur des *Quinze joies de mariage*.

Il est enfin un thème universel qui est devenu un thème médiéval : Dieu. S'opposant diamétralement à la théorie que devaient soutenir par la suite l'*Art poétique* et les classiques, le Moyen Age a puisé dans sa foi comme à la source la plus pure de toute poésie. Comment un croyant, imbu de sa religion, pourrait-il en effet faire abstraction de sa propre substance dans son activité poétique qui exige, plus qu'aucune autre, la participation de toutes les facultés de l'être ? Négliger le sentiment religieux en poésie, à cette époque de foi sincère, ne serait revenu à rien autre qu'à mutiler l'homme, à introduire en lui une dissociation, et une négation en ce domaine essentiellement affirmatif qu'est la poésie, condamnée par suite à devenir artificielle et peu sincère. Aussi la pensée de Dieu est-elle inséparable de la poésie médiévale. Depuis les compagnons de Roland, qui tombent dans la mêlée en invoquant Dieu, jusqu'aux chevaliers du *Jeu de Saint-Nicolas*, que leurs anges accueillent en grande joie après leur massacre par l'armée sarrasine, de l'*Ave Maria* de Beaumanoir à la Ballade que fit François Villon, à la requête de sa mère, pour prier Notre-Dame, — on peut dire que toutes les formes de la piété médiévale ont tour à tour passé dans ses lettres[1]. Comme le Moyen Age eut une prédilection pour le culte de la Vierge, sa gracieuse image, — « plus douce fleur que n'est la rose », — anime l'ensemble de la poésie, aussi bien profane que sacrée. Un Thibaut de Champagne ne vient-il pas chercher auprès d'elle remède à son chagrin d'amour :

Quand dame perds, Dame me soit aidant !

Tant il est vrai que le poète médiéval sent et pense tout naturellement en chrétien, même dans ses écarts et ses plaisirs.

L'Église a d'ailleurs été à cette époque une prodigieuse inspiratrice. C'est elle qui a donné naissance au théâtre, elle qui faisait vibrer les foules aux détails de la Passion du Christ ou des Miracles de Notre-Dame, et qui fournissait aux jongleurs les légendes sur lesquelles s'édifiaient leurs récits. Sans compter les innombrables proses, séquences et hymnes liturgiques qui

1. On ne peut sans étonnement relever l'opinion singulière qu'émet à ce sujet M. Thierry MAULNIER, dans son *Introduction à la poésie française*, où d'ailleurs le domaine médiéval est totalement négligé et méconnu : d'après cet ouvrage, la poésie française de tous les temps aurait d'instinct suivi le conseil de Boileau et n'aurait pas connu d'autres divinités que celles de la mythologie. Force lui est cependant d'admettre quelques exceptions : « Villon, d'Aubigné, Corneille, Racine, ont écrit, dit-il, des poèmes chrétiens, mais c'était pour acheter ou payer le droit d'avoir écrit des poèmes qui ne le fussent pas. » Remarquons en passant que l'on a peine à croire que Villon n'ait écrit la *Ballade des Pendus* que pour faire accepter la *Belle Heaulmière*, — ou que Corneille n'ait composé *Polyeucte* que pour se faire pardonner *Horace*. Il semble difficile aussi d'éliminer tous ceux qui ont parlé d'un Dieu bien chrétien, ne serait-ce que pour blasphémer son nom, et de rayer ainsi d'un trait de plume, avec tous les romantiques, Baudelaire, Rimbaud, Verlaine, Péguy, Claudel, Francis Jammes et tant de jeunes poètes contemporains. En tout cas, l'ensemble de la poésie médiévale contredit formellement cette thèse.

émanent directement des clercs et qui, par la variété de leurs cadences et la richesse de leurs rythmes, figurent avec honneur dans notre patrimoine poétique. On peut citer par exemple la séquence de la Pentecôte attribuée par certains au Pape Innocent III, par d'autres au roi Robert le Pieux :

Veni sancte Spiritus
Et emitte celitus
Lucis tue radium...
In labore requies
In estu temperies
In fletu solacium...

ou encore cette admirable Prière de l'Itinéraire, d'une prose simple et cependant savamment cadencée :

...esto nobis, Domine,
in procinctu suffragium
in via solacium
in estu umbraculum
in pluvia et frigore tegumentum
in lassitudine vehiculum
in adversitate presidium
in lubrico baculus
in naufragio portus
ut, te duce, quo tendimus/prospere perveniamus
ac demum incolumes /ad propria redeamus...

Cet art très profond de la poésie liturgique (les strophes composées par saint Thomas d'Aquin pour la fête du Saint-Sacrement sont d'authentiques chefs-d'œuvre) se complète par le chant grégorien qui donne leur plein développement aux syllabes et aux phrases latines, et fait ressortir leurs sonorités. Les moines de Solesmes, en faisant connaître au public, par l'intermédiaire du disque, ces trésors de la musique sacrée, lui ont permis de prendre également contact avec une source très pure de poésie.

Une simple esquisse de ce que fut le domaine littéraire médiéval permet de rectifier certaines opinions préconçues sur la littérature française. La prétendue indigence de notre lyrisme n'est pas plus réelle que la prétendue indigence de notre épopée. Si la veine poétique s'est trouvée parfois tarie par les entraves mises à l'inspiration, il n'en est pas moins vrai que les premiers siècles de nos lettres présentent toute une floraison de poètes lyriques, qui peuvent soutenir la comparaison avec n'importe quels poètes étrangers, et ne le céderaient peut-être qu'à l'Angleterre, royaume de prédilection du lyrisme jusqu'à l'époque moderne. Mais nos meilleurs poètes lyriques demeurent inconnus du public français, et lui seront inaccessibles, tant qu'un effort de compréhension de sa part, et d'adaptation de la part des éditeurs et des éducateurs, n'aura pas été accompli[1].

Cet effort seul nous permettrait de prendre enfin conscience de notre passé et de ses splendeurs : splendeurs de pensée et splendeurs d'expression. Car la littérature médiévale est aussi riche de genres que de thèmes littéraires. Tout ce qu'on peut rêver en fait de formes poétiques s'y trouve représenté : il y a le théâtre, et il y a le roman ; il y a l'histoire, et il y a l'épopée ; surtout, la poésie lyrique s'y présente avec une incroyable diversité d'aspects : contes narratifs et romanesques, tels que ces *lais* où s'illustra Marie de France, récits mêlés de proses et de vers, comme le délicieux *Aucassin et Nicolette*, pastourelles et rondeaux, tençons et virelais, chansons de la toile et chansons à danser, motets et ballades ; la variété des formes n'a d'égale que la variété des rythmes et du vers. Celui-ci s'adapte au genre cultivé ; c'est généralement, pour l'épopée, le décasyllabe,

1. Une *Anthologie de la poésie lyrique du Moyen Age*, en préparation, tentera de rendre accessibles quelques-uns de ces poètes, en atténuant les difficultés linguistiques.

mais dans la poésie lyrique les vers de douze, dix, huit, sept syllabes sont employés tour à tour, avec des refrains de quatre ou six pieds. On peut dire que la seule règle est dans la cadence exigée par l'allure générale du poème, et les sentiments à exprimer ; l'armature du vers, sa coupe, son accentuation, prennent d'ailleurs plus d'importance que sa finale, rime ou assonance.

Cette apparente liberté recouvre en réalité une technique extrêmement savante, et presque toujours extrêmement habile. On n'a pas encore su mesurer tout l'art de nos vieux poètes, et l'aisance avec laquelle ils se meuvent au milieu des difficultés. Leur cadence si aisée est en fait un chef-d'œuvre de composition. Certains poèmes de nos troubadours, aux strophes uniformément composées des mêmes finales, témoignent d'une étonnante virtuosité, celle qu'on retrouve chez Villon, chez Alain Chartier, et en général chez les poètes du xve siècle, qui portèrent cette technique à sa perfection. Telles sont ces ballades à rimes reprises dont Christine de Pisan a laissé plus d'un exemple :

Fleur de beauté en valeur souverain
Raim de bonté, plante de toute grâce,
Grâce d'avoir sur tous le prix à plein
Plein de savoir et qui tous maux efface,
Face plaisant, corps digne de louange,
Ange au semblant où il n'a que redire...

Et j'ai espoir qu'il soit en votre main
Maints jours et nuits, en gracieux espace,
Passe le temps, car jà a bien hautain
Atteint par vous, et Amour qui m'enlace
Lasse mon cœur qui du vôtre est échange...

Ce sont là jeux de rimes, mais qui révèlent une surprenante habileté. De même, la complainte reprenait d'une strophe sur l'autre :

...Si te supplie sur toute chose
Prie le qu'il ait de moi merci.

Merci requiers à jointes mains
A toi, trésorière de grâces...

Il y a aussi, dans un autre genre, les innombrables acrostiches, anagrammes et passe-temps divers ; tout cela ne fait pas partie du patrimoine poétique proprement dit, mais révèle cependant le goût de la perfection verbale, du beau langage, commun à tout le Moyen Age. Charles d'Orléans, dans cet art, s'est montré le prince des poètes, par la maîtrise impeccable du verbe et de la rime, sous une apparente nonchalance ; il n'est pas une de ses petites pièces exquises, tour à tour mélancoliques, souriantes ou joviales, qui ne fasse preuve d'un art raffiné.

Il faut dire qu'en ces questions techniques nos ancêtres étaient aidés par l'exceptionnelle souplesse du langage. Beaucoup plus étendu qu'il ne l'est aujourd'hui, le vocabulaire, qui n'avait pas encore subi ces épurations malheureuses dont il a depuis été victime, se prêtait merveilleusement aux inventions et aux recherches poétiques. Comme de nos jours, il n'existait aucune distinction entre style noble et style vulgaire ; la langue s'enrichissait en particulier de toute la gamme des termes de métier, inépuisable réservoir d'images dont les siècles postérieurs ont été privés. Il y avait aussi cette aisance à former des composés, à transposer en substantif l'infinitif d'un verbe, à utiliser les mots dialectaux et termes de terroir. Tout cela fait un langage plein de verve et d'exubérance, capable de se plier aux subtilités de l'art poétique, avec bonheur et audace. S'il est une époque où l'on ait pleinement usé de la magie verbale, et goûté toute la valeur d'un mot bien enchâssé, d'une trouvaille de vocabulaire, c'est au Moyen Age. On est allé jusqu'à user purement et simplement des jongleries de mots enchaînés les uns aux autres, dans ces extraordinaires *Fatras* qui ne sont ni plus ni moins qu'une utilisation de l' « automatisme » auquel les surréalistes modernes ont fait appel ; chaque mot en suggère un autre, et le poète se laisse conduire par cet appel d'images successives et de sonorités, sans qu'intervienne l'ordonnance de la pensée et de la logique :

> Le chant d'une raine
> Saine une baleine
> Au fond de la mer
> Et une sirène
> Si emportait Seine
> Dessus Saint-Omer.
> Un muet y vint chanter
> Sans mot dire à haute haleine...

C'est pur jeu verbal, et cela n'est pas sans présenter pour nous quelque attrait d'actualité.

Ce sens de la saveur du mot, de la cadence de la phrase, déborde du reste au Moyen Age le domaine littéraire. Tout le langage de l'époque — celui des *Crieries de Paris* comme des appels de matelots — témoigne d'un souci de rythme qui a reparu de nos jours, sous la forme du *slogan* publicitaire. Les règles de droit, les formules juridiques, les proverbes, — ceux par exemple qu'a rassemblés Antoine Loisel, — portent la marque de ce soin de l'expression frappante, avec une allure spontanée et directe qui montre bien qu'il s'agissait là d'une capacité naturelle de s'exprimer avec bonheur, peut-être parce que l'intellect n'avait pas encore absorbé à son profit les autres facultés et codifié comme le reste la puissance d'affirmation. Toutes les expressions qui nous restent, et que nous employons sans mesurer la noblesse de leur origine : « neiges d'antan », « être comme l'oiseau sur la branche », ou « comme chien et loup », « manger son blé en herbe », « ni chair ni poisson », etc., témoignent, dans leur tour poétique ou familier, mais toujours expressif, d'une intuition très vive de l'efficience verbale.

LES ARTS

NOTRE époque, qui s'est débarrassée des derniers restes de préjugés classiques, et sur laquelle les dogmes de l'antiquité n'ont plus de prise, est mieux faite qu'aucune autre pour pénétrer l'art du Moyen Age : nul aujourd'hui ne songerait à s'indigner des chameaux verts du *Psautier de Saint-Louis,* et les artistes modernes nous ont fait comprendre que, pour donner une impression d'harmonie, l'œuvre d'art devait tenir compte de la géométrie, et la décoration se soumettre à l'architecture.

L'art médiéval, nous le redécouvrons plus aisément que la littérature du même temps, parce que nous pouvons en jouir directement ; nous avons appris à en parcourir, pierre par pierre, dans nos cathédrales, dans nos musées, les vestiges dispersés en Europe. Les progrès de la technique photographique permettent de faire connaître les merveilles que recèlent nos manuscrits à miniatures, et dont jusqu'ici seuls quelques initiés pouvaient jouir ; on arrive même à en restituer les couleurs, avec une rare fidélité — témoins les admirables publications de la revue *Verve,* celles des Editions du Chêne ou de Cluny, etc. A mesure que s'est approfondie notre connaissance de l'art du Moyen Age, notre goût s'est dépouillé de cet attrait pour le faux Moyen Age : gothique du XVIIIe siècle, comme la cathédrale d'Orléans, si fâcheusement prônée par les romantiques comme un modèle du genre, excès d'ardeur des restaurations, chimères et gargouilles dont l'ornementation du siècle dernier fit un si déplorable abus, théories attendrissantes sur l'origine de nos cathédrales, issues du *Génie du Christianisme*. Notre vision actuelle est à la fois plus authentique et plus belle.

Ce qui en ressort le plus nettement, c'est le caractère synthétique de l'art médiéval ; les créations, scènes, personnages, monuments, paraissent avoir surgi d'un seul jet, tant ils frémissent de vie et expriment avec force le sentiment ou l'action qu'ils sont chargés de traduire. Toute œuvre, à cette époque, est à sa manière une Somme, unité puissante, mais dans laquelle, sous l'apparente fantaisie, entrent en jeu une foule d'éléments, savamment subordonnés les uns aux autres ; sa force provient avant tout de l'ordre qui a présidé à sa réalisation. L'art, plutôt que le génie, est alors le prix d'une longue patience.

Contrairement à ce que pourrait faire croire la fantaisie qui paraît présider à ses trouvailles, l'artiste est loin d'être libre ; il obéit à des obligations d'ordre extérieur et d'ordre technique qui règlent point par point les étapes de son œuvre. Le Moyen Age ignore l'art pour l'art, et l'utilité détermine à cette époque toutes les créations. C'est d'ailleurs de cette utilité que les œuvres tirent leur principale beauté, résidant en une harmonie parfaite entre l'objet et la fin pour laquelle il a été conçu. En ce sens les objets les plus communs à cette époque nous apparaissent maintenant revêtus d'une beauté véritable : une aiguière, un chaudron, un hanap, auquel on fait actuellement les honneurs des musées, n'ont souvent pas d'autre mérite que cette parfaite adaptation aux besoins auxquels ils répondent.

Sur un autre plan, l'artiste médiéval se préoccupait avant tout de la raison d'être de ses créations. Une église est un lieu de prière, et si l'architecture de nos cathédrales a varié suivant les temps et les provinces, c'est parce qu'elle se liait étroitement aux besoins du culte local. Pas une chapelle, pas un vitrail, n'ont été placés gratuitement ou ajoutés par pure fantaisie ; de même dans l'architecture civile et militaire, où tous les détails d'un donjon, d'une tour crénelée, obéissent aux commodités de la défense et se modifient à mesure qu'évoluent les armes offensives. On peut dire que le premier élément de l'art est alors l'opportunité.

Viennent ensuite les exigences techniques. La matière d'abord, qui est l'objet d'une recherche très délicate : le bois, le parchemin, l'albâtre, la pierre qui devaient servir à l'artiste subissaient une préparation appropriée. C'est ainsi que pour une charpente on n'emploie jamais au Moyen Age que le cœur du bois, sa partie la plus solide ; les charpentes médiévales sont de ce fait extrêmement légères et cependant d'une résistance à toute épreuve ; nos forêts ne pourraient plus actuellement nous fournir d'aussi beaux bois et c'est une impression étrange que de passer, à Notre-Dame par exemple, de la partie ancienne de la toiture, où les poutres minces supportent allègrement la couverture de l'édifice, à la partie nouvelle, couverte d'énormes solives plus vulnérables cependant que les autres à la morsure du temps et à celle des insectes. On a fait remarquer qu'il ne se trouvait pas d'araignées dans les charpentes anciennes, parce que ne peuvent s'y loger ni vers ni mouches. Le sculpteur, suivant le parti qu'il désire tirer de la pierre, la taille directement dans la carrière, ou au contraire lui laisse « rendre son eau » avant de s'y attaquer ; le tapissier choisit soigneusement ses laines et ses soies ; le peintre ses couleurs. L'œuvre est ainsi précédée d'un travail minutieux, d'une véritable genèse au cours de laquelle la création se répète et s'adapte exactement au genre choisi. L'emplacement de l'ouvrage fera lui-même l'objet d'une semblable recherche. Un sculpteur se préoccupe toujours de l'angle sous lequel sa statue doit être vue ; les statues placées au faîte de la cathédrale de Reims qui, descendues de leur socle, sont d'une étrange laideur, acquièrent toute leur beauté lorsqu'on les voit en perspective du bas de l'édifice.

D'autre part, il est des exigences traditionnelles que l'artiste ne peut se permettre de mépriser, et qui font un cadre très strict à son inspiration. Pour s'en tenir, par exemple, à l'art sacré, toutes les scènes, tous les personnages s'accompagnent d'attributs déterminés : l'Ange et la Vierge de l'Annonciation, la Sainte Famille et les animaux de la Nativité, l'apôtre, les deux disciples et les saintes femmes de la Descente de Croix ; le Christ du Jugement dernier est toujours encadré dans une gloire, et entouré des symboles des quatre évangélistes ; saint Paul tient à la main un glaive, et saint Pierre des clefs. Aucun de ces sujets ne laisse à l'artiste une grande liberté, et cependant, par un curieux tour de force, il n'y a pas, dans l'innombrable théorie des Vierges médiévales, deux visages de Vierges qui se ressemblent. Dans les limites étroites qui leur étaient assignées, les artistes ont su éviter les poncifs, les attitudes conventionnelles, classiques. Leur facture, restée anonyme le plus souvent, est toujours fortement caractérisée. Il fallait, pour obtenir cette originalité dans l'expression des scènes les plus communes, pour créer des êtres là où il aurait été si facile de se contenter de prototypes, une singulière vigueur de tempérament et d'imagination. L'académisme s'est introduit dans l'art précisément au moment où l'inspiration semblait n'être plus limitée, où l'art sacré devenait de moins en moins traditionnel et liturgique, tandis que l'art profane prenait de plus en plus d'extension.

En dehors des exigences techniques proprement dites, il y a la vision particulière à chaque forme d'art, et cette vision est au Moyen Age très poussée ; à chaque activité correspond un ordre, une harmonie caractérisée : la tapisserie est autre chose qu'un tableau, le vitrail n'est pas une peinture ; les lois de la perspective sont différentes pour les uns et pour les autres. Le jour où tapissiers et maîtres verriers ont commencé à copier le peintre, à vouloir, par artifices de couleurs ou en échafaudant des « fonds » architecturaux, obtenir un relief et se ménager plusieurs plans, leur art est entré en décadence. Pareillement l'orfèvre ne doit pas imiter l'ivoiriste, ni l'émailleur le miniaturiste. Chacun doit, dans l'œuvre qu'il projette, tenir compte de la beauté propre à la matière qu'il travaille, avoir *sa* perspective, *sa* composition, *sa* conception individuelle, au lieu de tendre à l'uniformité et à l'imitation. Par la suite, le domaine artistique a vu un certain désordre s'introduire dans les différentes disciplines, et la décadence des arts mineurs s'explique aisément par cette confusion. Parfois encore, c'est un excès dans la technique qui a précipité la décadence : un exemple nous en est fourni par l'évolution du vitrail; dans ceux des XIIe et XIIIe siècles, les couleurs sont franches, les verres épais et inégaux, remplis de bulles d'air et d'impuretés à travers lesquelles la lumière joue, et retenus par des plombs plus épais que larges, qui soulignent le dessin sans l'alourdir; mais lorsqu'on remplaça la mosaïque de verre coloré par de la peinture sur verre, lorsqu'au lieu d'être taillé au fer rouge le verre fut coupé au diamant, ce qui donnait une cassure plus nette, plus régulière, exigeant des plombs aux ailettes beaucoup plus larges, — le vitrail cessa d'être une vivante marqueterie ; le verre plus fin, mieux travaillé, laissa passer une clarté uniforme, et bientôt le vitrail ne fut plus qu'une vitre coloriée, terne et sans éclat. Cela correspondait d'ailleurs au goût des différentes époques : le XVIIIe siècle, dans sa haine de la couleur, alla jusqu'à remplacer les belles verrières du Moyen Age, presque toutes intactes encore, par des vitres blanches.

La vision propre à son art, l'artiste médiéval l'acquiert par un long apprentissage. Raoul Dufy a fait remarquer qu'il n'y a pas alors de drame entre l'inspiration et la réalisation ; il ajoute : « Est-ce que nos problèmes ne viendraient pas de la rupture de cet équilibre de la matière et de l'esprit, et, au lieu de rechercher des solutions esthétiques, ne devons-nous pas rechercher celle du métier ?[1] » C'est en effet par le métier que l'artiste au Moyen Age conquiert à la fois cette maîtrise de la matière et cette originalité d'expression qui font encore notre étonnement. La précision de sa technique est extrêmement poussée, parce qu'il ne cesse pas d'être un artisan en regard duquel, malgré la spécialisation moderne, nos artistes actuels feraient trop souvent figure d'improvisateurs ou de demi-amateurs. Le peintre, le maître verrier, n'ignorent rien des secrets qui président au dosage des colorants, à la cuisson du verre ; ils préparent eux-mêmes leurs couleurs ou les font préparer dans leurs ateliers suivant des secrets de métier soigneusement transmis et perfectionnés de maître à apprentis ; l'architecte reste un maître d'œuvre travaillant sur le chantier, mêlé aux ouvriers, prenant une part directe à leur besogne dont pas un détail ne lui échappe, car il a lui-même parcouru une à une toutes les étapes du métier.

Tous ces éléments composent la personnalité de l'artiste, et c'est son génie personnel qui en fait l'unité. Mais quel que soit le degré de son talent, il est remarquable de voir le soin qu'il apporte à la composition de son œuvre. Lorsqu'on étudie un tableau de primitif,

1. Article paru dans *Beaux-Arts*, numéro du 27 décembre 1937.

on est surpris de découvrir un ordre rigoureux sous l'apparence fantaisiste ou désordonnée de l'ensemble. Dans l'admirable *Pieta* de Villeneuve-les-Avignon, par exemple, pas une seule ligne, pas un détail des personnages entourant le corps du Christ, ne sont gratuits : tout est subordonné à ce cadavre exsangue et raidi, qui fait le centre de la scène ; les autres acteurs ne sont qu'une sorte de cadre, assujetti aux contours du corps que leurs vêtements drapés suivent exactement, comme les rides d'une nappe d'eau prolongeant le sillage d'un navire. D'autres tableaux sont construits en cercles, en rosaces, sans que leur régularité géométrique, décelable pour un œil exercé, se trahisse par la moindre raideur ; certaines fresques de l'Angelico sont très remarquables de ce point de vue. Le groupement des personnages de la Crucifixion de Vénasque est lui aussi très savant : aux ennemis du Christ, pharisiens, soldats, mauvais larron sur la droite du tableau, le bon larron et les saintes femmes, sur la gauche, donnent une exacte réplique. Dans le *Wilton Diptych,* l'attitude des saints protecteurs et le mouvement de leurs bras, sur le panneau de gauche, accompagnent le jeune roi, tandis qu'à droite, les anges déploient leurs ailes en une sorte de corolle qui encadre la Vierge. Et cependant, à toutes ces œuvres, d'une perfection si émouvante, serait-il possible de reprocher le moindre esprit de système, le moindre parti pris ?

Si l'on examine plus particulièrement la notion que l'on eut au Moyen Âge de la beauté plastique, on s'aperçoit que, contrairement à ce que l'on a pu croire, sa vision artistique dépasse infiniment sur ce point celle de l'Antiquité. Dans la représentation du corps humain, comme en général dans tous les arts, l'Antiquité avait adopté un point de vue statique : peintres, sculpteurs, architectes, obéissent à des canons — et non pas, comme les artistes médiévaux, à des données d'expérience ou à des nécessités d'ordre pratique. Ils se règlent d'après des exigences géométriques : proportions entre les différentes parties du visage, lois de l'équilibre des corps, etc. — et aboutissent dans l'ensemble à un type idéalisé, à une sorte de perfection monotone, qui répète indéfiniment le même modèle ou les mêmes styles. Le Moyen Age connaît, lui aussi, les données géométriques et l'équilibre entre les différentes parties du corps ; aucune des lois fondamentales de la beauté plastique ne lui échappe ; dans l'album de Villard de Honnecourt, les corps esquissés sont décomposés en figures que n'eussent pas reniées les cubistes : triangles, cônes, parallélépipèdes ; des groupes de lutteurs y sont figurés d'abord en lignes brisées, en courbes dessinées au compas, etc. Mais l'artiste, une fois achevé ce travail d'étude, en possession de sa méthode et de sa technique, saisit l'homme dans son ensemble et anime les corps qu'il crée de tout le souffle de la vie : déformés par la passion, tordus par la douleur, magnifiés par l'extase. Il surprend l'être dans ses attitudes les plus humaines, les plus naturelles, les plus intenses. C'est alors, suivant la belle expression de Claudel « le mouvement qui crée le corps » ; il suffit d'avoir vu ces êtres frétillants de joie, défigurés de colère, torturés d'angoisse, qui parcourent les anciens chapiteaux de Saint-Sernin de Toulouse, au Musée des Augustins : le roi Hérode se penchant vers Salomé, le Christ découvrant sa poitrine trouée devant l'apôtre Thomas, en un geste criant de vérité et de force, — pour comprendre le secret de l'art médiéval : il a trouvé la beauté humaine dans le dynamisme de la vie humaine, dans l'expression totale de l'individu, en traduisant non seulement son apparence externe, mais sa réalité foncière. Il n'est pour s'en convaincre que de contempler les personnages tumultueux et frémissants qui animent le tympan de Vézelay ou de Moissac, ou ces figures délicates et toujours dissemblables qui sont, à chaque page du Psautier de saint Louis ou de Blanche de Castille, une surprise et une émotion nouvelles. La sincérité a été leur plus sûre règle pour parvenir à la beauté ; sincérité dans la vision intérieure et l'observation extérieure, avec la fidélité dans l'expression, et cette faculté de fondre en un tout harmonieux l'inspiration et la méthode, le génie et le métier.

***

L'expression la plus complète de l'art médiéval en France se trouve dans son architecture, dans ses cathédrales, où presque toutes les techniques ont été employées. Non que l'art profane ait été inexistant : nombreuses sont les scènes allégoriques, ou tirées de l'Antiquité, plus nombreux encore les portraits, les tableaux guerriers, champêtres ou idylliques, d'où la nature n'est jamais absente. Mais c'est dans ses cathédrales qu'il a mis toute son âme.

Il se trouve, — et ce n'est pas un hasard, que l'architecture médiévale s'est épanouie plus encore en France qu'en aucune autre contrée. Peu de nos villages qui n'en aient gardé quelque vestige, sous la forme parfois très humble d'un simple porche noyé dans la maçonnerie moderne, ou parfois sous la forme d'une magnifique cathédrale, disproportionnée avec l'agglomération qui l'entoure présentement. La sérénité un peu massive des édifices romans est rehaussée d'une décoration agitée et turbulente, avec des scènes d'une grandeur vertigineuse, tirées de l'Apocalypse, et baignées encore d'influences orientales. Une évolution de cet art a donné naissance à la croisée d'ogive et à l'architecture gothique, dont notre pays, le cœur même de notre pays, l'Ile-de-France, a peut-être été le berceau. L'arc en ogive allait autoriser nos architectes à toutes les audaces et permettre l'épanouissement parfait de l'art français du Moyen Age, dans sa belle époque, aux XIIe et XIIIe siècles.

Comme on l'a fait remarquer plus d'une fois, les temples antiques tiennent à la terre ; leurs massives colonnes, l'absolue régularité de leur plan, les canons qui en déterminent la disposition et la décoration, leurs lignes horizontales, — tout en eux s'oppose à nos cathédrales, où la ligne est verticale, où la flèche pointe vers le ciel, où la symétrie est dédaignée sans que l'harmonie soit compromise, où enfin les exigences de la technique s'allient à la fantaisie des maîtres d'œuvre avec une déconcertante facilité. A examiner de près une cathédrale gothique, on est toujours tenté d'y voir une espèce de miracle : miracle de ces colonnes qui jamais ne se trouvent en enfilade rigoureuse, et pourtant supportent le poids de l'édifice, miracle de ces voûtes qui tournent, s'entrecroisent, virevoltent et se chevauchent, miracle de ces parois ajourées, où entre souvent plus de verre que de pierre, miracle enfin de l'édifice entier, merveilleuse synthèse de foi, d'inspiration et de piété.

Dans les monuments antiques, un simple chapiteau retrouvé permet de reconstituer un temple entier ; retrouverait-on les trois quarts d'une cathédrale gothique qu'il serait impossible de reconstituer le quatrième. Cependant, malgré cet apparent désordre, aucune œuvre n'impose à l'architecte plus de règles et d'obligations que la construction d'une église : orientation, éclairage, besoins du culte, nécessités matérielles provenant de la nature du sol ou de son emplacement — autant de difficultés que presque toujours le maître d'œuvre semble avoir résolues en se jouant ; certaines églises, comme celle de Strasbourg, sont bâties sur des marécages ou des fleuves souterrains ; d'autres, par exemple les Saintes-Maries-de-la-Mer, ou quelques églises du Languedoc, sont des châteaux forts dans lesquels l'œuvre même doit constituer une défense. La connaissance générale de la liturgie facilite d'ailleurs la tâche de l'artiste qui se plie presque d'instinct à ses exigences ; ainsi, de nos jours, l'autel est la plupart du temps surélevé pour permettre aux fidèles de suivre par la vue les cérémonies ; autrefois, on s'associait à celles-ci plutôt par le chant et les prières vocales, d'où le soin extrême accordé à l'acoustique : alternance des piles, aménagement des voûtes, etc. Surtout, il y a le problème de la lumière. Certaines époques se sont plu aux églises sombres, dont l'obscurité, pensait-on, favorise le recueillement. Mais le Moyen Age aimait la lumière : sa grande préoccupation a été d'avoir des sanctuaires toujours plus clairs, et l'on peut dire que toutes les découvertes de la technique architecturale ont tendu à ménager de plus grands espaces libres dans la construction, pour que les verrières immenses puissent laisser passer toujours plus de soleil et illuminer toujours davantage la splendeur des offices religieux ; à Beauvais, par exemple, la pierre ne sert plus qu'à enchâsser des parois de vitrail, avec une légèreté effarante, excessive même, puisque l'édifice ne put jamais être continué au delà du transept.

Et cependant, plus encore qu'à la beauté, on visait à la solidité ; on n'a rien compris à une cathédrale gothique tant qu'on ne sait pas que le volume de pierre enfoui dans le sol pour le travail des fondations dépasse celui de la pierre dressée vers le ciel. Sous cette fragilité apparente, soutenant les colonnettes graciles et les flèches ajourées, se cache une puissante armature de pierre, ouvrage patient et robuste. Toute œuvre au Moyen Age eut cette assise solide, que le premier coup d'œil ne décèle pas, tant elle sait se voiler de fantaisie et de légèreté.

Pour la décoration aussi, la beauté ne provient que de l'utilité. Pas un détail d'ornementation qui ne soit subordonné à un détail d'architecture ; rien n'est laissé au hasard en ce qui nous apparaît comme pure exubérance d'imagination. Dans certaines églises, les panneaux sculptés suivent rigoureusement la disposition de l'appareil : c'est très visible à Reims, dans le fameux bas-relief de la *Communion du Chevalier*. On s'est parfois amusé de la raideur, de la « naïveté » (toujours !), de certaines statues, comme celles qui ornent le portail de Chartres ; mais en réalité, c'est raideur voulue et pas naïve du tout, la statue n'étant, à dessein, que l'animation du fût, et ses lignes devant se plier aux lignes droites et étriquées d'une rangée de colonnes.

A contempler ces pierres grises de nos cathédrales et de leurs sculptures, on serait tenté de voir en elles le triomphe du dessin ; en réalité, la couleur éclatait partout : non seulement dans les peintures ou le vitrail, mais aussi sur la pierre. Il n'est pas exact de parler du temps où les cathédrales étaient « blanches » : en elles l'éclat de la couleur, aussi bien à l'extérieur qu'à l'intérieur, prolongeait celui de la lumière ; c'était un monde chatoyant où tout s'animait. Bien entendu, les teintes étaient savamment ménagées : parfois vives et exubérantes, elles couvraient en vastes fresques des espaces maintenant ternes ; un ensemble tel que celui de Saint-Savin, ou les restes de peintures de Saint-Hilaire de Poitiers, suffisent à donner idée de l'effet produit. Ailleurs, elles soulignaient d'un simple filet la courbe d'une ogive, faisaient ressortir une arête ou saillir un chevron. Les sculptures aussi en étaient rehaussées : non pas de ces nuances fades qui ont justement fait la fâcheuse réputation des modernes « objets de piété », mais de teintes franches, faisant corps avec la pierre, et dont les vestiges, malheureusement trop rares, manifestent la maîtrise avec laquelle le Moyen Age sut manier la couleur, et la hardiesse qu'il mit à l'employer : dans ses cathédrales aussi, le monde médiéval est un monde coloré. Malheureusement, il est rare de trouver ailleurs que dans les musées, c'est-à-dire sortis de leur cadre et placés dans des conditions tout autres que celles pour lesquelles ils ont été créés, les tableaux et les statues peintes qui les ornaient autrefois. Seuls les vitraux, ceux de Chartres ou de Saint-Denis par exemple, nous permettent d'imaginer l'intensité et la perfection des couleurs médiévales, avec les manuscrits à miniatures que gardent jalousement — trop jalousement peut-être — nos bibliothèques.

En dehors des thèmes de décoration proprement religieux : scènes bibliques montrant les correspondances de l'Ancien et du Nouveau Testament, détails de la vie de la Vierge et des Saints, tableaux grandioses du Jugement dernier ou de la Passion du Christ, — peintres et sculpteurs ont tiré un large parti de ce que la nature mettait sous leurs yeux ; toute la flore et la faune de notre pays revit sous leur pinceau ou leur ciseau, avec une précision, un coup d'œil de naturaliste, se mêlant à celles que leur fantaisie leur suggérait. On a pu étudier, au portail des cathédrales, les différentes espèces reproduites, et y retrouver fleurs et frondaisons d'Ile-de-France, ici en bouton, là dans leur plein épanouissement, ailleurs — en particulier à l'époque flamboyante, — sous l'aspect déchiqueté du feuillage automnal. Ils ont, avec une égale aisance, utilisé les motifs de décoration géométrique, rinceaux, entrelacs, animaux stylisés dont l'Orient leur avait offert le modèle, et que les moines irlandais avaient fait revivre dans leurs miniatures, avec une exubérance singulière.

Ce qui échappe encore à la science moderne, bien qu'un grand pas en avant ait été fait ces dernières années, grâce surtout aux travaux admirables de M. Emile Mâle, c'est le symbolisme des cathédrales. Nous n'avons pas encore saisi à fond le « pourquoi » des détails d'architecture ou d'ornementation qui les composent ; nous savons seulement que tous ces détails avaient un sens. Pas une seule de ces figures qui prient, qui grimacent ou qui gesticulent n'a été placée là gratuitement : toutes ont leur signification et constituent un symbole, un signe. On a découvert récemment le symbolisme des pyramides d'Egypte, dans lesquelles — sans même tenir compte des exagérations de certains occultistes, — on doit voir le témoignage d'une science très profonde, de véritables monuments de géométrie, de mathématiques et d'astronomie ; il nous reste à découvrir le symbolisme des cathédrales, de ces églises familières qui sont un appel à la prière, au recueillement, à la plus merveilleuse, peut-être, des sensations humaines, qui est l'étonnement. Nous n'en avons pas complètement percé le secret, tant s'en faut. Ces vitraux dans lesquels de simples paysans lisaient comme en un livre, nos savants n'ont pu encore en trouver la complète interprétation ; ces visages qu'autrefois un enfant aurait pu nommer, nous ne pouvons pas toujours les identifier. Nous savons que nos cathédrales étaient orientées, que leur transept reproduit les deux bras de la Croix, mais une foule de notions nous manquent encore pour en pénétrer le mystère. Leur construction participe de la science des nombres : ces nombres qui sont l'harmonie du monde, et que la liturgie catholique a consacrés. Le 3 est le chiffre de la Trinité, chiffre divin par excellence, qui ramène tout à l'unité, et celui des trois vertus théologales. Le 4 est le chiffre de la matière, celui des quatre éléments, des quatre tempéraments humains, des quatre évangélistes, traducteurs de la parole de Dieu, et des quatre vertus cardinales, celles que doit pratiquer l'homme dans la conduite de sa vie terrestre. 7, qui réunit le divin et l'humain, est le chiffre du Christ, et après lui le chiffre de l'homme racheté : les quatre tempéraments physiques unis aux trois facultés mentales : intellect, sensibilité, instinct ; cependant qu'une autre combinaison de 3 et de 4 donne 12, le chiffre de l'univers, des douze mois de l'année, des douze signes du zodiaque, symbole du cycle universel. Notre système métrique n'a pas tenu compte de ces « nombres-clefs », mais on doit remarquer que sa numération, un peu abstraite et rudimentaire, n'a pu s'adapter, par exemple, aux phases solaires et lunaires, et demeure remplacée, dans presque toutes nos campagnes, par des mesures à la fois plus simples et plus savantes. Tout cela laisse deviner une science occulte plus profonde qu'on ne l'avait soupçonné jusqu'à présent, et l'iconographie, qui, sous sa forme scientifique, en est à ses débuts, pourra ouvrir d'ici peu des perspectives encore ignorées.

On doit se contenter, pour l'instant, d'admirer la façon dont les artistes du Moyen Age ont su faire de leur maison de prières comme le résumé et l'apogée de leur vie et de leurs préoccupations. Elles étaient non seulement le témoignage visible de leur foi, de la science sacrée et profane, de la liturgie, mais encore le reflet de leurs occupations quotidiennes : à côté d'un magistral « Jugement dernier », vivant raccourci de la majesté divine, et des fins dernières de l'homme, on voit des paysans lier des gerbes, se chauffer au coin du feu, tuer le porc. Et l'on y trouve aussi le témoignage de ce robuste sens de la beauté que possédaient nos ancêtres, de leur amour de la vie, de leur âme sereine, amoureuse du travail bien fait, de leur imagination vagabonde, inventant toujours des formes nouvelles (sait-on qu'on ne verra jamais côte à côte deux rinceaux identiques, dans l'ornementation médiévale ?) — de leur verve joyeuse, qu'ils ne peuvent réfréner, même à l'église, — certains visages de vitraux sont de pures caricatures, et certaines statues de gaillardes plaisanteries.

Comment ne pas s'étonner, aussi, de cette frénésie de

bâtir à laquelle on assiste aux XIIe et XIIIe siècles, et qui se ralentit à peine aux deux siècles suivants : ces énormes masses de pierre transportées de leur carrière au lieu de l'édifice, ce monde de sculpteurs, tailleurs de pierre, charpentiers, peintres, manœuvres et tâcherons, et, de plus en plus, l'activité effarante des ateliers où l'on traitait le verre. Une cathédrale comme celle de Chartres ne comporte pas moins de cent quarante-quatre fenêtres hautes : toute émotion artistique mise à part, que l'on se représente le travail gigantesque que suppose cette immense surface de verre, ou plutôt de parcelles de verre rassemblées ; travail des dessinateurs, des fondeurs de plomb, des tailleurs de verre, de cette foule d'artistes anonymes dont les efforts conjugués ont abouti à une débauche de couleurs rayonnant à l'intérieur de l'édifice, et que rehaussaient encore les jeux d'ombre et de lumière sur les arêtes d'ogive à facettes, les gorges des chapiteaux profondément creusées, les tores cylindriques ou diamantés, les colonnes où de savantes alternances ménagent une variété ininterrompue de clairs et d'obscurs. Contrairement à ce que l'on croit, pareils chefs-d'œuvre se bâtissaient vite, et l'on n'hésitait pas à démolir pour faire mieux. Maurice de Sully, pour reconstruire Notre-Dame, détruit l'église bâtie soixante-dix ans seulement auparavant ; à Laon, l'évêque Gautier de Mortagne édifie vers 1140 une église gothique, à la place de l'église romane qui ne datait pourtant que de 1114.

Et ce qui est non moins admirable, c'est la continuité, l'unité, pourrait-on dire, de cet immense effort des bâtisseurs. Les générations qui se succèdent forment un tout ; traditions et secrets de métiers se transmettent sans heurts, et l'on ne craint pas, au fur et à mesure de la construction, ou des reconstructions partielles, d'user de tous les perfectionnements de la technique : des arcs-boutants du XIVe siècle viennent épauler une nef du XIIIe, et l'ensemble reste harmonieux

— alors qu'il serait impossible, par exemple, de concevoir une fenêtre à la Le Corbusier percée dans un édifice de style 1900 — et cependant, moins de trente années les séparent l'une de l'autre, alors qu'au château de Vincennes on peut voir côte à côte deux fenêtres ouvrées à cent années de distance, et qui semblent faites pour voisiner, bien que totalement différentes comme art et comme architecture. Voilà pourquoi certaines restaurations trop consciencieuses n'ont fait que défigurer les monuments qui en ont été victimes, parce que l'on s'est appliqué à tout refaire dans une même ordonnance, en s'embarrassant de règles et de canons qui n'ont jamais existé dans la mentalité des bâtisseurs, et, là où ils atteignaient sans effort l'harmonie, on n'a pu produire que l'uniformité. Les évolutions de l'art médiéval s'expliquent presque toujours par un perfectionnement dans la technique, comme les détails d'ornementation par les besoins de l'architecture : on n'aurait pas sculpté de gargouilles si elles n'avaient servi de gouttières pour cracher l'eau, de même, si la rosace de style gothique, aux cassures nettes, a vu ses courbes s'adoucir et prendre la forme caractéristique du style flamboyant, c'est pour faciliter l'écoulement des eaux de pluie, qui, en gelant dans l'angle où elles séjournaient, faisaient souvent éclater la pierre. Il y a ainsi, à travers l'art médiéval, un élément d'harmonie qu'un exemple illustre avec une étonnante justesse : tout au début de l'art gothique, le bouton de fleur est un motif courant d'ornementation ; c'est alors la période des ogives nettes, des petites rosaces ; puis le bouton semble s'ouvrir, germer ; et c'est l'époque des arcs lancéolés, des grandes roses épanouies ; enfin, au XVe siècle, le bouton est devenu fleur, et tandis que la sculpture s'exaspère en formes plus qu'humaines, tordues et douloureuses, les cintres s'ouvrent, les courbes s'adoucissent, l'arc flamboyant termine l'évolution.

On pourrait écrire de longues pages sur la musique médiévale, que de récentes initiatives remettent en honneur, avec autant de science que de goût. Quel témoignage plus éloquent invoquer que celui de Mozart disant : « Je donnerais toute mon œuvre pour avoir écrit la *Préface* de la messe grégorienne. »

LES SCIENCES

La science médiévale se présente pour nous sous des dehors déconcertants, — si déconcertants même que l'on a garde de la prendre au sérieux. C'est que, au contraire de nos sciences exactes, elle n'est pas l'apanage du seul intellect ; son domaine reste lié à celui de l'imagination et de la poésie. Il en avait d'ailleurs été ainsi de toute antiquité. La forme première de l'Histoire, c'est la légende, et, jusqu'à l'époque moderne, il n'y eut guère de découverte scientifique qui ne passât, d'une façon ou d'une autre, dans la tradition populaire, sous forme de poème, de rite religieux, de secret de métier. Nous avons encore des exemples de cet écran poétique recouvrant des notions scientifiques réelles : c'est ainsi que certains peuples d'Afrique connaissent, nous dit-on, l'immunisation contre la variole, et la pratiquent au cours d'une cérémonie qui revêt l'aspect d'une initiation ; ce que nous appelons « vacciner », ils l'appellent « chasser l'esprit malin », ou autre chose de ce genre, — mais l'opération reste la même.

La science médiévale conserve ce caractère folklorique, et cela explique en elle bien des contradictions. Lors de l'Exposition des plus Beaux Manuscrits Français, qui eut lieu en 1937 à la Bibliothèque Nationale, un bestiaire du XIIIe siècle[1] montrait côte à côte, sur deux feuillets se faisant face, deux miniatures représentant, l'une un éléphant exactement reproduit, correct dans le dessin et les proportions, l'autre un dragon toutes ailes déployées : Image frappante de la science de la nature au Moyen Age. Ce n'est pas de l'ignorance, c'est que, tout simplement, imagination et observation sont mises sur le même plan. On s'est longtemps scandalisé du tissu d' « absurdités » qu'offre un ouvrage tel que l'*Imago mundi* d'Honorius d'Autun : les Scinopodes qui n'ont qu'une jambe, les Blemyes dont la bouche s'ouvre au milieu du ventre. Reste à savoir si l'auteur y croyait beaucoup plus que nous, ou si, considérant la nature comme un vaste réservoir de merveilles, il n'a pas volontairement lâché la bride à son imagination, convaincu de demeurer encore au-dessous de la vérité ? Lorsqu'on songe à la surabondance d'étrangetés que renferme l'univers, un titre comme celui d'*Image du Monde* n'autorise-t-il pas toutes les fantaisies ? Nous savons maintenant qu'il existe des pygmées, des négresses à plateaux, des femmes-girafes dont le cou possède une vertèbre supplémentaire. Tout cela n'est-il pas plus extraordinaire que les « hommes aux grandes oreilles » sculptés au tympan du portail de Vézelay ? Nous savons qu'il existe des oiseaux-mouches, des papillons phosphorescents, des fleurs carnivores, sans parler de ces êtres invraisemblables, araignées géantes, pieuvres fantastiques, que renferment la flore et la faune sous-marines. Quel inconvénient y avait-il à inventer la licorne ou le dragon ?

Il faut de plus compter avec cette aptitude bien médiévale à chercher le sens caché des choses, à voir dans la nature des « forêts de symboles ». Pour nos ancêtres,

1. Ms. Latin 3638, fol. 80-81.

l'histoire naturelle proprement dite ne présentait qu'un intérêt très secondaire : toute manifestation d'une vérité spirituelle les captivait au contraire au plus haut point ; aussi bien leur vision du monde extérieur n'est-elle souvent qu'un simple support pour étayer des leçons morales : tels sont ces *bestiaires*, où, décrivant des animaux — les plus familiers comme les plus fantastiques, — les auteurs voient dans leurs mœurs réelles ou supposées l'image d'une réalité supérieure. La licorne que seule une vierge peut enchaîner représente pour eux le Fils de Dieu s'incarnant dans le sein de la Vierge Marie ; le coq chante pour annoncer les heures ; l'onocentaure, moitié homme et moitié âne, c'est l'homme entraîné par ses mauvais instincts ; le nycticorax, qui se nourrit d'ordures et de ténèbres, et ne vole qu'à l'envers, c'est le peuple juif en tant qu'il se détourne de l'Église et demeure frappé de malédiction ; le phénix, oiseau unique et de couleur pourpre, qui meurt sur un bûcher, et au troisième jour ressuscite de ses cendres, c'est le Christ vainqueur de la mort. L'ensemble, d'une sombre poésie, donne très exactement la mesure de ce que l'homme du Moyen Age aime à retrouver dans la nature : non pas un système de lois et de principes dont la classification l'eût probablement ennuyé, à supposer qu'il l'eût connue, mais un monde frémissant de beauté, de surabondance et de vie secrète — pas tellement différent, somme toute, de celui que nos instruments de laboratoire décèlent aujourd'hui. A tort ou à raison, il plaçait sur le même plan la vérité historique et la vérité morale, — préférant au besoin celle-ci à celle-là. Prenez par exemple la légende, si populaire au Moyen Age, de saint Georges terrassant le dragon : la question de savoir ce qu'avait pu être au juste ce dragon monstrueux, et quel degré d'authenticité on devait lui accorder, n'effleure même pas les esprits ; ce qui importe c'est la leçon de courage que cette lutte légendaire doit inspirer au chevalier chrétien. Par un processus analogue, les sermonnaires de l'époque attribuent force détails miraculeux aux saints qu'ils prêchent, et empruntent indifféremment à l'un ou à l'autre tel ou tel miracle : saint Denis décapité portant sa tête sous son bras aurait eu, à les croire, nombre d' « imitateurs ». Mais ni le public ni le prédicateur n'étaient dupes, et ce serait une grande naïveté que de les prendre à la lettre : l'essentiel pour eux n'était pas l'exactitude du détail, mais la vérité de l'ensemble, et de la leçon qui s'en dégageait.

Est-ce à dire que le Moyen Age n'eut pas de curiosité scientifique ? Un simple catalogue des manuscrits contenus dans nos grandes bibliothèques suffirait à répondre à la question : l'inventaire complet des traités de médecine, de mathématiques, d'astronomie, d'alchimie, d'architecture, de géométrie et autres, n'a pas encore été dressé, et leurs textes demeurent pour la plupart inédits. Les efforts tentés dans ce sens ont été jusqu'ici fragmentaires et ne permettent pas d'avoir une vue d'ensemble de la science médiévale. Mais ce que l'on sait de précis permet de constater qu'elle fut beaucoup plus étendue qu'on ne l'avait supposé, et s'apparentait sur bien des points à la nôtre. Un Roger Bacon, en plein XIIIe siècle, connaissait la poudre à canon, l'usage des lentilles convexes et concaves. Albert le Grand avait fait sur l'acoustique et les tuyaux sonores des recherches qui l'avaient conduit à construire un automate parlant — huit cents ans avant Edison. Arnaud de Villeneuve, qui enseigne à Montpellier, découvre l'alcool, l'acide sulfurique, l'acide chlorhydrique, l'acide azotique. Raimond Lulle a pressenti la chimie organique et la fonction des sels minéraux dans les êtres organisés. Par l'intermédiaire des Arabes, le Moyen Age a bénéficié de la science des Perses, des Grecs, des Juifs, et a pu en réaliser la synthèse, s'assimilant les connaissances astronomiques des Syro-Chaldéens, et la médecine hébraïque. Oxford où enseignait Robert Grossetête, le maître de Roger Bacon, était pour les étudiants en mathématiques ce qu'était Montpellier pour les étudiants en médecine, et de grands personnages, comme le roi d'Espagne Alphonse X, l'empereur Frédéric II, ou Roger, le roi normand de Sicile, entretenaient, à l'exemple de Charlemagne, une cour de savants : géographes, physiciens, alchimistes — tout comme ils avaient leurs philosophes et leurs poètes.

Chose curieuse, les recherches qui passionnèrent le Moyen Age, et qui n'ont suscité que sourires dédaigneux tant que les sciences modernes n'eurent pas dépassé la ligne tracée par les Encyclopédistes et leurs continuateurs du XIXe siècle, sont de celles que les plus récentes découvertes remettent en honneur. Qu'était-ce au juste que la pierre philosophale, que Nicolas Flamel affirmait avoir réalisée ? On la définit : une matière subtile « que l'on trouve partout », un « Soleil rougeoyant », un « corps subsistant par soi, différent de tous les éléments et corps simples ». D'après Raimond Lulle, il s'agit d'une « huile occulte, pénétrable, bienfaisante et miscible à tous les corps, dont elle augmentera l'effet outre mesure, d'une manière plus secrète qu'aucune au monde ». Transposez ces données dans le langage scientifique moderne, et vous aurez défini la radio-activité. Les savants du Moyen Age entrevoyaient grâce à leur intuition ce que les nôtres réalisent grâce à leur méthode. Quant à la transmutation des corps qui fut le plus grand rêve des alchimistes, n'est-elle pas entrée dans les faits, à l'heure actuelle ? Avicenne parle d'un « élixir qui, projeté sur un corps, change la matière de sa nature propre en une autre matière » ; — dans les laboratoires, on arrive, par « bombardements » d'électrons, à faire, par exemple, du phosphore avec de l'aluminium, et rien ne s'oppose à ce que l'on puisse, par opérations atomiques, changer du plomb vil en or pur. Les machines exposées au Palais de la Découverte, lors de l'Exposition de 1937, rendent justice au génie des chercheurs du XIIIe siècle. D'une manière obscure, certes, et entachée d'erreurs qui eussent rendu impossible l'application pratique de leurs trouvailles, ils avaient cependant atteint un degré de science très supérieur à celui des époques qui ont suivi. Le savant du XIXe siècle, imbu des sciences physiques et naturelles, et des découvertes de la chimie, a haussé les épaules devant la croyance médiévale en l'unité de la matière ; celui du XXe, grâce aux découvertes de la biologie et de l'électro-chimie, rétablit cette même croyance, en reconnaissant que tout atome se compose uniformément d'un proton autour duquel gravitent les électrons.

De même, nous nous intéressons de nouveau à l'occultisme et à l'astrologie. S'il ne s'agit pas là de sciences exactes à proprement parler, il semble de plus en plus que l'on doive leur attribuer une certaine valeur, — valeur humaine, sinon scientifique. Personne ne conteste l'influence de la lune sur le mouvement des marées, et les paysans savent que l'on ne doit mettre le cidre en bouteilles ou tailler la vigne qu'à des époques déterminées par les phases lunaires. Est-il tout à fait impossible que d'autres influences, plus subtiles, soient exercées par les astres ? Parce qu'un certain charlatanisme peut aisément exploiter ces questions, tout en elles doit-il nécessairement être affaire de charlatans ? Notre XXe siècle, siècle de recherches occultes, donnera peut-être raison, sur ce point comme sur tant d'autres, aux savants du Moyen Age.

Dans un autre domaine, celui de l'exploration et des connaissances géographiques, l'activité n'a pas été moindre. Faire remonter l'époque des grands voyages à la Renaissance, c'est plus qu'une injustice : une erreur.

La découverte de l'Amérique a fait oublier que la curiosité des géographes et explorateurs du Moyen Age n'avait pas été moindre, en direction de l'Orient, que celle de leurs successeurs, en direction de l'Occident. Dès le début du XIIe siècle, Benjamin de Tulède était allé jusqu'aux Indes ; quelque cent ans plus tard, Odéric de Pordenone atteignait le Tibet. Les voyages de Marco Polo, ceux, moins connus, de Jean du Plan-Carpin, de Guillaume de Rubruquis, d'André de Longjumeau, de Jean de Béthencourt, suffisent à donner idée de l'activité déployée à cette époque pour la découverte de la Terre. L'Asie et l'Afrique étaient alors infiniment mieux connues qu'elles ne le furent par la suite. Saint Louis établit des relations avec le Khan des Mongols, comme avec le Vieux de la Montagne, le terrible maître de de la secte des Assassins. Dès la date de 1329, un évêché était érigé à Colombo, au sud de l'Inde, qui reçut pour titulaire le dominicain Jourdain Cathala de Séverac. Les Croisades avaient été l'occasion pour le monde occidental de prendre et de garder contact avec le Proche Orient, mais en réalité, les rapports n'avaient jamais complètement cessé, entretenus qu'ils étaient par les pèlerins et les marchands. En direction de l'Afrique, les explorations s'étendirent jusqu'en Abyssinie et aux bords du Niger, qu'avait atteint au début du XVe siècle un bourgeois de Toulouse, Anselme Ysalguier. Est-on d'ailleurs sûr que l'Amérique n'ait pas été, sinon « découverte », du moins visitée, dès cette époque ? Il est un fait certain, c'est que les Vikings avaient traversé l'Atlantique Nord et établi des relations régulières avec le Groenland. Des Islandais s'y installèrent ; un évêché y fut institué, et, en 1327, les Groenlandais répondaient à l'appel à la Croisade du Pape Jean XXII, en lui adressant, pour participer aux frais, une cargaison de peaux de phoques et de dents de morses. Il n'est pas impossible qu'ils aient dès lors exploré une partie du Canada et remonté le Saint-Laurent, où Jacques Cartier devait découvrir avec stupeur, quelques siècles plus tard, que les Indiens faisaient le signe de la croix et déclaraient que leurs ancêtres le leur avaient enseigné.

Tout cela n'a d'ailleurs rien d'étonnant si l'on considère que le Moyen Age se trouvait, par l'intermédiaire des Arabes, en relations au moins indirectes avec l'Inde et la Chine, et bénéficiait aussi de leurs connaissances astronomiques et géographiques. Un planisphère datant de 1413, dressé par Mecia de Viladestes, et conservé à la Bibliothèque Nationale, donne la nomenclature et l'emplacement exact des routes et des oasis sahariennes, dans toute l'étendue du désert, et jusqu'à Tombouctou. Cet immense espace qui par la suite, et jusqu'au milieu du XIXe siècle, devait demeurer en blanc sur nos cartes, un voyageur pouvait au Moyen Age y préparer avec précision son itinéraire, et, de l'Atlas au Niger, savoir quelles seraient les étapes de sa route. Les désastres de la guerre de Cent Ans, le Schisme d'Orient, et, plus tard, la rupture avec l'Islam et les invasions turques, autant de causes qui agirent directement sur les relations de l'Europe avec l'Orient, et, par contre-coup, sur les sciences géographiques. Il faut ajouter que, contrairement à ce que l'on croit, les savants de la Renaissance manifestent un esprit rétrograde par rapport à leurs devanciers, en ramenant la base de leurs études aux œuvres de l'antiquité[1]. Aristote et Ptolémée avaient été largement dépassés dans ce domaine, et se priver des leçons de l'expérience pour en revenir à leurs théories, c'était se priver de tout un ensemble d'acquisitions que l'époque moderne a peu à peu reconquises, rendant justice, sur ce point encore, à la science médiévale.

1. Cf. à ce sujet l'article, très pertinent et très documenté, du R. P. LECLER, intitulé *La Géographie des humanistes*, dans le premier numéro de la revue *Construire* (1940).

LA VIE QUOTIDIENNE

Au début du Moyen Age, comme l'on recherche avant tout la sécurité, la vie se trouve tout entière concentrée dans le domaine, ou peu s'en faut : régime d'autarchie féodale, ou plutôt familiale, durant lequel chaque *mesnie* tâche de se suffire à elle-même. La disposition des villages trahit ce besoin de se grouper pour se défendre ; ils sont accrochés aux pentes du manoir seigneurial où les serfs iront se réfugier en cas d'alerte ; les maisons sont ramassées, entassées, utilisent le moindre pouce de terrain, et ne dépassent pas les escarpements de la hauteur sur laquelle s'élève le donjon. Pareille disposition est encore très visible dans des châteaux comme celui de Roquebrune, près de Nice, qui date du XIe siècle. Mais, sitôt passée l'époque des invasions, les demeures des paysans s'égaillent dans la campagne, et la ville se détache du château. Si la cité primitive n'a que des ruelles étroites, ce n'est pas par goût, mais par nécessité, parce qu'il fallait que la population tînt bon gré mal gré dans l'enceinte des remparts ; il n'en est pas de même dans les faubourgs qui se multiplient dès la fin du XIe siècle. De même, si les ruelles sont tortueuses, c'est parce qu'elles suivent le tracé des remparts, déterminé par la configuration naturelle de l'endroit. Mais il ne faudrait pas croire que l'alignement des maisons fût laissé à la seule fantaisie des habitants ; la plupart des cités anciennes sont construites suivant un plan très visible. A Marseille, par exemple, les voies principales, comme la rue Saint-Laurent, sont strictement parallèles à la rive du port, sur laquelle débouchent les petites rues transversales. Lorsque ces rues sont très étroites, on peut être certain que c'est pour une raison précise : pour se défendre du vent, ou du soleil dans le Midi ; c'est une disposition très judicieuse : on s'en est aperçu à Marseille, lorsque les adeptes du baron Haussmann ont percé cette fâcheuse rue de la République, vaste couloir glacial qui défigure l'ancienne butte des Moulins.

En Languedoc, pour s'abriter du terrible *cers*, on a souvent utilisé le plan central, comme dans la petite ville de Bram où les rues tournent en cercles concentriques autour de l'église. Mais, toutes les fois qu'ils le peuvent, et qu'ils ne sont pas gênés par le climat ou les conditions extérieures, les architectes préfèrent un plan rectangulaire semblable à celui des cités les plus modernes, celles d'Amérique ou d'Australie : de grandes artères se coupant à angle droit, avec un emplacement ménagé à l'intérieur du rectangle pour la place publique sur laquelle s'élèvent l'église, le marché, et, s'il y a lieu, l'Hôtel de ville, — et de rues secondaires doublant les premières. C'est ainsi que furent comprises la plupart des villes neuves ; celle de Monpazier, en Dordogne, est très caractéristique à ce sujet, avec ses rues tirées au cordeau, découpant des « pâtés » de maisons d'une absolue régularité ; des villes comme Aigues-Mortes, Arcis-sur-Aube, Gimont dans le Gers, présentent la même symétrie de dessin.

Ce décor de la rue est très important pour l'homme du Moyen Age, car il vit beaucoup dehors. C'est même une constatation assez curieuse à faire : jusqu'alors, et suivant l'usage courant dans l'Antiquité, les maisons prenaient jour par l'intérieur et ne présentaient au dehors que peu ou pas d'ouvertures. Au Moyen Age, elles s'ouvrent sur la rue : c'est l'indice d'une véritable révolution dans les mœurs. La rue devient un élément de la vie quotidienne, — comme l'avaient été, par le passé, l'agora — ou le gynécée. On aime à sortir. Tous les boutiquiers ont un auvent qu'ils déploient chaque matin, et tiennent étalage en plein air. L'éclairage a été, jusqu'au siècle de l'électricité, l'une des grandes difficultés de l'existence, et le Moyen Age, amoureux de la lumière, résolvait la question en profitant le plus possible de celle du jour. Un drapier qui entraînait ses clients dans l'arrière-boutique était mal noté : s'il n'y avait pas eu quelque malfaçon dans ses tissus, il n'aurait pas craint de les exposer en pleine rue, comme le faisaient tous les autres ; ce que le client veut, c'est pouvoir s'accouder sous l'auvent et examiner à loisir, en plein jour, les pièces entre lesquelles il fera son choix, avec les conseils de son tailleur qui le plus souvent l'accompagne pour cela. Le cordonnier, le barbier, le tisserand même travaillent dans la rue ou tournés vers elle ; le changeur installe ses tables sur des tréteaux, à l'extérieur, et tout ce que peut faire l'autorité municipale, pour éviter l'encombrement, c'est de limiter à échelle fixe la dimension de ces tables.

Aussi les rues sont-elles extraordinairement animées. Chaque quartier possède sa physionomie différente, puisque les corps de métier sont groupés en général, — ce que rappellent les noms des rues : à Paris, la rue de la Coutellerie, le quai des Orfèvres, celui de la Mégisserie où se tenaient les tanneurs, la rue des Tonneliers indiquent assez quels corps de métiers y étaient groupés. Les libraires sont presque tous rassemblés rue Saint-Jacques; le quartier Saint-Honoré est celui des bouchers. Mais tous sont très vivants parce que les boutiques, à la fois ateliers et magasins de vente, débordent sur la rue ; cela tient à la fois des souks tunisiens et du Ponte-Vecchio de Florence ; dans le Paris actuel, il n'y a guère que les quais de la rive gauche, avec les boîtes des bouquinistes et leur public de flâneurs et d'habitués, qui puissent en donner idée. Mais il faudrait y ajouter le « fond sonore », très différent au Moyen Age de ce qu'il est de nos jours : la scie des charpentiers, le marteau des forgerons, les appels des mariniers qui halent le long du fleuve les barques chargées de vivres, les cris des marchands, — au lieu des cornes de taxis et du grondement des autobus. Car tout se « crie », au Moyen Age : les nouvelles du jour, les décisions de police ou de justice, les levées d'impôts, les ventes aux enchères qui ont lieu en plein air, sur la place publique, — et aussi, plus couramment, les marchandises à vendre ; la publicité, au lieu de s'étaler sur les murs en affiches bariolées, est « parlée » comme de nos jours à la Radio ; les autorités locales doivent même souvent réprimer les abus, et empêcher les boutiquiers de « donner de la voix » sur un mode exagéré. Le type le plus populaire, dans ce genre, c'est le crieur des tavernes. Tout hôtelier fait crier son vin par un personnage au gosier puissant qui se tient devant une table et préside à la dégustation ; les passants alléchés se font verser une rasade, et, pour ceux qui n'ont pas le temps d'entrer dans la taverne, cela tient lieu du « zinc » des cafés parisiens. Dans le *Jeu de saint Nicolas*, ce crieur joue un grand rôle :

Céans fait bon dîner, céans
Ci a chaud pain et chaud hareng
Et vin d'Auxerre à plein tonnel

Au courrier du roi, qui s'arrête un instant, il sert un verre en disant :

Tiens, ci te montera au chef [*à la tête*]
Bois bien, le meilleur est au fond !

Il faut se représenter cela dans ces rues médiévales dont les anciens quartiers de Rouen et de Lisieux donnent encore idée, avec des maisons aux poutres apparentes et aux soubassements sculptés, auxquelles s'accrochaient autrefois des enseignes en fer forgé, et d'où surgissait soudain la puissante arcature d'un portail d'église dont en levant la tête on apercevait la flèche pointant comme un mât au milieu des toits — car à cette époque, loin d'être isolées, écrasées par les grands espaces vides que l'on a pris l'habitude de ménager à l'entour, les églises font corps avec les habitations qui s'entassent auprès d'elles et semblent vouloir se loger jusque sous leur clocher ; cela se remarque encore derrière Saint-Germain-des-Prés. Ainsi, la disposition extérieure même traduit la familiarité dans laquelle vivent alors le peuple et son église. Nos cathédrales gothiques, très différentes en cela des temples de l'Antiquité, sont d'ailleurs conçues pour être vues de cette façon, en perspective verticale ; c'est ainsi qu'elles acquièrent leur vraie valeur ; lors de la reconstruction de la cathédrale de Reims, on s'est étonné de trouver, parmi ces joyaux de notre sculpture médiévale, des statues aux traits déformés, d'une laideur stupéfiante ; mais il a suffi de les replacer dans leurs niches, presque au faîte de la construction, pour comprendre : elles avaient été sculptées de façon telle que pour le spectateur qui les regardait d'en bas, les traits exagérés à dessein conservaient toute leur expression en prenant une beauté singulière ; c'était le fruit d'un calcul de géomètre autant que d'un procédé d'artiste. Des ensembles comme Salers en Auvergne, Peille près de Nice, avec ses multitudes d'arcades : portes cochères, fenêtres en enfilade aux étages des maisons, ponts couverts jetés au-dessus de la rue, reliant l'une à l'autre deux « îles », c'est-à-dire deux groupes d'habitations, — permettent aussi de reconstituer assez fidèlement l'aspect d'une ville médiévale.

On peut se demander, devant ces témoins irrécusables, ce qui a pu suggérer à un Luchaire l'opinion étrange que les maisons médiévales n'étaient que « des bouges suintants, et les rues des cloaques »[1] ; il est vrai qu'il ne cite ni document ni monument d'aucune sorte à l'appui de son affirmation ; on conçoit assez mal pourquoi, s'ils avaient l'habitude de vivre dans des bouges, nos ancêtres mirent tant de soin à les orner de fenêtres à meneaux, d'arcatures ajourées reposant sur de fines colonnettes sculptées, qui souvent reproduisent l'ornementation des chapelles voisines, comme on peut le voir encore à Cluny en Bourgogne, à Blesle en Auvergne, dans le petit bourg gascon de Saint-Antonin — pour ne citer que des maisons datant de l'époque romane, c'est-à-dire du XIe ou des premières années du XIIe siècle.

Quant aux rues, loin d'être des « cloaques », elles sont pavées d'assez bonne heure : Paris le fut dès les premières années du règne de Philippe-Auguste ; par un procédé semblable à celui de l'antiquité, on plaçait les pavés sur un lit de ciment mêlé de tuiles broyées ; Troyes, Amiens, Douai, Dijon ont été de même pavées à des époques variables, comme presque toutes les villes de France. Et ces villes possédaient aussi des égouts, couverts le plus souvent ; à Paris, on en a retrouvé sous l'emplacement du Louvre et de l'ancien hôtel de la Trémoille, datant du XIIIe siècle, et l'on sait que l'Université et les faubourgs de la Cité avaient deux cents ans plus tard un réseau comprenant quatre égouts et un collecteur ; à Riom, à Dijon et dans bien d'autres villes, on a pu constater de même la présence d'égouts voûtés, attestant le souci de la salubrité publique. Là où le « tout à l'égout » n'existait pas, on avait créé des dépotoirs publics d'où les immondices étaient déversés

1. *La Société française au temps de Philippe-Auguste*, p. 6.

dans les fleuves, — comme cela se fait encore de nos jours — ou brûlés. Nombre de prescriptions du « ban » ont trait à la propreté des rues, et les agents de police d'alors, les « banniers », avaient pour mission de les faire respecter. C'est ainsi que les Statuts municipaux de Marseille ordonnent à chaque propriétaire de balayer le devant de sa maison, et de faire en sorte que les immondices ne puissent en cas de pluie être entraînés par les eaux vers le port, sur les rues en pente ; on avait d'ailleurs construit au débouché des rues qui donnaient sur la rive des espèces de palissades destinées à protéger les eaux de ce port, que la municipalité entendait conserver très propre ; on ne consacrait pas moins de quatre cents livres par an à son entretien, et, pour les nettoyages qui avaient lieu périodiquement, on avait imaginé un engin composé d'une barque à laquelle était fixée une roue à godets, qui tour à tour venaient râcler le fond, et déposaient la vase dans la barque, que l'on allait ensuite vider au large. Des règlements particuliers veillent à la protection des endroits que l'intérêt public commande de garantir plus spécialement contre la malpropreté : la Boucherie, la Poissonnerie qui doit être lavée à grande eau tous les jours, la Tannerie dont les eaux nauséabondes doivent être déversées dans un conduit creusé tout exprès.

De tout cela il résulte que l'on avait souci de la salubrité publique, au Moyen Age comme aujourd'hui. Le plus grand inconvénient qui pouvait s'y opposer venait des animaux domestiques, plus nombreux alors que de nos jours : il n'était pas rare de voir un troupeau de chèvres ou de moutons ou même de bœufs se frayer un passage au milieu des étalages, provoquant désordre et bousculades ; aussi leur fut-il fixé une limite à ne pas franchir au périmètre de la cité ; cela se voit d'ailleurs encore dans quelques villes, et, à Londres, des troupeaux de moutons traversent quotidiennement l'une des places les plus mouvementées pour aller paître dans les parcs. Il y avait surtout les pourceaux — chaque maisonnée en élevait alors suffisamment pour pouvoir fournir la consommation familiale — qui circulaient sur la chaussée en dépit des défenses répétées ; mais ce n'était que demi-mal, car ils dévoraient tous les déchets comestibles et contribuaient par conséquent à supprimer une cause de malpropreté.

Dans cette cité bruyante, où grouille une population sans cesse affairée, la voix des cloches scande les heures, et cela aussi fait partie du « fond sonore » : l'*angelus*, le matin, à midi et le soir, marque les heures de travail et de repos, jouant le rôle des modernes sirènes d'usine. La cloche annonce les jours de fête, c'est-à-dire de congés, appelle au secours en cas d'alarme, convoque le peuple en assemblée générale, ou les échevins en conseil restreint ; tocsin d'incendie, glas pour les deuils, carillons de fêtes, — tout le jour on peut suivre à sa voix la vie de la cité, jusqu'à ce qu'au soir elle sonne le couvre-feu ; alors s'éteignent les quinquets des boutiques, les feux clairs des rôtissoires ; on rabat les auvents, on ferme les portes cochères ; si quelque surprise est redoutée, on clôt de même la cité en fermant ses portes, en relevant les ponts-levis et en abaissant les herses ; parfois on se contente de tendre des chaînes en travers des rues, ce qui a également l'avantage, dans les quartiers malfamés, de couper leur fuite aux malandrins ; seuls restent éclairés les lumignons qui, nuit et jour, clignotent devant les « montjoies » — les statuettes de la Vierge et des saints abritées dans des niches au coin des maisons, et devant les Christ au carrefour des rues, — tandis qu'au dehors de la ville, dans les ports, rayonnent les phares qui marquent l'entrée de la rade, et les principaux récifs.

Les voyageurs attardés n'ont le droit de circuler que munis d'un flambeau ; on tolère, dans les cités maritimes, les allées et venues de ceux qui sont près de s'embarquer ; dans les temps d'alarme, ou si un sinistre quelconque se déclare : incendie, avarie grave à un navire, péril de naufrage, les autorités font placer des flambeaux au coin des rues, pour permettre des secours rapides et prévenir les accidents.

Toute la mesnie est alors retirée à l'abri des murs de sa maison — ces murs que l'on a pris la précaution de construire bien épais, remparts contre le froid, contre la chaleur, contre les bruits importuns : on sait à cette époque qu'il n'y a pas de confort sans murs épais qui vous protègent. Suivant les ressources de l'endroit, on les bâtit en briques, ou en pierre de taille si l'on est assez riche, mais le plus souvent on mélange bois et pisé, comme cela s'est fait un peu partout jusqu'à notre temps. On construit à plat, par terre, toute l'armature de la façade, en poutres savamment assemblées, et, à l'aide de treuils, de crics et de poulies, on la redresse d'un seul coup, pour garnir ensuite les interstices de briques ou du matériau usité dans la région. Les églises, qui nous sont restées, donnent en général la note de l'aspect des maisons : en Languedoc triomphe la brique rose qui donne leur éclat si particulier aux églises de Toulouse ou d'Albi ; en Auvergne, on construit en pierre, de cette sombre pierre de Volvic dont la cathédrale du Puy, celle de Clermont-Ferrand offrent d'imposants exemples. Dans les pays à terre argileuse, comme dans le Midi provençal, maisons et monuments sont couverts de tuiles qui ont pris sous le soleil cette couleur de miel si caractéristique dans des villages comme Riez ou Jouques; en Bourgogne, cette tuile est volontiers vernissée, et les toits miroitent de couleurs éclatantes — l'hospice de Beaune, Saint-Bénigne de Dijon nous en offrent un spécimen ; en Touraine, en Anjou, on se sert de l'ardoise extraite dans la région ; et lorsque les églises, au lieu d'être voûtées, sont seulement charpentées, comme cela arrive fréquemment dans le Nord et autour du Bassin Parisien, c'est que les forêts, plus nombreuses que les carrières, rendaient ce mode de couverture plus économique ; dans ces contrées-là, les demeures des particuliers étaient presque toujours couvertes de chaume, même en ville, et cela n'allait pas sans augmenter les risques d'incendie. Un peu partout les autorités municipales prescrivaient aux habitants des mesures de prudence pour éviter les sinistres : le couvre-feu n'avait pas d'autre raison. A Marseille, on recommande aux armateurs, lorsqu'ils font procéder à l'opération de la *brusque,* qui consiste à chauffer la carène du navire en construction pour l'enduire plus facilement de poix, de surveiller la flamme pour qu'elle ne dépasse une certaine hauteur, car, disent les Statuts de la cité, « il n'est pas toujours au pouvoir de l'homme de retenir les flammes qu'il a lui-même allumées ». Après un incendie qui, à Limoges, en 1244, détruisit vingt-deux maisons, on fit construire de vastes réservoirs d'eau où les bourgeois venaient puiser en cas d'alerte. Lorsqu'un incendie se déclarait, c'était un devoir pour tous d'accourir à l'appel du tocsin, en portant un seau d'eau ; tout le monde devait en déposer un autre devant sa maison, par précaution.

L'élément essentiel de la maison médiévale, surtout dans le Nord de la France, c'est la salle, — la salle commune où se réunit toute la famille aux heures des repas, et qui préside à tous les événements : baptêmes, mariages, veillée des morts ; c'est la pièce où l'on vit, où l'on se groupe, le soir, sous le manteau de la grande cheminée, pour se chauffer tout en racontant des histoires, avant d'aller se mettre au lit. Cela, aussi bien dans les demeures paysannes que dans les châteaux. Les autres pièces, chambres ou autres, ne sont qu'accessoires ; l'important, c'est la salle familiale, — celle que les Canadiens français appellent encore le *vivoir.* Lorsque le train de maison l'exige, la cuisine est séparée ; quelquefois même, dans les châteaux, elle occupe un bâtiment à part, sans doute pour limiter les risques d'incendie ; les vastes cuisines à mitre de l'abbaye de Fontevrault, celles du palais des ducs de Bourgogne à Dijon sont demeurées telles qu'elles étaient.

En dehors de cela, et sans parler des multiples salles de garde, salles d'apparat et autres, que peut comporter une demeure seigneuriale, la maison bourgeoise compte les ateliers de travail, s'il y a lieu, et les chambres. Pour entrer dans tous les détails, on ne manque pas de trouver, attenant à ces chambres, les réduits appelés *privés*, *longaignes* ou *retraits*, c'est-à-dire ce que nous avons pris l'habitude de désigner sous le nom de : W.-C.. Si étonnant que cela puisse paraître, aucune maison au Moyen Age ne manquait de ce dont le Palais de Versailles était dépourvu ; la délicatesse était même très poussée sur ce point, car il semblait peu raffiné de n'avoir pas ses *retraits* particuliers ; la règle veut que, tout au moins dans les maisons bourgeoises, chacun ait les siens et soit seul à en user ; les mœurs ne sont devenues grossières sur ce point qu'au XVIe siècle, qui d'ailleurs vit négliger presque toutes les pratiques d'hygiène que le Moyen Age connaissait. L'abbaye de Cluny, au XIe siècle, ne comptait pas moins de quarante latrines, et, ce qui paraîtra plus incroyable, quoique également vrai, les latrines publiques existaient au Moyen Age ; on en a la preuve pour des villes telles que Rouen, Amiens, Agen ; leur installation et leur entretien font l'objet de délibérations municipales, ou entrent dans les comptes de la cité. Chez les particuliers, les *retraits* étaient souvent placés au dernier étage de la maison ; un conduit, le long de l'escalier, correspond aux égouts ou aux dépotoirs, ou encore à des fosses assez semblables à celles qui sont usitées actuellement ; on utilisait même un procédé voisin de celui des fosses septiques les plus modernes, en se servant de cendres de bois qui ont la propriété de décomposer les déchets organiques ; on trouve ainsi la mention d'achats de cendres destinées aux latrines de l'hôpital de Nîmes, au XVe siècle ; au Palais d'Avignon, les conduits se déversaient dans un égout rejoignant la Sorgue. Et l'on sait que c'est en pénétrant par les fosses d'aisance — seul point que l'on n'avait pas songé à fortifier ! — que les soldats de Philippe-Auguste s'emparèrent de la forteresse de Château-Gaillard, orgueil de Richard Cœur de Lion.

Les pièces sont meublées avec plus de confort qu'on ne le croit en général ; le mobilier comprend les lits « bien parés et couverts de courte-pointes et de tapis, avec draps blancs et fourrures »[1], les tabourets, les chaises à hauts dossiers, et ces bahuts et coffres sculptés où l'on range les vêtements, et dont on voit encore de si beaux spécimens, notamment à l'hospice de Beaune. Les bois de cette époque sont très beaux ; préparés et cirés avec soin, ils n'absorbent pas la poussière, et offrent peu de prise aux insectes ; il y a encore les huches à pain, les crédences et vaisseliers ; quant aux tables, ce sont de simples planches que l'on monte sur des tréteaux au moment de servir, et que l'on range ensuite le long des murs, pour éviter l'encombrement. En revanche, on fait grand usage des tentures et tapisseries qui protègent du froid et étouffent les courants d'air ; celles qui nous restent — par exemple, l'admirable ensemble de la *Dame à la licorne* conservé au Musée de Cluny, — disent assez quel parti on pouvait en tirer pour l'ameublement et la décoration des intérieurs ; il s'agit là, évidemment, d'un luxe réservé aux châtelains et aux riches bourgeois, mais la coutume d'user de tapis et de housses était générale. Parlant des soins

1. Le *Ménagier de Paris*.

divers d'une maîtresse de maison, le *Ménagier de Paris* recommande à Agnès la béguine, qui sert chez lui d'intendante : « qu'elle commande aux chambrières que bien matin les entrées de votre hôtel, c'est assavoir la salle et les autres lieux par où les gens entrent et s'arrêtent en l'hôtel pour parler, soient au bien matin balayées et tenues nettement, et les marchepieds *(tabourets)*, banquiers et fourmiers *(housses)* qui illecques sont sur les fourmes *(coffres)*, dépoudrés et secoués ; et subséquemment les autres chambres nettoyées et ordonnées pour ce jour, et de jour en jour, ainsi comme il appartient à notre état... »

On s'étonnera peut-être de trouver mentionné dans les inventaires, comme faisant partie du mobilier, le fond-de-bain ou drap-baignoire, — sorte de molleton garnissant le fond des baignoires, pour éviter les échardes presque inévitables lorsque le fond est en bois. C'est qu'en effet le Moyen Age, contrairement à ce que l'on croit, connaissait les bains et en faisait largement usage ; là encore, il faudrait se garder de confondre les époques, et d'attribuer au XIIIe siècle la malpropreté repoussante du XVIe et de ceux qui ont suivi, jusqu'à notre temps. Le Moyen Age est une époque d'hygiène et de propreté. Un dicton couramment en usage en dit assez sur ce que l'on considérait comme l'un des plaisirs de l'existence :

Venari, ludere, lavari, bibere,
Hoc est vivere!

Dans les romans de chevalerie, on voit que les lois de la bonne hospitalité commandent de faire prendre un bain à ses invités lorsqu'ils arrivent, après une longue route. C'est d'ailleurs une habitude courante que de se laver les pieds et les mains en venant de dehors ; toujours dans le *Ménagier de Paris*, il est recommandé à une femme, pour le confort et le bien-être de son mari, d'« avoir une grand poelle pour souvent lui laver les pieds, garnison de bûches pour le chauffer, un bon lit de duvet, draps et couvertures, couvre-chefs, oreillers, chausses et robelinges nettes ». Les bains faisaient partie, bien entendu, des soins à donner à la petite enfance ; Marie de France le rappelle dans l'un de ses lais :

> Par les villes où ils erroient
> Sept fois le jour reposouoient
> L'enfant faisoient allaiter,
> Coucher de nouvel, et baigner.

Si l'on ne prenait pas son bain tous les jours au Moyen Age (pourrait-on affirmer que ce soit une habitude générale à notre époque ?), — du moins les bains faisaient-ils partie de la vie courante ; la baignoire est une pièce du mobilier ; ce n'est parfois qu'un simple baquet, et son nom, *dolium*, qui signifie aussi : tonneau, a pu prêter à confusion. L'abbaye romane de Cluny, datant du XIe siècle, ne comportait pas moins de douze salles de bains : des cellules voûtées contenant autant de baignoires de bois. On aimait aller, en été, s'ébattre dans les rivières, et les *Très riches heures du duc de Berry* montrent des villageois et villageoises en train de se laver et de nager par une belle journée d'août, dans le plus simple appareil, car l'on avait alors une tout autre idée de la pudeur que celle que l'on se fait de nos jours, et l'on se baignait nu, comme l'on dormait nu entre les draps.

Il y avait des bains ou étuves publiques, qui étaient très fréquentées ; le Musée Borély à Marseille a conservé une enseigne d'étuve en pierre sculptée qui date du XIIIe siècle. Paris, le Paris de Philippe-Auguste, comptait vingt-six bains publics — plus que de piscines dans le Paris actuel ! Chaque matin, les étuviers faisaient « crier » à travers la ville :

Oyez qu'on crie au point du jour :
Seigneurs, qu'or vous allez baigner
Et étuver sans délayer ;
Les bains sont chauds, c'est sans mentir[1]

Certains même exagéraient : dans le *Livre des Métiers* d'Etienne Boileau, il est prescrit : « que nul ne crie ni fasse crier leurs étuves jusques à temps qu'il soit jour ». Car ces « étuves » étaient chauffées par des galeries et des conduits souterrains, procédé semblable à celui des bains romains. Quelques particuliers avaient fait installer chez eux un système de ce genre, et dans l'hôtel de Jacques Cœur, à Bourges, on peut voir encore une salle de bains, chauffée par des conduits très voisins du moderne chauffage central ; mais il s'agit là, évidemment, d'un luxe exceptionnel pour une maison privée. C'est la disposition que l'on a retrouvée dans les étuves de Dijon, où ces galeries correspondaient à trois salles différentes : la salle de bains proprement dite, une sorte de piscine, et le bain de vapeur ; les bains, au Moyen Age, s'accompagnent en effet de bains de vapeur, comme de nos jours les *sauna* finlandaises, et le nom d'étuves qu'on leur donne indique suffisamment que l'un n'allait pas sans l'autre. Les Croisés rapportèrent en Occident l'habitude d'y adjoindre des salles d'épilation, dont ils avaient appris l'usage au contact des Arabes.

Et les étuves publiques étaient très fréquentées. On peut même s'étonner de voir au XIIIe siècle des évêques reprocher aux religieuses des villes latines d'Orient d'aller aux bains publics, — mais cela prouve que n'ayant pas de salles de bains installées dans leur monastère, elles tenaient tout de même à conserver leurs habitudes de propreté. A Provins, le roi Louis X fit construire en 1309 de nouvelles étuves, les anciennes ne suffisant plus *ob affluentiam populi* ; à Marseille, on

1. Guillaume de Villeneuve, *Crieries de Paris.*

en avait règlementé l'accès et fixé un jour spécial aux juifs, et un autre aux prostituées, pour éviter leur contact aux chrétiens et aux honnêtes femmes.

Le Moyen Age connaissait de même la valeur curative des eaux et l'usage des cures thermales ; dans le *Roman de Flamenca*, on voit une dame prétexter des malaises et se faire ordonner, par son médecin, les bains de Bourbon-l'Archambault, — pour pouvoir y rejoindre un beau chevalier.

Tout cela est évidemment loin des idées reçues sur la propreté au Moyen Age, et cependant les documents sont là. L'erreur est venue d'une confusion avec les époques qui ont suivi, et aussi de certains textes comiques que l'on a eu le tort de prendre à la lettre. Langlois a fait à ce sujet une remarque très judicieuse : « On a pu s'étonner de trouver, dit-il, dans le *Chastoiement* de Robert de Blois, certains préceptes de propreté et de convenance élémentaires qu'il peut sembler fort inutile de donner à des dames que l'on ne doit pas supposer dépourvues d'éducation. « N'essuyez pas, dit par exemple le poète, vos yeux à la nappe, ni votre nez ; ne buvez pas trop. » De pareils conseils font sourire aujourd'hui. Mais la question se pose de savoir si ce sont là des indices de la grossièreté foncière de l'ancienne société courtoise, ou si l'auteur ne les a pas formulés, justement, pour provoquer le sourire, et si les hommes du XIIIe siècle n'en souriaient pas comme nous[1]. » On ne doit pas, en effet, le prendre davantage au sérieux que l'on ne pourrait considérer comme un rite traditionnel de l'époque le geste recommandé par Villon :

C'est bien dîner quand on échappe
Sans débourser pas un denier
Et dire adieu au tavernier
En torchant son nez à la nappe.

1. *La Vie en France au Moyen Age*, I, p. 161.

C'est à peu près comme si l'on disait de nos jours : Si vous êtes invité à une réception d'ambassade, évitez de cracher par terre et d'éteindre votre cigarette sur la nappe. Il faut faire la part de l'humour, toujours présent au Moyen Age. Le raffinement des manières a été au contraire très poussé ; non seulement des usages élémentaires comme celui de se laver les mains avant les repas étaient généraux — dans la parabole du mauvais riche, on voit celui-ci s'impatienter parce que sa femme, lente à se laver les mains, le retarde pour se mettre à table — mais encore on aimait certaines recherches, comme l'usage des rince-doigts. Le *Ménagier de Paris* donne ainsi une recette « pour faire eaux à laver mains sur table » : « Mettez bouillir, dit-il, de la sauge, puis coulez l'eau, et faites refroidir jusqu'à plus que tiède. Ou vous mettez comme dessus camomille ou marjolaine, ou vous mettez du romarin, et cuire avec de l'écorce d'oranges. Et aussi feuilles de laurier y sont bonnes. » Pour que l'on ait éprouvé le besoin de donner semblables recettes, il faut que les maîtresses de maison aient poussé jusqu'au raffinement le souci de leur intérieur et le sens de la bonne tenue.

Le même ouvrage fournit des éclaircissements sur la manière dont étaient traités les hôtes ordinaires du foyer, c'est-à-dire les domestiques, dont le sort ne devait pas être trop à plaindre si l'on en juge par les textes de l'époque : « Aux heures pertinentes, faites-les seoir à la table, et en faites repaître d'une espèce de viande largement et seulement, et non pas de plusieurs, ni délitables ou délicatives, et leur ordonnez un seul breuvage nourrissant et non entêtant, soit vin ou autre, et non de plusieurs ; et les admonestez de manger fort et boire bien et largement... et après leur second labeur et aux jours de fêtes aient autre repas, et après ce, c'est assavoir aux vêpres, soient repus abondamment comme devant, et largement, et si la saison le requiert soient chauffés et aaisiés. » En somme, trois repas par jour, une nourriture simple, mais solide, et comme boisson du vin. C'est ce qui ressort aussi des romans de métiers où l'on voit des bourgeois aisés faire manger leurs valets à leur table, et les nourrir de la même façon qu'eux-mêmes, comme cela ne se pratique plus que dans nos campagnes. La maîtresse de maison doit étendre plus loin sa sollicitude : « Si l'un de vos serviteurs chiet en maladie *(tombe malade)*, toutes choses communes mises arrière, vous-même pensez de lui très amoureusement et charitablement, et le revisitez, et pensez de lui ou d'elle très curieusement, en avançant sa guérison. »

Elle doit de même penser aux « frères inférieurs », à ces animaux domestiques qui semblent avoir été beaucoup plus nombreux alors que de nos jours : il n'y a pas de miniature des scènes d'intérieur ou de vie familière, où ne figurent des chiens sautant auprès de leur maître, rôdant autour des tables dans les banquets, ou sagement étendus aux pieds de leur maîtresse en train de filer ; dans tous les jardins, on voit des paons étaler au soleil leur queue étincelante. Les volières étaient nombreuses, et chacun avait aussi son équipage de chasse, si réduit soit-il : un chien ou toute une meute, faucons, éperviers ou émerillons. Aussi l'auteur du *Ménagier* recommande-t-il à sa femme que « vous fassiez principalement et soigneusement et diligemment penser de vos bêtes de chambre, comme petits chiennets, oiselets de chambre ; et aussi pensez des autres animaux domestiques, car ils ne peuvent parler, et pour ce vous devez parler et penser pour eux ».

Si l'on aime les animaux, on n'apprécie pas moins les fleurs, et le décor habituel de la vie, c'est, avec la rue et la maison, le jardin dont les manuscrits enluminés nous montrent d'inoubliables peintures : jardins clos de murs jusqu'à mi-hauteur, avec toujours un puits ou une fontaine, et un ruisseau qui court sur le bord des pelouses ; souvent, ce sont des treilles, des arbres en espaliers où achèvent de mûrir les fruits, ou encore de ces bosquets de verdure où, dans les romans, chevaliers et demoiselles se donnent rendez-vous. Ce qu'il y a de remarquable, c'est que l'époque ne connaît pas notre distinction entre jardin potager et jardin d'agrément ; les plates-bandes reçoivent fleurs et légumes, et sans doute jugeait-on que la pomme épanouie d'un chou-fleur, la dentelle légère des feuilles de carottes et le feuillage abondant d'un plant de melons ou de citrouilles sont aussi agréables à l'œil qu'une bordure de jacinthes ou de tulipes. Le verger est un but de promenade ; c'est sous un vieux poirier que Tristan, aux soirs de lune, attend Yseult la blonde. Ce qui ne veut pas dire que l'on n'apprécie pas les plantes de pur agrément ; notre littérature lyrique nous montre sans cesse bergères et jouvenceaux occupés à tresser des « chapels » de fleurs et de feuillages ; nombre de tableaux et de tapisseries ont un fond à fleurettes aux couleurs tendres. Mais si les enlumineurs parsèment de fleurs et d'oiseaux les encadrements de pages dans les manuscrits, ils ne tirent pas moins parti des plantes potagères, et la feuille d'artichaut, si bizarrement déchiquetée, a servi de modèle à des générations de sculpteurs, notamment à l'époque de l'art flamboyant.

Une légende bien enracinée a fait de l'homme du peuple au Moyen Age un perpétuel crève-la-faim, au point que l'on pouvait se demander comment une race sous-alimentée pendant huit siècles, et, qui plus est, ravagée périodiquement par les guerres, les famines et les épidémies, avait bien pu se survivre à elle-même, et produire encore des rejetons passablement vigoureux. L'erreur vient en grande partie d'une mauvaise interprétation des termes en usage. Il est exact qu'au Moyen Age on se nourrissait d'« herbes et de racines » — mais il en a été ainsi de tous temps, car l'on désigne alors par *herbe* tout ce qui pousse au-dessus du sol : choux, épinards, salades, poireaux, bettes, etc., et par *racine* tout ce qui pousse en-dessous : carottes, navets, radis, raves, etc.[1]. De même on s'est ému de ce que le chardon passât à l'époque pour un mets recherché, mais il faut lire *cardon* et ce n'est plus dès lors qu'une question de goût ! Si le paysan allait souvent cueillir des glands, ce n'était pas qu'il s'en montrât friand pour lui-même, mais qu'il en nourrissait ses pourceaux. Il se peut qu'à certaines périodes de détresse exceptionnelle, par exemple lors des luttes franco-anglaises qui marquèrent le déclin du Moyen Age, lorsque la peste noire vint ajouter ses horreurs à celles de la guerre, et que les routiers ravageaient un pays dont la défense n'était plus organisée, la farine de glands ait servi, comme de nos jours, de produit de remplacement, mais aucun texte ne permet de penser que cela soit arrivé souvent.

Car il ne faudrait pas croire que la famine régnât à l'état endémique, au Moyen Age. Sur la foi de Raoul Glaber, chroniqueur à l'imagination enfiévrée, et qui cède facilement aux effets de style, on a tendance à croire qu'il ne se passait guère d'année où l'on ne dût recourir à la chair humaine et aux cadavres d'enfants, fraîchement déterrés, pour apaiser sa faim, — alors que le moine médiéval, lorsqu'il rapporte ces faits monstrueux, se garde bien d'en prendre l'affirmation à son compte et ajoute prudemment : *dit-on*. Il est certain qu'il y a eu des famines au Moyen Age, et que ces famines ont été nombreuses, comme il arrive toutes les fois que l'absence ou l'insuffisance de moyens de transport ne permet pas de porter rapidement secours à une région

1. Ce détail a déjà été relevé, notamment par Funck-Brentano.

menacée et d'échanger les produits — notre expérience personnelle nous renseigne pleinement à ce sujet. Durant le Haut Moyen Age, en particulier, lorsque chaque domaine formait par la force des choses un circuit fermé, que les routes étaient encore peu sûres, et que, pour assurer leur entretien, on exigeait des péages souvent onéreux, il suffisait d'une année de sécheresse pour que la disette se fît sentir. Mais il est certain aussi que ces famines étaient très localisées, et ne dépassaient pas en général l'étendue d'une province ou d'un diocèse. Même durant la belle époque du Moyen Age, au XIIIe siècle, lorsqu'à l'autarchie domaniale se sont substitués des échanges féconds, et que la circulation est aisée dans toute la France, on observe des variations parfois très importantes dans le prix des denrées, surtout du blé ; chaque province, chaque cité fixe son tarif, suivant la récolte de l'endroit. Les tables dressées par d'Avenel et de Wailly montrent dans une même région économique des oscillations allant du simple au double, ou même au triple, comme cela se produisit en Franche-Comté où, dans la seule année 1272, l'hectolitre de blé coûta de 4 à 13 francs.

D'autre part, il faut encore s'entendre sur ce que l'on appelle famine ; un texte cité par Luchaire, peu suspect d'indulgence à l'égard du Moyen Age, et dans un ouvrage où il accumule à dessein les documents qui peuvent faire voir cette époque sous le jour le plus sombre, est propre à laisser perplexes les lecteurs de l'an 1943. « Cette année-là (1197), raconte le Chroniqueur de Liége, le blé fit défaut. Depuis l'Epiphanie jusqu'en août il nous fallut dépenser plus de cent marcs pour avoir du pain. Nous n'avons eu ni vin ni bière. Quinze jours avant la moisson, *nous mangions encore du pain de seigle*[1]. » Si la disette pour eux consistait à

1. *La Société Française au temps de Philippe-Auguste*, p. 8.

n'avoir que du pain de seigle, combien ne trouverions-nous pas enviable le sort de nos ancêtres du XIIIe siècle !

En réalité, l'alimentation médiévale n'était pas très différente de ce que fut la nôtre aux époques normales. La base en était naturellement le pain, qui, suivant la richesse de la région, était de froment, de seigle ou de méteil ; mais on constate que même des régions non productrices, comme le Midi de la France, utilisent le pain de froment. A Marseille, où le territoire est pauvre en blé, et où l'on est souvent obligé de prendre des mesures d'exception pour que la cité soit approvisionnée, il n'est pas prévu, dans la règlementation très minutieuse de la boulangerie, de farines secondaires ; on y fabrique trois sortes de pain : le pain blanc, le pain *méjan* plus grossier, et le pain complet ; les prix sont fixés suivant un tarif rigoureux établi après essais faits par trois maîtres-boulangers assistés d'un expert et de prud'hommes désignés par la commune, en tenant compte des déchets résultant de la mouture, du malaxage de la pâte, et de la cuisson. On connaissait à Paris de multiples variétés de pains « de fantaisie », dont celui de Chilly, et celui de Gonesse ou petit pain mollet, étaient les plus estimés. Dans les terroirs très pauvres, on mangeait de la galette d'avoine, encore chère de nos jours aux Ecossais, ou de sarrasin. Mais aucune contrée n'était complètement démunie, car l'économie d'alors, celle du grand domaine couvrant une assez vaste région, favorise la polyculture ; on ne voit pas, au Moyen Age, de région uniquement adonnée à la culture du blé, ou de la vigne, et important le reste des produits dont elle a besoin ; le régime des vastes exploitations permet de varier suffisamment les cultures tout en consacrant à chacune des portions de terre équilibrées.

Roupnel, dans son étude de la campagne française[1],

1. *Histoire de la Campagne française*, p. 366.

fait remarquer que le *manse*, cet « ordre de grandeur local », qui, suivant la richesse du terroir, mesure de 10 à 12 hectares modernes, se compose presque toujours de trois éléments : des champs arables, des prés, des bois ; ceux-ci ne représentent qu'une portion très faible, un dixième environ de l'exploitation totale ; les terres cultivées ont une étendue double de celle des pâturages. « Ce petit domaine se manifeste, dit-il, comme un ensemble, et nous apparaît construit à l'image réduite et complète du territoire lui-même. » Et il ajoute : « Il n'en est pas seulement l'image ; il en a la vitalité et la durée. » Les manuscrits à miniatures, qui s'inspirent de la réalité, sont à ce sujet très révélateurs : un peu partout on voit une proportion sensiblement égale de prés, de champs et de vignes.

La vigne est cultivée partout en France, ce qui répond d'ailleurs à une nécessité d'ordre religieux autant qu'économique, car les fidèles, jusqu'au milieu du XIIIe siècle, communient sous les deux espèces, si bien que la consommation du vin de messe est beaucoup plus grande que de nos jours. Certains de nos crus sont, dès cette époque, particulièrement estimés : ceux de Beaune, de Saint-Emilion, de Chablis, d'Epernay ; d'autres ne connaissent plus de nos jours la renommée qu'ils avaient autrefois, par exemple le vin d'Auxerre ou de Mantes-sur-Seine. Un peu partout, on doit défendre la production du terroir contre l'importation étrangère, et, dans une cité comme Marseille, des mesures draconiennes sont prises contre l'introduction de vins ou de raisins provenant d'autres territoires ; seuls les comtes avaient le droit d'en importer pour leur consommation personnelle — il s'agissait probablement dans ce cas de vins fins d'Espagne ou d'Italie ; un navire qui serait entré dans le port avec une cargaison de vins ou de raisins s'exposait à voir celle-ci répandue sur le sol, et les raisins foulés aux pieds. Dans les fondoucs ou comptoirs établis à l'étranger, il est défendu également d'introduire du vin du pays avant que les marchands marseillais aient vendu le leur. La culture de la vigne était donc beaucoup plus poussée dans le terroir marseillais qu'elle ne l'est de nos jours, et les Statuts de la cité lui assurent une protection toute particulière : défense de chasser dans les vignes, — sauf dans celles qui vous appartiennent en propre, défense, pour le fermier à mi-fruit, d'emporter plus de cinq grappes par jour pour sa consommation personnelle, etc.

C'est que le vin a été la boisson essentielle du Moyen Age ; on connaissait la bière, principalement la cervoise, faite avec de l'orge, que déjà fabriquaient Gaulois et Germains, et aussi l'hydromel ; mais on n'estimait rien au-dessus du vin qui se trouve sur toutes les tables, depuis celle du seigneur jusqu'à celle des domestiques. Le vin est à la fois un plaisir et un remède ; on lui reconnaît toutes sortes de vertus fortifiantes et il entre dans la composition d'une foule d'élixirs et produits pharmaceutiques, de gelées et de sirops. On apprécie beaucoup aussi les divers vins liquoreux ou hypocras, vins dans lesquels on a fait macérer des plantes aromatiques : absinthe, hysope, romarin, myrte, additionnées de sucre ou de miel. Avant d'aller se coucher, on absorbait généralement un mélange brûlant de vin et de lait caillé que l'on appelait en Angleterre et en Normandie le *posset,* et auquel la littérature gauloise du temps attribuait toutes sortes de pouvoirs dont l'énumération ferait rougir les personnes pudibondes. Il procurait en tout cas cette chaleur qui manquait alors aux appartements ; il est certain que le vin était, avec les exercices violents tels que la chasse, ce qui permettait de suppléer à l'insuffisance des moyens de chauffage, et cependant, on ne voit pas qu'il y ait eu à redouter alors les méfaits de l'alcoolisme, ni la dégénérescence qui l'accompagne ; sans doute cela tient-il au fait qu'aucune préparation chimique, aucun sous-produit frelaté n'était alors servi comme boisson, ou à l'observation générale des lois ecclésiastiques qui permettaient l'usage et réprimaient l'abus.

Avec le pain et le vin, il y avait ce que dans le Midi catalan on appelait le *companatge*, c'est-à-dire tous les autres aliments. Contrairement à l'opinion répandue, on absorbait alors beaucoup de viande, et des recherches faites il ressort que le cheptel français était au XIIIe siècle sensiblement plus important qu'à notre époque. Une petite localité pyrénéenne, qui ne compte aujourd'hui qu'une douzaine de bêtes à cornes, en comptait autrefois deux cent cinquante, et, bien que les proportions n'aient pas été partout les mêmes, tant s'en faut, il est certain que l'élevage était pratiqué de façon beaucoup plus intensive en France jusqu'au jour où l'introduction du bétail d'Amérique, d'un moindre prix de revient, a rendu la concurrence impossible à nos cultivateurs. En ce qui concerne le mouton, par exemple, il n'était pas de ferme qui n'eût alors son troupeau, d'autant plus que celui-ci fournissait pour les champs un engrais naturel que l'on a trouvé plus commode, de nos jours, de remplacer par les engrais chimiques, ce qui a eu pour conséquence de faire baisser considérablement notre cheptel ovin. Les porcs surtout étaient très nombreux ; tant à la ville qu'à la campagne, il n'y avait pas de famille, si pauvre soit-elle, qui n'en élevât au moins un ou deux pour sa consommation, et c'est une scène traditionnelle, dans les calendriers des mois si souvent sculptés aux portails de nos églises ou peints dans nos manuscrits, que l'abattage du porc, qui fournissait viande et graisse pour la provision de l'année ; on connaissait les procédés de salaison et de fumage encore usités de nos jours. Tuer le porc était à tel point un événement de la vie familiale que l'on ne voit que très tard apparaître la corporation des charcutiers ; encore ceux-ci ne sont-ils au début que des marchands de « plats préparés », avant de se spécialiser dans la confection des saucisses et des jambons. Au contraire, la corporation des bouchers est puissante dès le début du Moyen Age, et l'on sait le rôle qu'elle joua dans les mouvements populaires du XIVe et du XVe siècles. D'après le *Ménagier de Paris*, la consommation hebdomadaire faite dans cette ville se serait élevée à 512 bœufs, 3,130 moutons, 528 porcs et 306 veaux — sans compter la consommation des hôtels royaux ou princiers, l'abattage familial, et les diverses foires aux jambons et autres qui se tenaient dans la capitale ou aux abords immédiats. A Marseille aussi, on est frappé du nombre de prescriptions qui se rapportent aux bestiaux appartenant à des propriétaires de la cité, ou destinés à la consommation des bourgeois. A cela il faut ajouter les volailles, que l'on engraissait comme cela se fit dès la plus haute antiquité : les foies d'oie et confits faisaient partie des menus de fêtes, alors comme aujourd'hui.

Enfin, la chasse fournissait d'abondantes ressources, dans les forêts plus étendues que de nos jours, et très giboyeuses. Il y a alors une infinité de procédés pour prendre le gibier, depuis les lacs ou vulgaires collets jusqu'aux oiseaux de proie dressés spécialement, en passant par les divers pièges, trappes, filets et engins comme l'arc, la sarbacane, l'arbalète. On attrapait aussi les perdrix à la glu, et l'on chassait à courre le cerf et le sanglier. Aussi la venaison fait-elle partie de l'alimentation courante ; si le seigneur, vers la fin du Moyen Age, tend à se réserver le droit de chasse sur son domaine, comme de nos jours les propriétaires et l'Etat lui-même, son personnel de veneurs, de fauconniers et de valets, et les paysans qui lui prêtent main-forte lors des grandes battues, participent aux profits de ses exploits ; cela se voit couramment dans les romans et tableaux de l'époque.

On se nourrit aussi de laitage, et déjà nos beurres et nos fromages acquièrent leur renom : fromages gras de Champagne ou de Brie, *angelots* de Normandie. Dans cette région le beurre est pratiquement la seule matière grasse employée pour la cuisine, et comme l'usage de toute graisse animale est interdit pendant le carême, les habitants obtiennent des dispenses spéciales parce qu'il ne leur est pas possible de se procurer de l'huile en quantités suffisantes ; les aumônes prescrites pour racheter cette dispense ont parfois servi à l'édification des églises, et c'est à cette origine que la *Tour du Beurre* à Rouen doit son nom. Mais c'est un cas particulier, car l'olivier est acclimaté presque partout en France, et l'huile d'olive y est très estimée ; elle entre, comme le vin, dans la composition de plusieurs remèdes. Elle est seule autorisée aux jours maigres, qui sont alors nombreux, et dont l'abstinence est très sévère, puisqu'on l'étend aussi aux œufs ; durant le carême on fait durcir ceux que les poules pondent, pour les conserver, et ce sont ces œufs qui, présentés à la bénédiction du prêtre durant les cérémonies du Vendredi saint, ont donné naissance à la coutume des œufs de Pâques.

Les mêmes nécessités de l'abstinence conduisaient nos ancêtres à consommer beaucoup de poissons ; tout château s'adjoint alors un vivier où perches, tanches, anguilles et goujons font l'objet d'une véritable culture ; on cultive aussi les étangs, comme cela se pratique encore dans une province telle que la Brenne, et les pêches d'étangs sont suivies d'un repeuplement méthodique. Sur les côtes, la pêche maritime est une industrie très vivante ; les associations de pêcheurs jouent presque partout un grand rôle ; on édicte sur les bords de la Méditerranée nombre de prescriptions à leur usage, et pour protéger leur commerce contre celui des simples revendeurs, on leur assure une sorte de monopole de la vente du poisson ; à Marseille, par exemple, les revendeurs ne peuvent offrir leur marchandise qu'à partir de midi ; on laisse cependant libre la vente des petits poissons ou poissons de *bourgin*, pêchés avec un filet à mailles fines portant ce nom : sardines, girelles, serclets — que l'on distingue des poissons plus gros comme le maquereau ou la dorade, et surtout le thon dont la pêche est très abondante aux abords immédiats du port. On sait conserver le poisson aussi bien que les viandes, et les « marchands de l'eau » remontant la Seine apportent chaque jour à Paris de pleins barils de harengs salés ou fumés ; un mets commun à l'époque est alors le *craspois*, sans doute une variété de baleine.

Viennent enfin les légumes, qui flattent moins le palais, et sont de ce fait la nourriture à peu près exclusive des moines auxquels leur état prescrit la sobriété et les mortifications. On mangeait alors beaucoup de fèves et de pois, qui jouaient le rôle de nos pommes de terre. Pour se plaindre de son mauvais mariage et exprimer la malignité de sa femme, Mahieu de Boulogne ne sait mieux dire que le couplet suivant :

> Nous sommes comme chien et leu [*loup*]
> Qui s'entrerechignent ès bois,
> Et si je veux avoir des pois
> Elle fera de la purée !

On connaît plusieurs variétés de choux : blancs, cabus, romains, et de salades ; le *Ménagier de Paris* cite la laitue de France et la laitue d'Avignon comme étant les plus estimées. Epinards, oseilles, bettes, courges, poireaux, navets, raves, font partie de l'alimentation courante, et il faut y ajouter les plantes condimentaires alors très employées pour relever la saveur des viandes et des légumes : persil, marjolaine, sarriette, basilic, fenouil, menthe — sans compter les épices que l'on fera de plus en plus venir d'Orient, surtout le poivre, si précieux que l'on y verra parfois une sorte de monnaie et que certaines communes commerçantes s'en serviront pour acquitter leurs redevances, par exemple aux maisons des Ordres militaires.

On apprécie beaucoup alors les fruits : les poires, les pommes, dont on sait déjà extraire cidre et poiré, le coing qui passe pour être une plante médicinale et dont on fait d'exquises pâtes de fruits, surtout à Orléans, les cerises, les prunes que l'on fait sécher, comme les raisins et les figues, et dont on se sert dans les pâtés et les confits, coutume qui s'est conservée de nos jours dans certaines régions, notamment dans le Nord de la France ; la pêche et l'abricot, introduits par les Arabes, étaient déjà en honneur au temps des Croisades, mais les fraises et framboises restèrent longtemps sauvages et ne furent guère cultivées dans les jardins qu'au XVIe siècle ; bien avant cette époque on vendait déjà dans les rues de Paris des marrons, et, dès le XIVe siècle, on tentait d'acclimater les orangers sur notre sol. Amandes, noix, noisettes étaient aussi en faveur et servaient à la confection de friandises. Enfin, de toute antiquité, les ressources de la forêt : châtaignes, faînes, fraises, prunelles, etc., ont été appréciées.

Le régime général des repas variait beaucoup avec les régions, étant plus qu'à présent soumis aux ressources locales. Certes, les échanges étaient nombreux, et plus étendus qu'on ne pourrait le croire, puisque les figues de Malte et le raisin d'Arménie étaient criés dans Paris ; les commerçants italiens et provençaux amenaient jusqu'aux grandes foires de Champagne et des Flandres les produits exotiques, et, sur un plan plus restreint, les marchés attiraient les négociants d'à peu près toutes les régions de France. Mais ces échanges étaient naturellement moins généralisés que de nos jours, et, dans les campagnes, si l'on excepte le mouvement commercial créé autour du château seigneurial, on vivait sur les productions de l'endroit. On n'utilisait pas les procédés de culture artificielle pour devancer des saisons et comme, d'autre part, les jours de jeûne et d'abstinence étaient très nombreux, la nourriture changeait d'une époque à l'autre, bien plus que de nos jours : pendant tout le Carême, elle se composait uniquement de légumes, de poissons et de gibier d'eau, assaisonnés à l'huile, et il en était de même aux vigiles ou veilles de fêtes chômées, c'est-à-dire une quarantaine de jours dans l'année. Il faut d'ailleurs remarquer que ces prescriptions ecclésiastiques s'accordaient fort bien avec les préceptes de l'hygiène : le jeûne du printemps, celui des changements de saison, aux Quatre-Temps, correspondant à une nécessité de santé, tandis que la grande époque des fêtes, qui se traduisent inévitablement par des bombances, se trouve pendant les mois les plus froids de l'hiver, lorsqu'on sent le besoin d'une alimentation riche.

En tout cas, des traités de cuisine que renferment nos bibliothèques, et des ouvrages tels que ce précieux *Ménagier de Paris*, il ressort que la table était au Moyen Age très soignée, pour ne pas dire raffinée. On accorde une grande importance à la présentation des mets, et à l'ordonnance générale des repas. Dans les demeures seigneuriales, les convives sont assis devant des tables longues posées sur tréteaux et recouvertes de nappes blanches ; le sol est souvent, aux jours de fête, jonché de fleurs et de feuillages fraîchement cueillis ; les tables sont disposées en carré le long des murs, et il n'y a pas de vis-à-vis, de manière à ce que le personnel domestique puisse aller et venir et poser devant chaque convive ce dont il a besoin. Les invités sont toujours nombreux, car c'est la coutume, pour tous les barons, de tenir table ouverte. Robert de Blois s'indigne à la pensée que certains seigneurs font fermer les portes des salles où ils mangent, au lieu de les laisser ouvertes à tout venant ; l'hospitalité est alors un devoir sacré et s'étend aussi bien aux petites gens qu'aux égaux ; d'autre part, la mesnie du seigneur comprend tous les écuyers attachés à son service, les enfants de ses vassaux, une grande partie de sa parenté. Si bien qu'à côté de la grande table, où le suzerain siège en place d'honneur, il y a, plus ou moins bien placés suivant leurs titres de préséance, toute une foule de commensaux. Cet usage explique pourquoi les chevaliers du roi Arthur, entre lesquels règne une parfaite égalité, s'asseyent autour d'une table ronde — ou plutôt dessinant une sorte de fer à cheval, de manière à ce que toutes les places soient également honorables, et que l'on puisse circuler cependant pour servir les convives.

Car la plupart des mets ne sont pas posés sur la table ; les viandes sont sur une desserte, et pareillement les boissons. On coupe pour chaque invité des portions de viande : c'est le rôle dévolu à l'écuyer tranchant, en général un jeune gentilhomme, et, dans les romans de chevalerie, comme *Jean de Dammartin et Blonde d'Oxford*, œuvre de Beaumanoir, le chevalier servant de la dame s'acquitte de ce devoir. On dépose les morceaux sur des tranches d'un pain spécial, plus compact que le pain ordinaire, dit : pain de tranchoir, ou directement sur l'assiette. Cette coutume a subsisté dans certaines contrées d'Angleterre où les plats de viande ne paraissent pas sur table. De même pour les boissons : les aiguières qui les contiennent sont rangées sur la desserte, et le sommelier emplit tour à tour verres et hanaps, au gré des convives. Toutes les scènes de banquet représentent ainsi écuyers et serviteurs allant et venant pendant le repas, tandis que les dames restent assises ainsi que les seigneurs de haut rang, et que les hôtes familiers de la maison, lévriers aux formes effilées ou petits caniches, furettent çà et là, en quête d'un morceau à attraper. Les repas d'apparat sont souvent coupés d'« entremets » au cours desquels les jongleurs récitent des poèmes ou exécutent des tours d'acrobatie ; parfois même c'est toute une pantomime ou une pièce de théâtre qui se déroule sous les yeux des dîneurs.

Un soin extrême est accordé à la présentation des plats : paons et faisans sont dressés, revêtus de leurs plumes, et dans les gelées on taille toutes sortes de décors. Le service comprend d'abord des soupes, d'une grande variété, depuis les potages compliqués, souvent assaisonnés d'œufs battus, de croûtons grillés et de condiments inattendus tels que le verjus, jusqu'aux fromentées, bouillies de gruau ou d'orge, que l'on mange encore dans nos campagnes, et qui formaient le fond de la nourriture paysanne. Les Français étaient réputés pour être grands mangeurs de soupes, comme à l'heure actuelle. Ils étaient renommés aussi pour l'excellence de leurs pâtés et de leurs tartes ; la corporation des pâtissiers de Paris s'acquit une juste réputation : pâtés de venaison ou de volaille, que l'on vendait tout chauds dans les rues, tartes aux légumes ou aux confitures, le tout relevé d'herbes aromatiques, thym, laurier, romarin. Dans les festins donnés par les princes à l'occasion de quelque réception, surtout à partir du XIVe siècle, certains pâtés monstrueux renferment des chevreuils entiers, sans préjudice des chapons, pigeons et lapereaux qui les assaisonnent, lardés de graisse de porc, piqués de clous de girofle et saupoudrés de safran. On appréciait aussi beaucoup les viandes grillées et rôties, ainsi que les sauces dont chaque maître-queux se faisait une spécialité, et dont la plus estimée, la sauce à l'ail, se vendait toute préparée à l'usage des ménagères. Crèmes et plats sucrés terminent le repas ; certains gâteaux, tels que les gaufres et gâteaux aux amandes ou massepains, sont encore de ceux que l'on aime aujourd'hui, et, comme présent, on aimait à offrir des pâtes de fruits, surtout de la pâte de coings alors très appréciée, ou des dragées ; c'étaient les friandises les plus courantes, avec les confitures et les sirops.

Tout cela est évidemment loin des « herbes » et des « racines ». L'alimentation, et le raffinement qu'on peut y mettre, varie, bien entendu, avec le degré de fortune, mais il est certain que l'on n'aurait pas vendu, dans les rues, « échaudés », pâtés, et produits exotiques comme les figues de Malte, s'il ne s'était trouvé personne pour en acheter, ou si cela n'avait été qu'à la portée des riches bourgeois dont l'approvisionnement se faisait à une autre échelle et qui avaient chez eux leurs cuisiniers. Dans les romans de métier, on voit de jeunes apprentis acheter régulièrement de petits pâtés lorsqu'ils s'en vont, le matin, puiser l'eau à la fontaine pour les besoins de la maison — c'est donc que leur prix n'était pas inabordable pour leur bourse. Et la vie à la campagne, quoique peut-être moins variée, ne devait pas être moins large qu'à la ville, bien au contraire, puisque culture et élevage donnaient aux paysans des facilités que le citadin n'avait pas ; lorsqu'on veut créer une ville, on est obligé, pour y attirer des habitants, de leur promettre franchises et privilèges, ce qui n'aurait pas été nécessaire si le paysan avait été misérable, ou, comme de nos jours, défavorisé par rapport au citadin. Il y a tout lieu de croire que c'est du Moyen Age que datent les saines traditions gastronomiques qui ont établi si solidement par le monde la réputation de la cuisine française.

***

Ce qui frappe, dans le costume du Moyen Age, c'est la couleur ; le monde médiéval est un monde coloré et le spectacle de la rue devait être alors un enchantement pour les yeux ; sur ce décor de façades peintes et d'enseignes rutilantes, le mouvement de ces personnages tous vêtus de teintes vives, hommes et femmes, sur lesquelles tranche la robe noire des clercs, la bure brune des frères mendiants, et la blancheur éclatante d'une coiffe ou d'un hennin — on ne peut guère, dans le monde moderne, imaginer pareille fête de couleurs, si ce n'est dans ces défilés que connaissait encore l'Angleterre il n'y a pas si longtemps, à l'occasion du mariage d'un prince ou du couronnement d'un roi, et dans certaines cérémonies ecclésiastiques comme celles qui se déroulent au Vatican. Il ne s'agit pas seulement des vêtements d'apparat ; de simples paysans s'habillent en teintes claires, rouges, ocres, bleues. Le Moyen Age semble avoir eu horreur des teintes sombres et tout ce qu'il nous a légué : fresques, miniatures, tapisseries, vitraux, témoigne de cette richesse de coloris si caractéristique de l'époque.

Il ne faut cependant pas s'exagérer le pittoresque ou l'excentricité du costume médiéval; certains détails que l'on associe inévitablement aux tableaux du temps n'ont été portés que par exception : les chaussures à la poulaine, par exemple, ont été de mode durant une cinquantaine d'années, pas davantage, dans le courant du XVe siècle qui vit pas mal d'exagérations vestimentaires ; Charles d'Orléans raille les « gorgias », les petits jeunes gens élégants qui portent des manches « déchiquetées » — manches à fentes latérales laissant voir des doublures éclatantes. De même le hennin long et pointu qu'évoque irrésistiblement le mot de : châtelaine, a été beaucoup moins porté que le hennin carré ou arrondi qui encadre le visage et souvent s'accompagne d'une mentonnière, mode courante au XIVe siècle.

D'une manière générale, les femmes, au Moyen Age, portent des vêtements qui suivent la ligne du corps, avec un buste très ajusté, et d'amples jupes aux courbes gracieuses. Le corsage s'ouvre souvent sur la *chainse* ou chemise de toile, et les manches sont quelquefois doubles, les premières, celles du surcot ou vêtement de dessus, s'arrêtant aux coudes, celles de dessous, en tissu plus léger, allant jusqu'aux poignets. Le cou est toujours bien dégagé, tandis que les jupes traînent à terre, retenues par une ceinture que maintient parfois un fermail de joaillerie.

Le costume masculin ne se distingue guère du costume féminin, tout au moins dans les premiers siècles du Moyen Age, mais il est plus court, la cotte laisse voir les chausses, et quelquefois les braies ou caleçons ; au cours du XIIe siècle, sous l'influence des Croisades, on adopte des vêtements longs et flottants, mode qui est vivement blâmée par l'Eglise, comme étant efféminée. Les paysans portent une sorte de pèlerine à capuchon, et les bourgeois se couvrent la tête d'un chaperon de feutre ou de tissu drapé. On aime beaucoup les fourrures, depuis l'hermine réservée aux rois et princes du sang, la martre, ou le petit-gris, jusqu'aux simples renards et moutons dont les villageois se confectionnent souliers, bonnets et parfois des manteaux. Au XVe siècle, les grands seigneurs comme le duc de Berri dépenseront des fortunes pour acheter des fourrures précieuses, et c'est aussi à cette époque que le costume se complique, que les hauts-de-chausses deviennent étroits et collants, que la cotte se raccourcit exagérément, et se plisse à la taille, tandis que l'on en rembourre les épaules.

Le linge de corps existe dès le début du Moyen Age, et l'examen des miniatures montre qu'il est porté aussi bien par les paysans que par les bourgeois ; il y avait partout en France des chènevières dont la fibre était filée et tissée au foyer, et fournissait une belle toile résistante. En revanche, le linge de nuit n'existe pas et l'usage ne s'en introduit que très tard. Pour les vêtements, une grande variété de tissus, par l'intermédiaire des grandes foires, circulent dans toute la France. On vend dans les villes méditerranéennes toutes les spécialités de l'industrie textile des Flandres et du Nord de la France : toiles de Châlons, étamine forte d'Arras, draps de laine de Douai, de Cambrai, de Saint-Quentin, de Metz, draperies rouges d'Ypres, « estanforts » d'Angleterre, toiles fines de Reims, feutres et capes de Provins, sans compter les spécialités locales comme la brunette de Narbonne et les draps gris et verts d'Avignon. D'un autre côté, le commerce des villes du littoral, Gênes, Pise, Marseille, Venise, permettait l'importation des produits exotiques d'Afrique du Nord, et même de l'Inde et de l'Arabie ; certains registres de marchands fréquentant les foires de Champagne sont aussi suggestifs qu'une page des Contes des *Mille et une nuits* : draps d'or de Damas, soies et velours d'Acre, voiles brodés de l'Inde, cotonnades d'Arménie, fourrures de « Thartarie », cuirs et cordouans de Tunis ou de Bougie, pelleteries travaillées d'Oran et de Tlemcen. La soie et le velours furent longtemps l'apanage de la noblesse, les nobles étant seuls assez fortunés pour pouvoir s'en procurer. Et le tout faisait l'objet des cadeaux princiers : à l'occasion des grandes réjouissances, on distribue volontiers à son entourage, quel qu'en soit le rang, des vêtements plus ou moins somptueux. Mais le luxe excessif ne fut pas le fait de la royauté capétienne ; la cour ne devint magnifique que sous les Valois, et surtout chez les princes apanagés, ducs de Berri, de Bourgogne et d'Anjou. On sait au contraire qu'un Louis le Jeune, un saint Louis, un Philippe-Auguste se faisaient remarquer par la sobriété de leur mise, souvent plus simple que celle de leurs vassaux.

En ce qui concerne le costume militaire, ce serait faire erreur que d'imaginer le chevalier médiéval sous les lourdes armures compliquées que l'on voit dans nos musées, et qui n'apparaissent pas avant la fin du XIVe siècle, lorsque les armes à feu nécessitent un appareil défensif perfectionné. Aux XIIe et XIIIe siècles, l'armure consiste essentiellement dans la cotte de mailles qui descend jusqu'au-dessus des genoux, et dans le heaume qui, lourd et massif au début, se perfectionne et s'agrémente de visières et de mentonnières mobiles avec nasal et frontal, par la suite. Sur le haubert, ou cotte de mailles, pour en atténuer l'éclat, on passait un surcot de tissu, drap fin ou autre ; les jambières et éperons complétaient l'accoutrement. On ne peut mieux se représenter la tenue de guerre de l'époque que par la belle statue du Chevalier de Bamberg, chef-d'œuvre d'harmonie et de mâle simplicité. Mais il faut un effort d'imagination supplémentaire pour reconstituer le spectacle éblouissant que devaient présenter les armées d'alors : cette multitude de casques, de lances, d'épées flamboyant au soleil, au point que leur réverbération fut souvent une cause de défaite pour ceux qui se trouvaient défavorablement orientés.

On conçoit les cris d'admiration qu'arrachent aux chroniqueurs ces *osts* rutilantes, avec leurs banderoles et leurs étendards, les chevaux caparaçonnés, les soieries éclatantes s'ouvrant sur les cottes d'acier, chaque mesnie groupée autour de son seigneur et portant ses couleurs. Car c'est à la même époque, au début du XIIe siècle, qu'apparaît le blason. Les termes et la plupart des pièces en ont été empruntés à l'Orient arabe, mais la coutume se généralisa rapidement en Europe, répandue par l'usage des tournois, dans lesquels, pour suivre les évolutions des chevaliers, sur des champs souvent très étendus, on se fiait à leurs armoiries comme de nos jours aux couleurs d'un jockey. Ce blason, qui connaît actuellement une vogue renouvelée, fait partie intégrante de la vie médiévale : il traduit, sous une forme parlante, la devise d'un seigneur ou plutôt d'une famille ; il est à la fois cri de guerre et signe de ralliement. On sait que chaque couleur, ou plutôt chaque émail, a sa signification, comme chaque meuble dont il est chargé ; l'azur est symbole de loyauté, le gueules de courage, le sable de prudence, et le sinople de courtoisie ; des deux métaux, l'argent signifie pureté, et l'or, ardeur et amour. Le blason s'est compliqué au cours des siècles, mais dès son apparition il constitue une science et une sorte de langage hermétique, traduisant, sous cette forme riche et colorée à laquelle se plaît le Moyen Age, tout le faisceau de traditions et d'ambitions qui compose la personnalité morale de chaque mesnie.

Les instruments de travail sont, au Moyen Age, sensiblement les mêmes que ceux dont on s'est servi jusqu'au XIXe siècle, avant le développement du machinisme et la motorisation de l'agriculture. Il faut mentionner toutefois que la brouette, cette brouette dont une tradition bien établie attribue l'invention à Pascal, existait déjà au Moyen Age, tout à fait semblable à celle dont on se sert actuellement. On peut voir des manuscrits du XIVe siècle dont les enluminures montrent des manœuvres transportant pierres ou briques dans des brouettes dont ils soutiennent l'un des bras par une sangle passée sur l'épaule, pour pouvoir porter plus aisément la charge ; le procédé est toujours usité par nos ouvriers.

Plusieurs inventions sont dues au Moyen Age, et leur importance devait être trop grande dans la suite des temps pour que l'on puisse les passer sous silence : le bât des chevaux, par exemple. Jusqu'alors, l'attelage faisait porter tout l'effort sur le poitrail de l'animal, si bien qu'une charge un peu importante risquait de l'étouffer ; c'est dans le courant du Xe siècle que l'on eut l'ingénieuse idée d'atteler les bêtes de somme de telle façon que le corps tout entier supportât le poids et l'effort voulu[1]. Cette innovation devait introduire un profond changement dans les mœurs : la traction humaine avait été jusqu'alors supérieure à la traction

1. Cf. Lefebvre des Noettes, *L'attelage à travers les âges*, Paris, 1931.

animale ; en renversant l'ordre des choses, on rendait aisée et possible pratiquement la suppression de l'esclavage, nécessité économique dans l'Antiquité. L'Église avait lutté pour que l'esclave soit considéré comme un homme, et que les droits de la personne humaine lui soient reconnus — ce qui constituait déjà une révolution essentielle dans les mœurs. Cette révolution a été définitive du jour où chevaux et ânes se chargèrent d'une partie du travail humain. De même, l'invention du moulin : moulin hydraulique, puis moulin à vent, devait faire faire un pas considérable à l'humanité, en supprimant l'image classique de l'esclave attelé à la meule. D'une portée moins profonde, mais d'une incontestable commodité, le procédé permettant aux voitures de pivoter aisément sur elle-mêmes, grâce au dispositif qui rend les deux roues avant indépendantes des roues arrière, ne devait pas moins contribuer au progrès et au confort : que l'on se représente seulement la place que devaient prendre, pour tourner, de lourds charrois porteurs de grains ou de fourrages, — et l'encombrement qui pouvait en résulter ! Il est certain que ces inventions eurent plus d'effet que nulle autre sur le bien-être du petit peuple, et contribuèrent, sans heurts et sans frais, à améliorer efficacement son sort.

A ces inventions, qui devaient modifier radicalement les conditions du travail humain, il faut ajouter celles de la boussole et de la barre du gouvernail, non moins importantes dans l'histoire du monde. Les progrès de la navigation s'en trouvèrent décuplés, et cela explique, en partie du moins, cette intense circulation à laquelle on assiste au XIIIe siècle.

Le rythme de la journée de travail varie beaucoup au Moyen Age, suivant les saisons. C'est la cloche de la paroisse ou du monastère voisin qui appelle l'artisan à son atelier comme le paysan à ses champs, et les heures de l'angélus changent avec la durée du jour solaire ; on se lève et l'on se couche, en principe, en même temps que le soleil : En hiver le travail commence donc vers huit ou neuf heures, et se termine à cinq ou six heures ; l'été, en revanche, la journée commence dès cinq heures du matin pour ne se terminer qu'à sept ou huit heures du soir. Cela fait, avec les deux interruptions pour les repas, des journées de travail variant de huit à neuf heures en hiver, de douze à treize ou quélquefois quinze heures en été, — ce qui est encore le régime habituel des familles paysannes. Mais il n'en est pas ainsi tous les jours. D'abord, on pratique ce que nous appelons la semaine anglaise ; chaque samedi, et aux veilles de fêtes, le travail s'arrête dès une heure de l'après-midi, dans certains métiers, et pour tout le monde à vêpres, c'est-à-dire au plus tard vers quatre heures. Le même régime s'applique aux fêtes non chômées, soit une trentaine de jours par an, tels que le jour des Cendres, des Rogations, des Saints-Innocents, etc. On se repose également au jour de la fête du patron de la confrérie, de celui de la paroisse, et, bien entendu, chômage complet le dimanche et les jours de fêtes d'obligation. Celles-ci sont très nombreuses au Moyen Age : trente à trente-trois par an, suivant les provinces ; aux quatre fêtes que nous connaissons en France aujourd'hui s'ajoutent, non seulement le jour des Morts, l'Epiphanie, les lundis de Pâques et de Pentecôte, et trois jours à l'octave de Noël, mais encore nombre de fêtes qui passent à peu près inaperçues actuellement, telles que la Purification, l'Invention et l'Exaltation de la Sainte-Croix, l'Annonciation, la Saint-Jean, la Saint-Martin, la Saint-Nicolas, etc. Le calendrier liturgique règle ainsi toute l'année et y introduit une grande variété, d'autant plus que l'on accorde à ces fêtes beaucoup plus d'importance que de nos jours. C'est sur leur date, et non sur le quantième du mois, que l'on mesure le temps : on parle de « la Saint-André » et non du 30 novembre, et l'on dit, trois jours après la Saint-Marc, plutôt que : le 28 avril. On dérogera aussi bien, en leur honneur, à des exigences d'ordre social, celles de la justice, par exemple. Les débiteurs insolvables, auxquels est assignée une résidence forcée — régime rappelant la prison pour dettes, quoique sous une forme plus douce — peuvent quitter celle-ci pour aller et venir librement depuis le Jeudi saint jusqu'au mardi de Pâques, du samedi au mardi de la Pentecôte, et depuis la veille de Noël jusqu'à la Circoncision. Ce sont là des notions qu'il nous est difficile de réaliser actuellement.

Dans l'ensemble, il y avait environ quatre-vingts jours par an de chômage complet, avec soixante-dix jours et plus de chômage partiel, soit environ trois mois de vacances réparties dans l'année, ce qui assurait une variété inépuisable dans la cadence du travail. En général, on se serait plutôt plaint, à cette époque, comme le savetier de La Fontaine, d'avoir de trop nombreux jours de congé.

L'organisation des loisirs est à base religieuse : tout congé est jour de fête, et toute fête commence par les cérémonies du culte. Celles-ci sont souvent longues, et toujours solennelles. Elles se prolongent de spectacles qui, donnés primitivement dans l'église même, n'ont pas tardé à se voir rejetés sur le parvis : ce sont les scènes de la vie du Christ, dont la principale, la Passion, suscite des chefs-d'œuvre que notre époque a redécouverts ; la Vierge et les saints inspirent aussi le théâtre, et tout le monde connaît le *Miracle de Théophile* qui eut une vogue extraordinaire. Ces spectacles sont essentiellement populaires ; ils ont le peuple pour acteurs et pour auditoire — auditoire actif, vibrant au moindre détail de ces scènes qui éveillent en lui sentiments et émotions d'une qualité tout autre que celles du théâtre actuel, puisque ce ne sont pas seulement l'intellect ou la sentimentalité qui entrent en jeu, mais aussi des croyances profondes, capables de transporter ce même peuple jusque sur les rivages d'Asie Mineure, à l'appel d'un Pape. Il s'y mêle, comme toujours, la note parodique, poussée très loin : ne va-t-on pas jusqu'à monter en chaire pour débiter des bouffonneries assaisonnées de quelques crudités des plus piquantes, lors des « sermons joyeux » ? Les clercs ne voient aucun mal à ces excentricités qui de nos jours feraient scandale, et y prennent part gaillardement.

Il n'y a d'ailleurs pas que le théâtre proprement religieux, et, sur les tréteaux dressés sur la place, on joue souvent farces et soties, ou encore des pièces à sujets romanesques ou historiques ; presque toutes les villes possèdent leur compagnie théâtrale ; celle des clercs de la Basoche à Paris est demeurée célèbre. Les réjouissances publiques ont aussi leur place, à côté des fêtes de l'Eglise : ce sont parfois de magnifiques cortèges qui défilent dans les rues, à l'occasion des assemblées et cours plénières tenues par les rois dans l'une ou l'autre de leurs résidences, à Paris, à Orléans, rappelant les *champs de mars* et *champs de mai* auxquels Charlemagne convoquait la noblesse du pays à Poissy ou à Aix-la-Chapelle. En ces occasions, la cour de France, si simple en général, se plaît à déployer quelque apparat, et, comme pour les entrées de rois ou des grands vassaux dans les villes, on décore celles-ci avec tout le faste imaginable : tapisseries tendues le long des murs, maisons ornées de feuillages et de verdure, rues jonchées de fleurs. Il en est ainsi notamment, lors du couronnement d'un roi ; les cités par lesquelles il passe après les cérémonies de Reims s'empressent pour une réception solennelle ; et cette réception n'a rien de figé ni de pompeux ; elle s'accompagne de cortèges grotesques où bateleurs et amuseurs de profession, mêlés au public, font mille tours qui paraîtraient incompatibles avec la majesté royale ; ce n'est que lors de l'entrée du roi Henri II à Paris que l'on décida de supprimer ces fêtes et « bateleiges du temps jadis ». Elles étaient l'occasion de munificences parfois inouïes, surtout sous le règne des Valois : fontaines débitant du vin, festins offerts à toute une foule, pour lesquels on dressait des cuisines roulantes où les viandes s'entassaient sur d'énormes tournebroches. C'est à la même époque que l'on prit goût aux mascarades ou bals costumés, dont l'un est resté tragiquement dans la mémoire sous le nom de *Bal des Ardents* : celui où le jeune roi Charles VI avait revêtu avec quatre compagnons un déguisement de *sauvage*, en étoupe enduite de poix et de plumes, et où, s'étant imprudemment approché d'un flambeau, leur groupe prit feu ; il serait mort sans la présence d'esprit de la duchesse de Berry qui l'enveloppa dans les plis de sa robe, étouffant les flammes ; mais le danger auquel il venait d'échapper ne fut pas sans influer sur le cerveau déjà faible de l'infortuné monarque, et sur l'infirmité qui devait l'atteindre.

Tous les événements qui touchent la famille royale, ou seulement la famille seigneuriale de l'endroit : naissances, mariages, etc., sont une occasion de distractions et de festivités. Les foires aussi comportent leur part d'amusements. C'est à cette occasion que les jongleurs déploient leurs talents, depuis ceux qui récitent, au son du luth ou de la viole, des fragments de chansons de geste, jusqu'aux simples *tombeurs* qui par leurs grimaces, acrobaties et jongleries, attirent un cercle de badauds ; ils se livrent parfois à des pantomimes — ancêtres de Tabarin, — montrent des animaux savants, ou font de l'équilibre sur une corde tendue à des hauteurs impressionnantes.

Après le spectacle, quel qu'en soit le genre, la distraction préférée, au Moyen Age, c'est la danse. Il n'y a pas de banquet qui ne soit suivi de bal : danses des damoiseaux dans les châteaux, caroles villageoises, rondes autour de l'arbre de mai ; aucun passe-temps n'est plus apprécié, surtout de la jeunesse ; romans et poèmes y font souvent allusion. On aime à mêler chants et danses, et certains refrains servent de prétexte à *baler* et à *caroler*, comme les feux de la Saint-Jean à sauter et à faire des rondes. Les compétitions sportives ont aussi leurs adeptes : luttes, courses, sauts en hauteur et en longueur, tirs à l'arc font l'objet de concours dans les villages, entre les bourgs, et aussi parmi les pages et écuyers composant la mesnie d'un seigneur. La chasse, occasion de festins et de réjouissances, reste le sport favori, et bien entendu, joutes et tournois sont les principales attractions des jours de fêtes ou de grandes réceptions. Les enfants, comme dans toutes les sociétés du monde, imitent dans leurs jeux ceux des grandes personnes, ou font d'interminables parties de *cligne-musette*, ou cache-cache, et de palets.

Les divertissements d'intérieur ne manquent pas. Ce sont surtout les échecs ; durant les Croisades, on y jouait avec ferveur, aussi bien dans l'armée croisée que dans l'armée sarrasine, et nombreux sont les traités d'échecs manuscrits dans nos bibliothèques. On sait que le Vieux de la Montagne, le terrible maître des Assassins, fit don à saint Louis d'un magnifique échiquier d'ivoire et d'or. Moins savants, les jeux de *tables*, c'est-à-dire de dames ou de tric-trac, avaient aussi leurs adeptes. Mais surtout, les dés faisaient fureur ; truands et jongleurs s'y ruinaient : Rutebeuf en fit plus d'une fois l'amère expérience, et raconte en termes pathétiques les espérances sans cesse déçues et les réveils angoisseux des malheureux joueurs ruinés ; on y joue jusque dans la maison royale. Comme on se laisse volontiers, dans ces sortes de jeux, aller à des imprécations, les autorités prennent des mesures contre les blasphémateurs : à Marseille, on plongeait trois fois dans un fossé bourbeux, proche du Vieux-Port, ceux qui avaient cette fâcheuse habitude. On punissait aussi ceux qui usaient de dés pipés ou trichaient d'une manière quelconque. Les enfants, eux, jouaient aux osselets. Plus distingués, et pratiqués dans la société courtoise, étaient les divers jeux d'esprit : devinettes, anagrammes, bouts rimés. Christine de Pisan nous a laissé des *jeux à vendre,* petites pièces improvisées, dans le genre de : « Je vous vends mon corbillon », — pleins de charme et de poésie légère.

LA MENTALITÉ MÉDIÉVALE

De cet ensemble assez déconcertant que forme le Moyen Age, ressortent un certain nombre de notions qu'il importe de ne pas perdre de vue lorsqu'on étudie cette époque si différente de toutes celles qui l'ont précédée et suivie. Ces caractères l'imprègnent si fortement que même l'examen d'un détail peut se trouver tout à fait faussé si on ne les garde présents à l'esprit. Connaître la mentalité médiévale est d'autant plus important pour apprécier l'époque qu'alors chaque partie se trouve solidement reliée au tout : ce microcosme qu'est le noyau familial reproduit le macrocosme, en l'espèce la seigneurie et l'État tout entier. Il en est ainsi pour tout le reste, si bien qu'étudier une institution sans tenir compte de l'atmosphère générale du temps serait s'exposer à de graves erreurs, plus encore pour cette période que pour les autres âges de l'histoire.

Ainsi, l'un de ses traits les plus marquants, c'est le sens pratique : nos ancêtres médiévaux semblent n'avoir pas eu d'autre critère que l'utilité. En architecture, en art, dans le décor de la vie courante, ils n'accordent pas de place à l'ornement, ils ignorent l'art pour l'art. Si une gouttière se transforme pour eux en gargouille, c'est que leur imagination intense reste sans cesse en éveil et joue de tout ce que les sens lui révèlent, mais ils n'auraient pas eu l'idée de sculpter des gargouilles qui ne remplissent le rôle de gouttières, comme ils n'auraient pas songé à dessiner des jardins pour le seul plaisir des yeux. Leur sens esthétique leur permet de faire surgir partout de la beauté, mais chez eux la beauté ne va pas sans l'utilité. Il est d'ailleurs surprenant de voir avec quelle aisance les deux concepts de beau et d'utile s'harmonisent chez eux, — comment, par une exacte adaptation à leur fin, une grâce en quelque sorte naturelle, un simple ustensile de ménage, une aiguière, un hanap, un pichet, acquièrent une véritable beauté. C'est à croire qu'ils ne se sont pas trouvés dans le dilemme de sacrifier l'un à l'autre, ou d'ajouter l'un pour faire accepter l'autre, suivant une conception courante au siècle dernier. Tout ce qui nous reste de la vie médiévale, depuis l'histoire de la formation du domaine royal jusqu'à l'évolution de l'architecture, manifeste cet esprit positif, réaliste, qui a parfois fait traiter nos ancêtres de « prosaïques » — ce qui est peut-être excessif, mais plus proche de la vérité que la tendance romantique à voir en eux des êtres fantaisistes et échevelés.

On objectera leur goût pour la poésie. Mais c'est qu'au contraire des modernes, qui ont vu volontiers en elle un caprice, une « évasion », et dans le poète une sorte de bohème, un être à part, ou un hérédo-syphilitique, — les gens du Moyen Age considèrent la poésie comme une forme naturelle d'expression ; elle fait, pour eux, partie de la vie, au même titre que les nécessités matérielles, ou, plus exactement, que les facultés propres de l'homme comme la pensée et le langage. Le poète n'est pas pour eux un anormal, c'est, au contraire, un homme complet, plus complet que celui qui n'est pas capable de création artistique ou poétique ;

ils n'auraient pas songé, comme Platon, à le bannir de la République, parce que la poésie joue son rôle dans leur république, comme l'éloquence dans la Grèce antique.

Ce sens pratique se traduit, entre autres, par une grande prudence devant la vie. On use de tout, mais avec mesure. L'homme a eu, au Moyen Age, une sorte de défiance instinctive de ses propres forces, — qui coexiste curieusement avec l'élan et l'audace des grandes entreprises auxquelles l'époque a assisté. L'un des adages qui expliquent ce temps, c'est celui de Roger Bacon : *Natura non vincitur, nisi parendo, On ne peut vaincre la Nature qu'en lui obéissant.* On professe alors un grand respect pour la tradition, pour l'état de fait, pour la coutume qui n'est guère que la constatation de cet état de fait ; tout ce qui est consacré par le temps devient inattaquable, et les découvertes, en art, en architecture, dans la vie courante, ne s'imposent qu'autant qu'elles s'appuient sur l'expérience. On ne cherche pas à innover, mais au contraire à fortifier ce que le passé vous apporte, en le perfectionnant. Le Moyen Age est une époque d'empirisme : on ne fonde pas sa vie sur des principes déterminés à l'avance, mais les principes directeurs d'une existence ressortent des conditions auxquelles elle doit s'adapter.

Il est un chef d'accusation très révélateur de cet aspect de la mentalité médiévale : c'est ce que les juristes appellent : *crime de nouvelleté.* On désigne par là tout ce qui vient rompre violemment, brutalement, avec le cours naturel des choses, ou leur état traditionnel, depuis le bris d'une clôture jusqu'à la dépossession d'un droit dont on avait joui paisiblement. Cette « nouvelle force », cet acte rompant avec un passé qui avait fait ses preuves, on en redoute les conséquences imprévisibles ; il y a là une sorte d'humilité devant la Création : on sait que l'homme peut être dépassé par les événements qu'il a lui-même déclenchés, et l'on se méfie, à ce titre, de tout ce que n'a pas sanctionné la tradition. En revanche, le mode d'enquête ou de justification le plus courant consiste à faire appel à la mémoire des témoins les plus âgés : lorsqu'il est prouvé que le droit contesté a été en usage depuis un temps immémorial, chacun s'incline. C'est en vertu de la même tendance qu'un tenancier qui s'installe sur une terre et la cultive paisiblement pendant la durée de la prescription en est par la suite considéré comme le légitime propriétaire : on estime que ceux qui étaient fondés à faire opposition auraient dû s'en apercevoir au cours de ce délai légal d'« an et jour », durant lequel la *nouvelleté* s'est muée en état de fait.

Plus significative encore est la notion que l'on a eue alors de la liberté individuelle. Elle n'apparaît pas, au Moyen Age, comme un bien ou un droit absolu. On la considérerait plutôt comme un résultat : celui dont la sécurité est assurée, celui qui possède suffisamment de terres pour pouvoir tenir tête aux agents du fisc, et défendre lui-même son domaine, celui-là est réputé libre, parce qu'il a, en fait, la possibilité de faire ce qui lui plaît. Les autres ont pour principe : Sécurité d'abord — et ne paraissent d'ailleurs pas autrement souffrir de la restriction, apportée par la nécessité, à leur liberté de mouvement, ni revendiquer celle-ci comme un droit préétabli. Il ne s'agit bien entendu ici que de la liberté individuelle, « atomique », suivant l'expression de Jacques Chevalier, — car on se montre au contraire très pointilleux sur tout ce qui concerne les droits du groupe auquel on appartient, et qui sont considérés comme indispensables à son existence : libertés familiales, corporatives, communales et autres ont été toujours âprement discutées et revendiquées ; on les défend au besoin par les armes.

Ce sens pratique, cette horreur innée de l'abstraction

et de l'idéologie, se complète d'un sens de l'humour poussé très loin. L'homme, au Moyen Age, s'amuse de tout ; chez lui le dessin se transforme aisément en caricature, et l'émotion voisine avec l'ironie. C'est un caractère à ne pas perdre de vue lorsqu'on étudie l'époque, car plus d'une fois, en prenant certains textes trop au sérieux, on n'est arrivé qu'à les alourdir et à les défigurer. On a cru voir des échantillons de cette fameuse « naïveté » médiévale, ou certaines arrière-pensées de revanche sourde du faible sur le fort dans des passages où l'auteur cherchait à amuser, et ne cherchait que cela. Lorsqu'on sculpte sur les stalles d'église des chanoines aux traits grotesques, en des postures ridicules, lorsque tel chroniqueur, parlant des effets du feu grégeois, s'exclame, à propos de cette « eau » qui répandait le feu : « (Elle) coûte moult cher, tant comme le fait bon vin ! », lorsque, dans les fabliaux, le curé reçoit des coups de bâton, — il ne faut pas y voir autre chose que le sens du ridicule, le plaisir de rire et de faire rire. Rien n'échappe à cette tendance, pas même ce que l'époque juge le plus respectable ; on s'est parfois choqué de ces scènes de tavernes, aux propos gaillards, introduites dans les *Mystères*, et il serait tout à fait impossible, de nos jours, de reconstituer certaines cérémonies religieuses ou officielles sans scandaliser le public habitué à plus de gravité. C'est surtout en parcourant les manuscrits qu'est rendue sensible cette faculté de mêler le sourire aux préoccupations les plus austères, cette sorte d'espièglerie naturelle qui rendait nos ancêtres incapables de conserver leur sérieux jusqu'au bout : à la suite d'un grave traité sur les différents poids en usage et leurs équivalences, on trouve par exemple cette conclusion inattendue, ajoutée de sa propre autorité par un copiste qui renâclait sans doute à sa besogne : *et pondus est mensura, et mensuram odit anima mea, et le poids, c'est la mesure, et moi, je déteste la mesure* ! Tel autre, à la suite de quelque ouvrage de philosophie, formule tranquillement ce souhait sans vergogne : *Scriptori pro pena sua detur pulchra puella. Puisse-t-on donner au copiste, pour sa peine, une belle jeune fille* ! Tout cela sans transition, de la même écriture que le reste de l'ouvrage, et dans des manuscrits destinés aussi bien à de graves personnages. Si l'on passe aux dessins et aux miniatures qui en ornent les pages, on ne compte plus les exemples de malice ou d'ironie parsemés çà et là, avec une verve sans cesse jaillissante, et qui trouve le moyen de s'exercer jusque sur les plus doctes traités de philosophie.

Cet humour médiéval est d'ailleurs curieusement lié à la foi religieuse qui anime l'époque, et dont on doit tenir compte, aussi, dans les moindres détails de l'histoire ou de la vie courante. Sa foi lui enseigne, en effet, l'originalité de la personne divine, à qui rien n'est impossible, et qui peut par conséquent renverser les situations comme il lui plaît. Le *Credo quia absurdum*, attribué à saint Augustin, fait partie de l'essence même de la mentalité médiévale, pour laquelle l'action divine ajoute à toutes les probabilités de l'existence terrestre un champ proprement illimité d' « impossibles » réalisables. Les petites scènes dans lesquelles sculpteurs et imagiers du temps se sont plu à représenter, par exemple, un coq entraînant un renard, ou un lièvre terrassant un chasseur, ne font que traduire cet état d'esprit où la note humoristique est intimement liée à la croyance en un Dieu tout-puissant devenu homme.

Si l'on essaye de résumer les préoccupations de l'époque, on s'aperçoit qu'elles tiennent en deux mots, deux pôles contraires, mais non contradictoires : manoir et pèlerinage. Toute existence est alors farouchement centrée sur le foyer, la famille, la paroisse, le domaine, le groupe auquel elle appartient. Il n'est pas une coutume, pas un trait de mœurs, qui ne tende à renforcer cet attachement ou à le faire respecter. Une cité défend aussi jalousement ses libertés qu'un seigneur sa châtellenie ; les associations se montrent aussi intransigeantes pour leurs privilèges qu'un père de famille pour son fief, si exigu soit-il ; le *manoir*, l'endroit où l'on demeure, est considéré comme un sanctuaire ; cela ressort de tout ce qu'il nous est possible de connaître de l'histoire médiévale : droit privé, institutions familiales et municipales, — et la formation même du domaine royal, résultat d'une patiente ténacité, de combinaisons savantes d'héritages et de mariages, n'est qu'une preuve entre autres de cet esprit positif et réaliste de nos ancêtres lorsqu'il s'agit de fortifier et de sauvegarder leur patrimoine.

Et cependant, ces êtres rivés au sol, liés à leurs ancêtres et à leurs descendants, furent en perpétuel mouvement. Le Moyen Age est à la fois une époque où l'on bâtit, et une époque où l'on bouge — deux activités qui peuvent paraître inconciliables, et qui ont pourtant coexisté sans drames ni déchirements. Il a assisté aux plus grands déplacements de foule, à la circulation la plus intense que l'histoire du monde ait connue, notre époque exceptée. Que sont les entreprises coloniales, celles des Grecs et celles du siècle passé, à côté de ces exodes de population qui marquèrent les Croisades ? Et il s'agit d'exodes féconds, sans rien de commun avec ces troupeaux lamentables que représente pour nous une foule en marche. A peine installés sur des rivages hostiles, conquis de haute lutte, cette poignée de seigneurs transplantés de leur province de Flandres ou de Languedoc se révèlent bâtisseurs, juristes, administrateurs, avec un étonnant génie d'adaptation, en des pays dont la langue, les usages et le climat leur étaient inconnus quelques mois plus tôt. Deux siècles ont suffi à voir naître, vivre et s'éteindre une civilisation originale, forgée pièce à pièce, et dont les restes nous émerveillent encore.

Nous savons mesurer le travail que représente une forteresse comme Château-Gaillard, ou une cathédrale comme celle d'Albi, mais ce qu'il est difficile de réaliser, c'est que les unes et les autres furent édifiées par des personnages dont la vie n'était qu'allées et venues : depuis le marchand qui quitte sa boutique pour les foires de Champagne ou de Flandres, ou pour trafiquer dans les comptoirs d'Afrique ou d'Asie Mineure, jusqu'à l'abbé qui s'en va inspecter ses monastères, depuis les étudiants en route d'une université à l'autre jusqu'aux seigneurs qui visitent leur comté ou aux évêques en tournée dans leur diocèse, depuis les rois qui partent pour la Croisade jusqu'au menu peuple qui chemine vers Rome ou Saint-Jacques de Compostelle, — tous plus ou moins participent à cette fièvre de mouvement qui fait du monde médiéval un monde en marche. Lorsque Guillaume de Rubruquis, à l'invite de saint Louis, se rend à la cour du Khan des Mongols, il est à peine étonné d'y trouver un orfèvre parisien, Guillaume Boucher, dont le frère tenait boutique sur le Pont au Change, et qui, installé à la Horde d'Or, construisait pour ses mécènes asiatiques un « arbre magique » où des serpents dorés, enroulés autour du tronc, déversaient du lait, du vin et de l'hydromel. L'architecte Villard de Honnecourt s'en va jusqu'en Hongrie, semant à la volée, peut-on dire, l'*opus francigenum*, et c'est un Français, Etienne de Bonneuil, qui bâtit, en Suède, la cathédrale d'Upsal.

Cette facilité des départs était bien ancrée dans les mœurs. Dès qu'il est capable d'agir, c'est-à-dire, dès l'âge de quatorze ou quinze ans, l'individu a, de par les coutumes familiales, le droit et la possibilité de s'éloigner, de fonder une famille, d'exercer une activité propre, et rien de ce qui lui revient de l'héritage paternel ne peut lui être soustrait. Si extraordinaire que cela paraisse, les liens mêmes qui le fixent au sol assurent sa liberté. Un père de famille peut partir pour la Croisade, laissant là sa terre, sa femme et ses enfants : ses biens appartiennent à sa famille plus qu'à lui-même, et d'autres peuvent le remplacer dans son office de gérant. Le vagabond qui est en lui ne nuit pas à l'administrateur, et rien ne s'oppose à ce qu'il endosse tour à tour les deux rôles. Ce goût de l'aventure est tel que même le serf, attaché à la glèbe, a la permission de la quitter pour aller en pèlerinage. Autant les coutumes retiennent l'homme à la place que la nature lui a fixée, autant l'esprit du temps comprend le besoin d'évasion qui corrige et compense le sens de la stabilité. Certaines coutumes autorisent même le voyageur à prendre sur sa route ce qui lui est nécessaire pour le nourrir, lui et sa monture, et partout les devoirs de l'hospitalité sont considérés comme les plus sacrés qui soient : refuser l'asile aux errants est regardé comme une faute grave, entraînant une sorte de malédiction.

Le Moyen Age a d'ailleurs connu des excès dans cet ordre de choses : témoin les mesures que dut prendre l'Église contre les clercs vagabonds. Et cette aptitude du paysan à partir de chez lui provoqua les mouvements de « pastoureaux » qui se livrèrent parfois aux pires désordres. Mais il n'en reste pas moins que cette allégresse des départs était un gage de vie, une source de dynamisme incomparables. C'est ainsi que les échanges se sont multipliés dans la Chrétienté médiévale, comme entre l'Europe et l'Orient. L'époque des grandes découvertes, c'est le Moyen Age ; c'est alors que sur notre terre se sont acclimatés les fruits bizarres et magnifiques : l'orange, le citron, la grenade, la pêche et l'abricot ; c'est grâce aux Croisés que l'Europe a connu le riz, le coton, la canne à sucre, qu'elle a appris à se servir de la boussole, à fabriquer le papier, et aussi, hélas, la poudre à canon ; dans le même temps, ils implantaient en Syrie les industries de chez nous : verrerie, tissage, teinturerie ; nos marchands exploraient le continent africain, un architecte européen bâtissait la grande mosquée de Tombouctou, et les Ethiopiens faisaient appel à nos ouvriers d'art, peintres, ciseleurs, charpentiers. On a pu voir, au Moyen Age, un paisible bourgeois de Toulouse, Anselme Ysalguier, ramener dans sa ville une princesse noire qu'il avait épousée à Gao, — en même temps qu'un médecin venu des bords du Niger, auquel recourait le dauphin, futur Charles VII. Manoir et pèlerinage, réalisme et fantaisie, tels sont les deux pôles de la vie médiévale, entre lesquels l'homme évolue sans la moindre gêne, unissant l'un et l'autre et passant de l'un à l'autre avec une aisance qu'il n'a plus retrouvée depuis.

De l'ensemble ressort une confiance dans la vie, une joie de vivre dont on ne trouve l'équivalent dans aucune autre civilisation. Cette sorte de fatalité qui pèse sur le monde antique, cette terreur du Destin, dieu implacable auquel les dieux mêmes sont soumis, le monde médiéval l'a totalement ignorée. On peut lui appliquer ces vers du poète latin :

...metus omnes et inexorabile Fatum
Subjecit pedibus...

Dans sa philosophie, dans son architecture, dans sa manière de vivre, partout éclate une joie d'être, une puissance d'affirmation devant lesquelles revient en mémoire le mot rieur de Louis VII auquel on reprochait son manque de faste : « Nous autres, à la cour de France, nous n'avons que du pain, du vin et de la gaîté. » Parole magnifique, qui résume le Moyen Age, époque où l'on sut plus qu'à toute autre apprécier les choses simples et saines et joyeuses : le pain, le vin et la gaîté.

PETIT DICTIONNAIRE DU MOYEN AGE TRADITIONNEL

AINESSE (Droit d'). — C'était la méthode que le Moyen Age avait trouvé la plus sûre pour éviter le morcellement qui entraîne la désertion des campagnes, et pour exciter, chez les cadets de famille, l'esprit d'initiative. N'est-ce pas au droit d'aînesse que l'Angleterre doit de posséder le plus grand Empire du monde ?

AMÉRIQUE (Découverte de l'). — Remonte aux environs de l'an 1000; elle est due aux Vikings, qui mettaient de six à sept jours pour aller de Norvège au Groenland où fut érigé un évêché. Les Groenlandais, lors de l'appel à la Croisade lancé par le Pape Jean XXII en 1327, envoyèrent à Rome une cargaison de dents de morse et de peaux de phoque pour participer aux frais de l'entreprise.

AN MIL (Terreurs de l'). — Les historiens de la fin du XVIe siècle, auxquels remonte leur invention, ne mériteraient-ils pas d'être connus, pour leur sens du romanesque, au moins à l'égal de Michelet qui puisa chez eux son inspiration ?

ART GOTHIQUE. — Le mot de *gothique* appliqué à l'art médiéval reste le seul aspect « ténébreux » de cette époque, puisqu'il ne doit rien aux Goths ni aux autres barbares et vit le jour dans l'Ile-de-France vers le milieu du XIIe siècle.

ASILE (Droit d'). — Le droit au Moyen Age repose sur des bases toutes différentes du nôtre. Nulle part cette différence n'apparaît mieux que dans ce droit d'asile qui donne sa chance même au criminel ; notre époque, au contraire, considère a priori tout accusé comme coupable, d'où la prison préventive à laquelle, en principe du moins, l'innocent est exposé aussi bien que le criminel.

BON PLAISIR (Car tel est notre). — Le premier souverain qui ait fait usage de cette formule n'est autre que Napoléon.

BOURGEOISIE. — Naît vers la fin du XIe siècle lors de l'extension des villes ; ne commence à prendre une part effective au pouvoir central qu'à la fin du XIIIe ; son apparition coïncide avec le déclin du Moyen Age.

BOUSSOLE. — Apparaît en Occident au XIIe siècle ; décrite en 1269 par Pérégrin de Maricourt ; perfectionnée au XIVe siècle.

BROUETTE. — Employée communément au Moyen Age. L'attribution de sa découverte à Pascal, qui n'ajoute rien à la gloire de celui-ci, ne serait-elle pas l'œuvre d'un mauvais plaisant ?

CATHÉDRALE D'ORLÉANS. — Citée comme le modèle du genre par les romantiques ; elle date du XVIIIe siècle.

CHIMÈRES DE NOTRE-DAME. — Ajoutées par Viollet-le-Duc lors de la restauration de l'édifice au XIXe siècle.

CORPORATIONS. — Le mot date du XVIIIe siècle ; la chose, à quelques exceptions près, de la fin du XVe, tout au moins dans sa forme étroite et exclusive, car la bourgeoisie, qui a toujours témoigné de plus d'esprit de caste que la noblesse, sans avoir les mêmes charges, se réserve de bonne heure le monopole de la maîtrise.

COUR DES MIRACLES. — Le bibliophile Jacob représente le type le plus achevé des historiens pour lesquels le Moyen Age tient entre la Cour des Miracles et le Charnier des Innocents. On peut regretter qu'il n'ait pas vécu assez longtemps pour connaître ces fleurs de la civilisation que sont la zone autour de Paris et certaines banlieues de nos grandes villes ; il aurait trouvé là un thème plus authentique pour ses talents d'évocation.

CROISADES. — Ne se réduisent pas, comme on pourrait le croire, à huit expéditions : Imaginons une Société des Nations fondée sur une foi commune, au lieu de l'être sur une rencontre provisoire d'intérêts, et organisant des expéditions outre-mer.

CUISSAGE (Droit de). — Devant certaines interprétations, fondées sur des jeux de mots (cf. BON PLAISIR, EMMUREMENT, FÉODALITÉ), et dont le « droit de cuissage » est un exemple frappant, on peut se demander si le Moyen Age n'a pas été victime d'un véritable complot d' « historiens ».

EMMUREMENT. — Les emmurés de Carcassonne ont fourni à l'un de nos peintres académiques les plus appréciés le thème d'une œuvre émouvante par le bon vouloir dont elle témoigne. On désignait au Moyen Age sous le terme d'*emmurement* la peine de prison.

ÉPIDÉMIES. — Si l'on pouvait dresser une liste de leurs victimes au Moyen Age, et mettre en regard celles de l'alcoolisme et de la tuberculose au siècle dernier, il n'est pas certain que le bilan serait à l'avantage de celui-ci (l'un et l'autre s'étant abattus *sur le peuple*, tout comme la peste au XVIe siècle, ne méritent-ils pas le nom d'épidémies ?)

ÉTANGS. — « Le serf... passe ses nuits à en battre l'eau pour faire taire les grenouilles qui troublent le sommeil du maître. » L'auteur, qui a passé deux heures de nuit à battre l'eau d'une mare pour tenter de faire taire les grenouilles, offre une forte récompense à quiconque pourra démontrer la vraisemblance de l'assertion de M. Devinat (*Manuel d'histoire, Cours Moyen*, p. 11).

FAMINES. — Elles ont été nombreuses, surtout au XIe siècle, mais il est difficile de nous en faire une idée exacte, parce que celles de notre temps embrassent de vastes contrées, alors qu'au Moyen Age, elles sont toujours très localisées : la valeur d'un ou deux départements, au plus, souffrant d'une année de mauvaise récolte.

FÉODALITÉ. — La seule société au monde où la base des rapports d'homme à homme ait été la fidélité réciproque et la protection, due par le seigneur aux petites gens de son domaine. On s'explique mal pourquoi le terme a été employé à propos des trusts, car il est impossible de trouver dans les textes la moindre ébauche d'entente entre ces seigneurs pour l'exploitation du peuple.

GRACE DE DIEU (Roi par la). — Les deux sens que cette formule a pris sont très révélateurs, par leur opposition, de l'évolution de la monarchie. Dans la bouche d'un saint Louis, ce terme de : roi par la grâce de Dieu, est une formule d'humilité qui reconnaît la main du Créateur dans les tâches diverses assignées à ses créatures ; dans la bouche d'un Louis XIV, la même formule devient la proclamation d'un privilège de prédestiné.

GRENOUILLES. — Cf. Étangs.

HYGIÈNE. — « Etre reçu par le roi séant en sa chaise est un privilège que confère un brevet spécial, le « brevet d'affaires » (LAVISSE, *Histoire de France*) ; le château de Versailles ne comporte pas de lieux d'aisances, et Louis XIV ne prit qu'un seul bain dans toute sa vie. Ces quelques rappels des usages du XVIIe siècle montrent l'ampleur de l'évolution qui se produisit dans les mœurs au cours de la Renaissance. Qu'il suffise de rappeler que le Paris de Philippe-Auguste comprenait vingt-six établissements de bains publics.

INNOCENTS (Charnier des). — Cf. Cour des Miracles.

INQUISITION. — La peine du feu a été appliquée pour la première fois aux hérétiques par l'empereur Frédéric II, monarque « éclairé », sceptique, plusieurs fois excommunié et tenu par tous les historiens pour un précurseur de la Renaissance. C'est au cours de cette même Renaissance que l'Inquisition a pris, spécialement en Espagne et aux Pays-Bas, le caractère qu'elle a gardé dans l'histoire et dans la tradition.

MOINES. — Rappelons que les plus grands savants, les plus grands artistes, les plus grands philosophes du Moyen Age ont été des moines (Cf. saint Thomas d'Aquin, Roger Bacon, Fra Angelico, etc.).

NAÏVETÉ. — « M. Bédier m'a fait revenir du préjugé de l'inconscience et de l'inintelligence des auteurs de chansons de geste. Pourquoi supposer, en effet, qu'ils n'ont pas voulu ou compris ce qu'ils ont fait ? » (G. LANSON, *Histoire illustrée de la littérature française*, 2e éd.)

NOTRE-DAME DE PARIS. — Les mutilations des sans-culottes ne doivent pas faire oublier que c'est à la Révolution française que l'on doit d'avoir gardé sa façade, sinon intacte dans ses détails, du moins telle dans son ensemble : on projetait en effet, dans les dernières années du XVIIIe siècle, de la démolir pour en rebâtir une autre dans le goût de celle du Panthéon.

OUBLIETTES. — Il n'existe dans les documents authentiques aucun commencement d'explication à la curieuse méprise qui fait que les romanciers d'imagination ont confondu la prison, dont tout château féodal était d'ailleurs pourvu, avec ses caves à provisions.

PATRIOTISME. — Si le nationalisme remonte indéniablement à la Révolution française, le patriotisme existait bien avant Jeanne d'Arc, témoins les compagnons de Charlemagne, mourant le visage tourné vers « France la doulce ».

PRUD'HOMME. — Représente l'idéal médiéval, comme l'*honnête homme* celui du XVIIe siècle. D'après Ménage, celui-ci doit posséder « la justesse de l'esprit et l'équité du cœur ; l'une est une vertu en l'esprit qui combat les erreurs, et l'autre une vertu au cœur qui empêche l'excès des passions, soit en bien, soit en mal ». Au Moyen Age, on résume les qualités requises du prud'homme dans les vers suivants :

> Tant est prud'homme, si com semble
> Qui a ces deux choses ensemble :
> Valeur de corps et bonté d'âme.

RENART (Roman de). — Exemple de création populaire, dont la fortune fut telle que le surnom de Renard en vint à remplacer le nom du goupil, et que Gœthe n'a pas dédaigné de l'adapter. Demeure un spécimen de ce goût de la mystification, de ce sens de l'humour dont il n'est pas exagéré de dire qu'il est la clef du Moyen Age. Humour gratuit puisque au contraire des fables antiques il ne comporte aucune arrière-pensée moralisatrice.

SERVAGE. — La différence entre le servage et l'esclavage permet de saisir sur le vif l'opposition entre la société antique et la société médiévale, puisque au contraire de l'esclave, traité comme une chose, le serf est un homme, possédant famille, foyer, propriété, et se trouve libre avec son seigneur lorsqu'il a payé sa redevance, en échange de laquelle il est protégé contre le chômage, le service militaire et les agents du fisc.

A suscité de vives protestations : celles des serfs lorsqu'on a voulu les affranchir en masse. Ceux-ci, par leur résistance à cette mesure, sont restés dans l'histoire sous le nom de « serfs récalcitrants ».

SORCELLERIE, SORCIERS. — Les abus des procès en sorcellerie ont été stigmatisés dans un ouvrage du P. von Spee, S. J., la *Cautio criminalis,* paru en 1631. On s'étonnera peut-être de cette date : c'est que les procès en question, s'ils commencent à apparaître sur le déclin du Moyen Age, à la fin du XVe siècle, n'ont été réellement nombreux qu'au début du « Grand Siècle ».

POUR EN SAVOIR DAVANTAGE

BEZZOLA (R.), *les Origines et la formation de la tradition courtoise en Occident*, Champion, 1958-1963, 5 vol. gd in-8°.
BEZZOLA (R.), *le Sens de l'aventure et de l'amour*, La Jeune Parque, 1947.
BRUYNE (Edgar de), *Études d'esthétique médiévale*, Bruges, 1946, 3 vol. in-4°.
COHEN (Gustave), *la Grande Clarté du Moyen Age*, Gallimard, 1945.
EVANS (Joan), *la Civilisation en France au Moyen Age*, Payot, 1930.
FOCILLON (Henri), *Art d'Occident*, Paris, 1938.
GÉNICOT (L.), *les Lignes de faîte du Moyen Age*, Casterman, 1951.
GILLE (Bertrand), *les Origines de la civilisation technique. Le Moyen Age en Occident*, P.U.F., 1963.
GIMPEL (Jean), *les Bâtisseurs de cathédrales*, Le Seuil, 1980.
GIMPEL (Jean), *la Révolution industrielle du Moyen Age*, Le Seuil, 1975.
HAUCOURT (Geneviève d'), *la Vie au Moyen Age*, P.U.F., coll. « Que sais-je? », n° 132, 1957.
LABARGE (M.W.), *The Life of Louis IX of France*, Eyre et Spottiswoode, Londres, 1968.
LAGARDE (G. de), *la Naissance de l'esprit laïc*, Paris, 1948.
LUBAC (H. de), *Exégèse médiévale*, Aubier, 1959-1964, 4 vol. gd in-8°.
MELVILLE (Marion), *la Vie des templiers*, Gallimard, 1974.
POGNON (Ed.), *l'An Mil*, Gallimard, 1947.
RICHARD (Jean), *l'Esprit de la croisade*, Le Cerf, 1969.
RICHARD (Jean), *le Royaume latin de Jérusalem*, P.U.F., 1953.
RICHÉ (Pierre), *De l'éducation antique à l'éducation chevaleresque*, Flammarion, 1968.
RICHÉ (Pierre), *Éducation et culture dans l'Occident barbare*, Le Seuil, 1966.
ROUSSET (Paul), *Histoire des croisades*, Payot, 1957.
Siècle (Le) de Saint Louis, Hachette, 1970. Ouvrage collectif sous la direction de R. Pernoud.
ZUMTHOR (Paul), *Histoire littéraire de la France médiévale*, P.U.F., 1954.

Signalons, aux éditions Stock-Plus, la collection de textes « Moyen Age » dirigée par Danièle Régnier-Bohler.

TABLE DES MATIÈRES

L'impression de ce livre
a été réalisée sur les presses
des Imprimeries Aubin
à Poitiers/Ligugé

pour les Éditions Grasset

Achevé d'imprimer en mai 1985
N° d'édition, 6703 — N° d'impression, L 20010
Première édition, dépôt légal 1944
Nouveau tirage, dépôt légal mai 1985

ISBN 2-246-23002-0

Imprimé en France